Dichtung und Emblematik bei Catharina Regina von Greiffenberg

VON PETER M. DALY

1976

BOUVIER VERLAG HERBERT GRUNDMANN · BONN

INGRID BLACK ZUM GEDÄCHTNIS

CIP-Kurztitelaufnahme der Deutschen Bibliothek
DALY, PETER M.
Dichtung und Emblematik bei Catharina Regina von Greiffenberg. – 1. Aufl. – Bonn: Bouvier, 1976.
(Studien zur Germanistik, Anglistik und Komparatistik; Bd. 36)
ISBN 3-416-01077-9
ISSN 0340-594X

* VI. *

Erklärung.

Aus dem Unglück=dornen=grund seine
   Sinne lassen keumen/
in der Wiederwärtigkeit sich nicht gar erstorben meinen/
ist nur halber Götter Saat/ die ben schon er=
   faulten Saam (beisste Kum;
seiget in die Unglücks=Erd durch die vielge=
Wir erkennen offtermals vor verdrüßlich dicke
   Regen/   (legen;
die sich zur Fruchtbarkeit an die dürzen Körner
So/ die unglückvollen Wolken machen des
   Gewächses Stiel/
mit durchbrechen frühe dringen zu dem ho=
   chem Tugendziel:
Biß es hat ein Loch gefunden und die hohe Soñ
   erettet/ (verweilet/
also deine gute Mühe sich im niedern nicht
nimmt die Güte frember Sprach / bringt sie
   an das Teutsche Liecht/
machend daß die Weißheitlust bey uns eben
   wol anbricht/
biß du durch die Dorn=und Wolken selbsten o=
   ben an gestiegen/
wo du bey der klaren Sonnen über Unglück ler=
   nest siegen.

         Erklä-

Anonymes Widmungsgedicht (verfaßt von C. R. v. Greiffenberg?) aus *J. Bacon*, Getreue
Reden . . . übersetzt von J. W. v. Stubenberg, Nürnberg 1654. (s. S. 16).

VORWORT

Dieses Buch enthält Studien über einzelne Gedichte und Gedichtsammlungen der größten Dichterin des 17. Jahrhunderts, Catharina Regina von Greiffenberg. Die Frage nach dem Persönlichen und Biographischen, sowie das Bemühen um emblematische Formen und Strukturen gehören zu den zentralen Anliegen der Untersuchung und bilden somit den roten Faden, der das Ganze durchzieht. Das erste Kapitel untersucht zwei anonym erschienene Gedichte. Die Untersuchung der äußeren Umstände einerseits und eine stilistische und thematische Analyse andererseits erlauben den Schluß, daß diese Gedichte aus der Feder der Catharina stammen. Im zweiten Kapitel wird ein Gedicht behandelt, das in einer frühen handschriftlichen Fassung zwar existiert, aber nicht in die 1662 erschienene Sammlung *Geistliche Sonnette, Lieder und Gedichte* aufgenommen wurde, ein Gedicht, das die Dichterin erst dreißig Jahre später als Andachtsbetrachtung in einem meditativen Werk veröffentlichte. Es handelt sich um ein privates Gelegenheitsgedicht, dessen gedruckte Fassung aufschlußreiche Änderungen aufweist. Das zweite Kapitel setzt die Arbeit von Black und Daly (*Gelegenheit und Geständnis*) fort, die einen Versuch darstellt, objektiv anmutende Gelegenheitsgedichte als verschleierten Ausdruck persönlicher Erlebnisse der Dichterin zu entschlüsseln. Auch dem dritten Kapitel liegt die Auffassung zugrunde, daß die *Tugend-Übung*, eine äußerst objektiv aussehende Gedichtsammlung, als emblematischer Spiegel des persönlichen Lebens der Dichterin zu deuten ist. Das vierte Kapitel untersucht die verschiedenen Formen des Emblematischen im Wortkunstwerk der Catharina, während im fünften Kapitel die emblematische Meditation im Zentrum steht. Hier wird sowohl die formale als auch die zufällige Meditation betrachtet, wobei verschiedene im Anhang abgedruckte Sinnbilder aus Catharinas meditativen Werken ebenfalls gedeutet werden. Das letzte Kapitel befaßt sich mit einem etwas eigenartigen Phänomen, welches „vertikale Worthäufung" genannt werden könnte. Dieses ungewöhnliche Stilmittel besteht in der vertikalen Anordnung von Wörtern über und unter der von der Verszeile gebildeten Waagrechten.

Es ist mir eine angenehme Pflicht, all den Personen und Institutionen zu danken, die durch Rat und Tat die Fertigstellung dieses Buches gefördert haben. Manche Anregung ging aus meiner Lehrtätigkeit hervor. Meinen besonderen Dank aber gilt Dr. Martin Bircher (McGill und Zürich) und Joseph Leighton (Bristol), die nicht nur Zeit und Interesse für manches Gespräch fanden, sondern auch Teile des Manuskripts kritisch lasen. Dr. Werner Rubrecht (Regina, Saskatchewan) erwies sich bei Sprach- und Übersetzungsproblemen als äußerst hilfreicher Mitarbeiter. Der University of Manitoba, die meine Forschungsarbeit finanziell unterstützte, wie auch dem Germanischen Nationalmuseum in Nürnberg für die Erlaubnis, Handschriften zu reproduzieren, seien an dieser Stelle gedankt.

Teile dieses Buches erschienen früher als Aufsätze in *German Life and Letters*, *Euphorion*, im *Literaturwissenschaftlichen Jahrbuch* und im Sammelband *Europäische Tradition und deutscher Literaturbarock* (Francke, Bern und München, 1973). Ermöglicht wurde die Veröffentlichung der Arbeit durch einen Zuschuß vom Humanities Research Council aus Mitteln des Canada Council.

Winnipeg, Oktober 1975. Peter M. Daly

KAPITEL I

DIE „ISTER-CLIO" UND DER „UNGLÜCKSELIGE":
C. R. VON GREIFFENBERGS BEIDEN FRÜHESTEN GEDICHTE
FÜR J. W. VON STUBENBERG

1. Teil (von Martin Bircher)[1]

Ihr/ Jhr doppeltschönes Kind *Clio* unsers deutschen Landes!
Seyt ein Menschen-Seraffin/ Engel unsers Donaustrandes!
Weil sich nicht nur mehr als schön Euer Leib und Euer Geist
sondern GOttes Schönheit selbst Euer *Orpheus*-stimm' uns weist! . . .

Mit diesen Worten verehrt Johann Wilhelm von Stubenberg „seine hochgeachtete Freundinn" Catharina Regina von Greiffenberg in einem Widmungsgedicht zu „der Teutschen CLIO unsers Isterstrandes/ übermenschliche Englische Geistige Gedicht." Diese erschienen 1662 in Nürnberg. Es handelte sich um das erste gedruckte Werk der 1633 in Seisenegg, Niederösterreich, geborenen jungen Dichterin, das — wie bereits auf dem Titelblatt des Buches zu lesen ist — „ohne ihr Wissen/ zum Druck gefördert" worden ist. Catharina Reginas Stiefonkel, Hans Rudolph von Greiffenberg, hat, „ihr zu Ehren und Gedächtniss", für das Erscheinen der *Sonnette* Sorge getragen. In einem ausführlichen Vorwort rechtfertigt er seine Ausgabe und schreibt zum Lob seiner dichtenden Nichte die bedeutungsvollen Sätze:

. . . Jnsonderheit hat Sie/ von erster Zeit an ihrer Leskündigkeit/ zu der nunmehr in unserer Teutschen Muttersprache hochgestiegenen edlen Dichtkunst ein eiffriges Belieben getragen/ und nicht allein dergleichen Bücher vor andern mit Lust gelesen/ sondern auch endlich mit Zuwachs der Jahre/ die Feder selbst angesetzt/ und zu ihrem Zeitvertreib/ aus selbst-eigner Belehrung ihres schönen Verstands/ ein und anders Gedichte zu Papier gebracht: welche denn von etlichen unsern guten Freunden/ die von dieser löblichen Kunst-Ubung beydes Verstand und Ruhm haben/ mehrmals beliebet und belobt worden.

Dieses Kapitel erschien als Aufsatz unter dem Titel „Catharina Regina von Greiffenberg und Johann Wilhelm von Stubenberg. Zur Frage der Autorschaft zweier anonymen Widmungsgedichte." In: *Literaturwissenschaftliches Jahrbuch*, N. F. Band 7 (1966), S. 17—35 .

1 In einem ersten Teil von Martin Bircher werden die äußeren biographischen Fakten zusammengestellt, die für Greiffenbergs Autorschaft zweier anonym erschienener Widmungsgedichte zu Übersetzungen Stubenbergs sprechen. (Über den Autor vgl. Martin Bircher, *Johann Wilhelm von Stubenberg (1619—1663) und sein Freundeskreis* [Berlin, 1967], im Folgenden zitiert: Bircher, *Stubenberg*.) Sodann werden in einem zweiten Teil von Peter M. Daly in einer eingehenden stilistischen und metaphorischen Untersuchung Indizien zusammengestellt, die zum selben Resultat hinsichtlich der Verfasserfrage führen.

Unschwer gelingt es uns, einige der erwähnten „guten Freunde" namhaft zu machen; wir finden sie in unmittelbarer Umgebung der Greiffenberg in Niederösterreich. Es handelt sich dabei um eine bisher kaum beachtete Gruppe literarisch tätiger evangelischer Edelleute, die inmitten einer re-katholisierten Umgebung auf ihren ererbten Schlössern lebten.[2] Dank einem Erlaß des Kaisers im Westfälischen Frieden von 1648 war lediglich den Adeligen Niederösterreichs der Aufenthalt in der Heimat zugebilligt worden; unter so schweren Bedingungen allerdings, daß sie sich nur etwa zwei Jahrzehnte halten konnten. Neben Catharina von Greiffenberg ist der bekannteste Schriftsteller unter ihnen Wolfgang Helmhard von Hohberg (1612—88), der in seinen umfangreichen landwirtschaftlichen Kompendien (*Georgica Curiosa*) ein überaus anschauliches Bild „adligen Landlebens"[3] gegeben hat. Er verdient überdies als Verfasser des einzigen größeren Epos der Barockzeit (*Der Habspurgische Ottobert* , 1664) literarhistorische Beachtung. Zu Greiffenbergs Sonetten hat er ein Gedicht verfaßt, wie auch sie zu Hohbergs 1661 erschienener *Unvergnügten Proserpina* einen Beitrag geschrieben hatte. Im Mittelpunkt dieses Kreises (dem auch Angehörige berühmter österreichischer Adelsgeschlechter wie z. B. der Auersperg, Dietrichstein, Kuefstein, Schallenberg, Starhemberg und Windischgrätz angehörten)   stand aber der schon eingangs erwähnte Johann Wilhelm von Stubenberg. Er besaß das prachtvolle Renaissance-Schloß Schallaburg bei Melk; seit 1648 war er unter dem Namen „der Unglückselige" Mitglied der bedeutendsten kulturellen Vereinigung von Dichtern, Gelehrten und Adeligen in Deutschland, nämlich der Fruchtbringenden Gesellschaft. Stubenbergs Übersetzungen von Ritterromanen und moralischen Lehrschriften erschienen seit 1650 in Süddeutschland, zumeist in Nürnberg.

Stubenbergs Schallaburg und Greiffenbergs Seisenegg sind nur etwa 30 km voneinander entfernt. Oft mag Stubenberg die Strecke zu Pferd zurückgelegt haben; er ist gastlich auf der alten Burg empfangen worden, die sich in einer lieblichen Gegend erhebt und sich in einem fischreichen Weiher spiegelt. Unweit fließt das von Catharina besungene Flüßchen Ybbs; von der Anhöhe des Schlosses schweift der Blick bis zur Donau, hinter der sich der weite Böhmerwald zu erheben scheint. In einem Brief an seinen Dichterfreund Sigmund von Birken schreibt Stubenberg 1661 über die junge Dichterin: „ . . . das Fräulein v. Greiffenberg . . . ist Mir nicht allein verträulich

---

2 Schon Richard Alewyn hat in seiner grundlegenden Schrift über den aus Österreich stammenden evangelischen Erzähler und Musiker Johann Beer (Leipzig, 1932) nachdrücklich auf diese Gruppe hingewiesen. Die Entwicklung und den Hintergrund dieser österreichischen Adelswelt hat der Historiker und Soziologe Otto Brunner dargestellt in seiner Biographie W. H. von Hohbergs (*Adeliges Landleben und europäischer Geist* [Salzburg, 1949]).

3 Der Begriff stammt aus dem Titel von Hohbergs *Georgica Curiosa* und ist zugleich der Titel von O. Brunners erwähntem Buch. Vgl. ferner Martin Bircher, „Wolfgang Helmhard von Hohburg (1612—1688). Briefe und frühe Gelegenheitsdichtungen." In: *Literaturwissenschaftliches Jahrbuch*, N. F. Band 11 (1970), S. 37—66.

bekannt, sondern Meine halbe Schulerinn gewesen, zu Seisenekk in Oesterreich 4 Meilen von Mir wohnhafft, daher Jch vilmahls die Ehre gehabt daß Sie Mir ihre sachen anfangs Zuverbessern übersändet, anjetzt aber ist die Schulerinn über den Meister."[4]

Im Jahre 1654 erschienen zwei neue Übersetzungen Stubenbergs: die *Getreuen Reden: die Sitten- Regiments- und Haußlehre betreffend . . .,* (lateinischer Originaltitel: *Sermones fideles*) des berühmten Engländers Francis Bacon[5] sowie Betrachtungen über die sieben Bußpsalmen Davids, deren italienisches Original der venezianische Edelmann Giovanni Francesco Loredano[6] verfaßt hatte. Beide Werke enthalten, dem Brauch jener Zeit gemäß, eine Anzahl von Lobgedichten und Zuschriften an Stubenbergs Adresse.

Die erste deutsche Übersetzung von Bacons berühmten Essays, nach Stubenbergs der „besten Federfrucht . . . des Aristoteles unserer Zeit," widmet der Übersetzer keinem Geringeren als dem jungen König Ferdinand IV. (1633—54), dem ältesten Sohn und designierten Thronfolger Kaiser Ferdinands III. Der in untertänigen Worten verfaßten Widmung folgen „Lobgedichte / über des H. Unglückseligen wolgedeutschte Reden des Verulamii," die von folgenden Personen verfaßt sind: I. Veit Daniel Freiherr von Colewald, der biographisch kaum nachweisbare Übersetzer von Lucas Assarinos Roman *Stratonica* (Wien 1652), ein Werk, das Stubenberg sehr schätzte. II. Johann Valentin Andreae, in der Fruchbringenden Gesellschaft der „Mürbe" genannt, der berühmte, in Württemberg tätige Dichter, Prediger und Schriftsteller. III. Friedrich von Rotter und Kostenthal, ein Schlesier, der in Wien kaiserlicher Hauptmann war und für die meisten Werke Stubenbergs Gedichte beisteuerte, welcher ihn später unter dem Namen der „Quälende" in die Fruchbringende Gesellschaft aufnehmen ließ. IV. Der bereits erwähnte Wolfgang Helmhard von Hohberg (der „Sinnreiche"), der zu dieser Zeit noch keine größere Arbeit veröffentlicht hatte. V. Georg Adam Graf von Kuefstein (der „Kunstliebende"), der ehemalige Kommandant Wiens, der im selben Jahr 1654 in Nürnberg seine Übersetzung von Daniele Bartolis Schrift *Vertheidigung der Kunstliebenden und Gelehrten anständigere Sitten* veröffentlichte und mit seinem

---

4 Stubenberg an Birken, 13. 11. 1659, Original im Archiv des Pegnesischen Blumenordens, Nürnberg. — Einen erstmaligen, sehr dankenswerten Überblick über diese vom German. National-museum verwahrten Bestände hat Blake Lee Spahr (*The Archives of the Pegnesischer Blumenorden* [Berkeley and Los Angeles, 1960]) verfaßt. Sämtliche Briefe C. v. Greiffenbergs an Birken werden detailliert aufgezählt (S. 38—50) diejenigen Stubenbergs dagegen nur pauschal erwähnt.

5 Über die zahlreichen lateinischen und englischen Editionen des Werkes vgl. die genaue Bibliographie von R. W. Gibson (Oxford, 1950). Stubenberg hat die lateinische Version Bacons übersetzt sowie, im gleichen Jahr, auch noch die Schrift *Fürtrefflicher Staats- Vernunfft- und Sitten-Lehr-Schrifften (De sapientia veterum).* — Egon Cohn *(Gesellschaftsideale und Gesellschaftsroman des 17. Jhs.* [Berlin, 1921]) hat mit besonderem Nachdruck auf die Bedeutung der Stubenbergschen Vermittlung von Bacons wichtigen Schriften hingewiesen. — Einen Beweis dafür, daß Stubenberg Shakespeares Sonette kannte und Catharina zu lesen gab, konnte ich nirgends finden (vgl. Horst-Joachim Frank, *C. R. v. Greiffenberg. Untersuchungen zu ihrer Persönlichkeit und Sonettdichtung* [Diss. Hamburg, 1957], S. 280).

6 Obwohl Loredanos (1607—61) *Sensi di devotione soura i sette salmi della penitenza di Dauide* in zahlreichen Auflagen erschienen sind, findet sich das Werk nur in den wenigsten Bibliotheken.

Gedichte zur Bacon-Übersetzung Stubenberg seine „immerwährende Dienstbegierlichkeit" bezeugen wollte. VI. anonymus – C. R. v. Greiffenberg? [7] VII. Christoph Dietrich von Schallenberg (der „Schallende"), ein Enkel des bekannten Dichters Christoph von Schallenberg, der auf Schloß Rosenau im niederösterreichischen Waldviertel lebte. Auch er verfaßte – wie der Autor von VI. – eine ‚Erklärung' zu einem Emblem in Versform. VIII. Georg Philipp Harsdörffer (der „Spielende"), Stubenbergs großer Mentor und Förderer in Nürnberg, der hier einen ‚Poetischen Aufzug / den Jnhalt der Getreuen Reden dieses Büchleins vorstellend' veröffentlicht hat. IX. Sigmund Birken, der stets um Stubenbergs Gunst warb und für den Druck seiner Übersetzungen in Nürnberg besorgt war.

Aus diesen Widmungsgedichten wird die Umgebung von Stubenberg zumindest in Umrissen sichtbar: Hohberg, Kuefstein, Rotter, Schallenberg und wohl auch Colewald (über den wir zu wenig wissen) gehören zu seinem nächsten österreichischen Freundeskreis. Einigen von ihnen sind – zumeist dank Stubenbergs Vermittlung – Mitglieder der Fruchtbringenden Gesellschaft, wie auch die beiden bekannten Dichter Andreae und Harsdörffer in Süddeutschland, die zusammen mit dem jungen Birken Stubenbergs Werke hochschätzten und förderten. Wir gehen wohl nicht fehl, auch den Verfasser unseres anonymen sechsten Gedichtes im Kreise von Stubenbergs österreichischen Freunden zu suchen; würde es sich nämlich um ein Mitglied der Fruchtbringenden Gesellschaft handeln, so wäre es ganz unüblich und völlig unerklärlich, warum kein Gesellschaftsname genannt wird.

Ein ganz ähnliches Bild des Freundeskreises gewinnen wir aber auch aus den sieben Gedichten, die Loredanos *Andachten über die Sieben Buß-Psalm* vorangestellt sind, eine Übersetzung, die bisher bibliographisch nicht nachgewiesen werden konnte und von der vermutlich nur ein einziges Exemplar (in der Zürcher Zentralbibliothek) erhalten ist. In diesem Fall übernahm der Übersetzer Loredanos Widmung des italienischen Werkleins an den „ewigen und unsterblichen GOTT." Das erste Gedicht ist unterzeichnet von einer „M. M. Fräulein v. B. u. W.", was wir mit Margaretha Maria von Buwinghausen und Walmerode auflösen können. Diese Dame wurde in Stuttgart 1629 geboren,[8] stand mit Andreae und Harsdörffer in Verbindung, veröffentlichte 1652 die Übersetzung eines moralischen Traktats des Engländers Joseph Hall und spielte später in Stubenbergs Leben eine nicht näher bekannte Rolle. Ihrem Beitrag zu Loredanos *Andachten* folgt ein solcher des bereits erwähnten Friedrich von Rotter, während Nr. III anonym (Greiffenberg?)[9] ist. IV. stammt wieder von Harsdörffer, dessen siebzehnjähriger Sohn Carl Gottlieb mit Nr. VII am Schluß der Gratulanten steht. V. and VI. sind von uns absolut unbekannten Verfassern geschrieben, nämlich von Johann Beisser und Zacharias Mauß, die möglicherweise zu Stubenbergs

---

7 Text s. unten S. 16 ff sowie Abb., S. 6.

8 Der Geburtsnachweis ist erstmals von Markus Otto in seinem Aufsatz „Die Grabdenkmäler der Bouwinghausen von Wallmerode in Zavelstein", in: *Südwestdeutsche Blätter für Familien- und Wappenkunde*, Bd. 11 (1964) publiziert worden. Für nähere Angaben über die Dichterin vgl. die erwähnte Arbeit Birchers.

9 Text s. unten S. 16 f.

Untergebenen zu rechnen sind. — Wenn wir Catharina als Verfasserin des dritten Gedichtes annehmen, so würde in diesem Fall sogar die Rangfolge der Verfasser stimmen: zunächst drei Adlige (die Greiffenberg an dritter Stelle, entsprechend dem jungen Adel ihrer Familie), darauf die Bürgerlichen mit dem angesehenen Ratsherrn Harsdörffer an der Spitze und seinem jungen Sohn am Schluß.

Catharina Regina von Greiffenberg, an die wir zunächst aus stilistischen Gründen bei der Lektüre der anonymen Gedichte in den beiden Übersetzungen denken, war bei deren Erscheinen 21 Jahre alt und hatte sich bisher als Dichterin noch keinen Namen gemacht. Wir denken an ihre große Scheu vor der Veröffentlichung ihrer *Sonnette*; wie hätte das junge, vaterlose Mädchen zu dieser Zeit es wagen dürfen, ihren Namen unter die Schar der angesehenen hohen Herren zu setzen?

Leicht können wir uns vorstellen, daß Stubenberg bei einem Besuch auf Seisenegg von seinen beiden neuen Übersetzungen erzählt hat, deren Inhalt er (wie aus seinen Vorreden und Gedichten hervorgeht) für höchst wichtig hielt. Er hat Catharina oft gute Bücher zu lesen gegeben und empfohlen, wie sie es selber in einem spätern Gedicht bestätigt, wenn sie schreibt: „Er pflag und gab zu lesen / was lesenswürdig ist."[10] Stubenbergs Vorbild folgend hat sie 1660 ein Werklein des auch von Harsdörffer hochgepriesenen Guillaume Saluste du Bartas aus dem Französischen übersetzt. Im Anhang ihrer 1662 veröffentlichten Sonete finden sich ‚Funfzig Lieder untermischt mit allerhand Kunst-Gedanken‘, welche alle wesentlich vor 1662 entstanden sein dürften. Darunter gibt es Übersetzungen („Aus dem Wälschen", „Aus dem Lateinischen versetzt") oder Erklärungen italienischer Sprichwörter in Versen, die wie Übungen im Dichten wirken. Ähnliche „Spielereien" waren aber auch die „Figurengedichte", die Catharina im Sommer 1658 zur Kaiserkrönung Leopolds I. verfaßte. Von diesen Versen („eine Krone, Reichsstab, Schwertt, Apfel u. Adler fast lebensgroß von lauter Versen gemacht") berichtet Stubenberg lobend an Birken,[11] doch haben sie sich leider nicht erhalten. Andere Widmungsgedichte Catharinas kennen wir erst aus späteren Jahren.[12]

Aus allen diesen Gründen scheint uns vom biographischen Standpunkt her der Schluß nicht allzu kühn zu sein, daß Stubenberg bereits im Jahre 1654 seine

10 In ihrem Gedicht zu Stubenbergs *Clelia*-Übersetzung, vgl. unten S. 13 ff.
11 In seinem Brief vom 13. 11. 1659.
12 Außer den in vorliegendem Aufsatz erwähnten fünf Widmungsgedichten der Greiffenberg kennen wir noch folgende weitere: drei Gedichte in Anton Ulrichs Roman *Aramena* neu gedruckt in: B. L. Spahr, *Anton Ulrich and Aramena* (Berkeley and Los Angeles, 1966), S. 190—195; ein Trauergedicht auf die 1670 verstorbene Markgräfin Erdmuthe Sophie von Bayreuth (vgl. Joachim Kröll, „ ‚Ars Moriendi‘. Bayreuther Leichenbegängnisse um die Mitte des 17. Jahrhunderts", *Archiv für Geschichte von Oberfranken*, 52. Bd. 1972, S. 285 f.); zwei mit C. R. F. V. G. unterzeichnete Gedichte in den Leichenpredigten für Barbara Susanna Eleonora († 1687) und Anna Susanna von Regal († 1692), (vgl. Martin Bircher, „Unergründlichkeit. Catharina Regina von Greiffenbergs Gedicht über den Tod der Barbara Susanna Eleonora von Regal", *Deutsche Barocklyrik.* Gedichtinterpretationen von Spee bis Haller, hrsg. v. Martin Bircher und Alois M. Haas [Bern und München, 1973] S. 185—223]; ferner ihr langes Gedicht zu Johann Weikhard von Valvasors *Ehre deß Herzogthums Crain . . .*, (Laibach, 1689) sowie einen Eintrag im Stammbuch von Johann Jacob Benz aus dem Jahre 1683 in der berühmten Stammbuchsammlung der Thüringischen Landesbibliothek in Weimar (vgl. Hoffmann von Fallersleben, *Findlinge*, Bd. 1, [Leipzig, 1860], S. 485).

„Schulerinn" angeregt hätte, übungshalber eine „Erklärung" zu einem Emblem so wie ein Gedicht zu Loredanos *Andachten* über Davids Bußpsalmen zu schreiben, und daß Catharina ihm diese Proben nur unter der Bedingung überließ, daß ihr Name nicht erwähnt werden dürfe. Ein sicherer Beweis für diese Annahme läßt sich freilich nicht mehr finden: die handschriftlichen Druckvorlagen wurden in jener Zeit regelmäßig nach dem Druck vernichtet; die Nachlässe Greiffenbergs und Stubenbergs sind nicht auf uns gekommen, und in dem erhaltenen handschriftlichen Material in Nürnberg findet sich kein Hinweis darauf.

Die freundschaftliche Verbindung zwischen Stubenberg, Hans Rudolph und Catharina Regina von Greiffenberg blieb auch in den folgenden Jahren bestehen, nachdem Stubenberg sein Schloß verkauft hatte und in Wien lebte. In welch intensiver Weise er sich um die Drucklegung der *Sonnette* bemühte, kann hier nur kurz angedeutet werden: Er beriet den in solchen Dingen unerfahrenen und ungeschickten Hans Rudolph in rührender Weise, er schrieb an Sigmund von Birken in Nürnberg und schickte ihm Proben von Catharinas Talent, die den Nürnberger Dichter begeisterten. Endlich hat sich Stubenberg auch um die Beschaffung der Widmungsgedichte für Catharinas Erstlingswerk bemüht: auf seine Initiative hin haben Hohberg und Jakob Sturm, Stubenbergs Schützling und nach seinem Urteil ein „mühsamer Kletterer des Parnssusberges"[13] Verse verfaßt, während es Birken nicht gelang, solche von Neumark, Schottel, Rist und Moscherosch zu erlangen.[14]

Stubenberg hat noch mit Genugtuung und Freude das Erscheinen der *Sonnette* erlebt, deren hoher Rang ihm wohl bewußt war. Als ihm nämlich Birken schrieb, Catharinas Verleger beklage sich über den schlechten Absatz der Gedichte, meinte er dazu nur: „ . . . und gehört der Verleger redlich mitt unter die groben Pfützen-geister."[15] Stubenberg spricht in diesem wenige Monate vor seinem Tod geschriebenen Brief von dem bleibenden Wert von Catharinas Gedichten und prägt die prophetischen Worte: „Geduld! Gibt es doch auch mehr leühte denen der Diamanten Preiß unwissend alß welchen ihr teürer Wehrt kundig, der gleichwohl bey jenen allzeit in seiner höhe bleibt." Nachdem wieder Max Wehrli auf den „teüren Wehrt" von Catharinas Gedichten hingewiesen hat, die er zu den „unbekannten, unverstandenen Schätzen der deutschen Barockdichtung" zählt,[16] bleibt zu hoffen, daß durch den erstmaligen Neudruck der *Sonnette* nach über dreihundert Jahren der „Diamanten Preiß mehr leühten kundig" werde.

Stubenbergs früher Tod (er starb vierundvierzigjährig am 15. März 1663) hat Catharina sehr bewegt. Ihr verdanken wir das schönste Denkmal Stubenbergs, des „Unglückseligen", eines Mannes, dessen hohe Qualitäten, dessen Bildung und Verstand sie nicht genug zu rühmen weiß, eines Schriftstellers, der von den größten Dichtern

13 Stubenberg an Birken, 2. 12. 1661.
14 Wie wir aus Birkens Brief an Georg Neumark vom 6. 9. 1661 erfahren; (ihr Briefwechsel wurde von C. A. H. Burckhardt veröffentlicht in: *Euphorion*, 3. Erg. heft, 1897).
15 Stubenberg an Birken, 24. 8. 1662.
16 Max Wehrli in seiner Interpretation des 191. Sonettes, erschienen in: *Schweizer Monatshefte*, 45. Jahr, September 1965.

und Denkern seiner Zeit geachtet und verehrt wurde, von Andreae bis Harsdörffer, von Birken bis Neumark, von Schottel und Rist bis zu dem Schlesier Heinrich Mühlpfort, von Andreas Gryphius bis Leibniz.

Als letzte vollendete Übersetzung hatte Stubenberg diejenige von Scudérys *Clelia*-Roman hinterlassen, ein Werk, das an die 5000 Druckseiten füllen sollte. Dank Birkens Initiative konnte es im Jahre nach Stubenbergs Tod 1664 in Nürnberg erscheinen. Catharina von Greiffenberg hat dazu ein Gedicht verfaßt, dessen dichterischer Rang weit über die Reimereien anderer Zeitgenossen bei Todesfällen emporragt. Auch dieses Gedicht hat sie nicht mit vollem Namen, aber wenigstens mit ihren Initialen unterzeichnet. Es war bis heute unbekannt, und möge daher an dieser Stelle erstmals ungekürzt folgen als das Zeugnis aufrichtiger Freundschaft zwischen zwei bedeutenden Dichtern aus dem evangelischen Österreich des Barockzeitalters:

Uber des (zwar nicht mehr) Unglückseeligen / uns Unglückseeligen und Weltbetrübten Todfall.

WAnn die Durchgeisterung der Weißheit / könde geben
Unsterblichkeit dem Leib / in dem sie pflegt zu leben:
würdst du / den Sternen gleich / ja länger noch als sie /
in höchster Lebenskrafft befinden dich allhie.
Weil aber nur der Ruhm / und nicht der Leib / das Glücke
der Nie-verwesung hat / als der in diesem Stücke
dem Erb-Recht der Natur auch unterworfen ist:
So ist es billich doch / daß Dessen nicht vergißt
die Teutsche Tugend-Welt / der sie den Ewigkeiten
durch Weißheit einverleibt / ja der die Folge-Zeiten
sie zubewundern reitzt / der ihren Weißheit-Ruhm/
in seinem Geist / erhebt ins Sternen-Käisertum
durch Meersand-reiche Witz. O Zier der Leut' und Zeiten!
du Ceder im Verstand! in Unvergleichlichkeiten
ein Fönix der Vernunft! ein Liecht und Sonn der Welt
dem keine Kunst geheim / nit trüb noch dunkel fällt.
Du Teutscher Cicero! ein Kunst-Geist weiser Zungen/
hat sich in- und durch dich in Teutsche Sprach geschwungen.
Der Himmel mischt' in dir die Erzkraft im Verstand
mit süsser Lieblichkeit / und goß durch deine Hand
als Musen-Schall sie aus. Ach! solt man Deß nit denken /
an dem der Höchste uns ein Blick zuthun wolt schenken
in seine Göttlichkeit / durch übermenschte Witz?
Aus GOttes Weißheit-Sonn war er ein heller Blitz;
Ein Strahl der Allheit / die von lauter Wissen wallet;
ein Thon / der lieblich aus des Himmels Wohllaut schallet /
den die Dreyeinigkeit aufs süsseste beginnt;

ein Sinn aus diesem Sinn / den nimmer man aussinnt.
Sein Witz / war eine Flamm / die würklich pflag zulehren
Die GOtt-zuführungs-kunst: man must mit Brunst begehren
zusehen diese Quell / wo dieser schöne Bach
so Geist-ergetzbarlich mit Weißheit ausherbrach /
Verstand und Land erfüllt. Es war ja seine Seele
ein Zeughaus aller Kunst / ein Meervoll Witzes-Welle /
ein Baum voll Sinnenfrücht / ein Schatzhaus voller Raht;
ein Kleinod / wo Vernunft die Weisheit-Demant' hat
in Künste-Gold versetzt / geschmelzt mit bunten Farben
der schönsten Wunder-wort / die höhern Preiß erwarben
bey Tugend-Ehrern / als die todten Edelstein /
die stumm und thumme Schätz der Lebend-Todten seyn /
die ohne Weißheit-Lieb. Sein Mund war eine Wiesen /
wo tausend Weißheit-West ihr Lieblichkeit ausbliesen /
durch Blumenholde Sprüch / die so verzuckbar-schön /
daß man im Paradeis gedunkt spaziren gehn /
anhörend solchen Geist. Es war kein Weißheit-Schwelle /
die er nit überschritt / und sich in höchster Stelle
der Haubt-erkäntnis setzt. Die Erz- ja Gottes-Kunst /
die Seelen-Wissenschaft / soweit im Erden-dunst
(ja mehr als sonst) erlaubt / Er Engel-gleich verstunde.
Der Ketzer Hydra-Köpf' er all abschmeissen kunde /
durch wohlgegründter Schlüss' Unwiderleglichkeit.
In diesen Gottes-Stoff kam er so wunder-weit /
daß er sich selbst enthielt. Mit Recht Er auch in Rechten
ein Erzgelehrter hieß / kond so grundrichtig fechten:
daß Baldus /Bartholus / mit aller ihrer Schaar /[17]
vor Ihm verstummt / besiegt und überwunden war.
Galen und Hippocrat er weit dahinten liesse.
Auf Chymisch Geisterwerk sein hoher Geist sich fliesse /
fast Theophrasten gleich / was Wissenschaft belangt:
wiewohl die Würkung Er mit Fleiß nit unterfangt.
Das Weiter-fort Er liebt / in Lernung aller Sachen.
Es dorft sich kein Statist an sein Regirkunst machen /
er weist ihm scharfe Ziel / da mancher nie auf dacht /
auf seltenst Werk gestellt / Kunstfündig bald vollbracht.
Die Wunder der Natur ihm waren / wie ein Spiegel /
durch Grund-erforschung klar. Der Erzgeheimnis Siegel

---

17 Gemeint sind wohl bei beiden berühmten italienischen Rechtsgelehrten des 14. Jahrhunderts Bartolus Severus de Alphanis und sein Schüler Baldus de Ubaldis.

sein Fleiß eröffnet hat. Feur / Sternen / Himmelkreiß /
Lufft / Wasser / Erden / Erz / Thier / Kräuter / Säfft' und Schweis
von Bäumen und Metall / nach ihrer Art und Wesen /
Er aus dem Grund erkennt. Er pflag und gab zu lesen /
was lesenswürdig ist. Kurz! Weißheit war sein Punct /
durch tausend Witzesblitz' hellstrahlend aus ihm funkt.
Die Unvollkommenheit doch dieser Welt zuzeigen /
must diß Witz-wunderwerk vor Unglücks-last sich neigen;
und nicht nach Wehrt geehrt / noch nach Verdienst erhebt
Von Glück und Göttern seyn. Zwar hat er nie gestrebt
nach hoher Nichtigkeit. Jtzt Lethe hat verwaschen
das Un: Glückseelig bleibt und blüht aus seinen Aschen /
sein unverwelklichs Lob. Glückseelig ist die Seel /
weil der Beglückungs-blick des Höchsten Sonnenhell
in Weißheit-lust sie macht. So lebe nun / im Sterben /
in nie-gestorbner Freud! der Glaube nicht verderben
im Tod die Todten lässt. Leb nach dem Leben noch /
und zwar erst recht / weil du bist frey vom Leibesjoch.
Fang im Vergehen an / recht wesend erst zuwerden /
dieweil wir Menschen doch seynd nichtes hier auf Erden.
Doch weil in deinem Nichts solch Wunder du liest sehn:
was wird im Wesenwerk des Himmels erst geschehn?
So leb nun / Edle Seel! im Freudbelebten Leben.
Der Nahme in dem Ruhm den Sternen gleich müß schweben.
Dein Ehrgedächtnis auch in unserem Gemüt
mit Unverbleichlichkeit / als eine Rose / blüht.

> Zu schuldigen Ehren aufgesetzt / von seiner (auch
> nach dem Tod) in Gebühr beständigen Tugend-Freundinn
> C. R. F. v. G.[18]

18 Daß dieses Gedicht Catharina von Greiffenbergs auf Sigmund von Birken großen Eindruck gemacht hat, beweist eine Strophe seiner Trauerklage um den Verlust Stubenbergs (ebenfalls gedruckt vor dessen *Clelia*-Übersetzung). Birken würdigt das bedeutende Gedicht der „Uranie" (wie die Greiffenberg auch in den *Sonnetten* genannt wird) mit folgenden Worten:
Und was ist mir überblieben?
hat Dich doch URANJE /
eine Göttinn / so beschrieben:
daß ich Dir bezahlet seh /
was Dir Fama schuldig war.
Sie kan deinen Wehrt erzählen /
der nun erst wird offenbar.
Bäste von den grösten Seelen!
von dir redt ein großer Geist:
also wirst du recht gepreist.

Catharina Regina von Greiffenberg hat auch nach dem Tod Stubenbergs die freundschaftliche Verbindung mit seinen Hinterbliebenen gepflegt. Stubenbergs 1643 geborener Sohn Rudolf Wilhelm heiratete im Jahre 1667 Maria Maximiliana von Auersperg, deren Vater, Sigmund Erasmus, Schloß Ernegg in Niederösterreich besessen hatte, das zwischen Schallaburg und Seisenegg liegt. Catharina war mit der acht Jahre jüngeren Maria Maximiliana innig befreundet und bezeichnet sie als ihre „liebste Freundin." Maria starb bei der Geburt ihres ersten Kindes und wurde am 4. Mai 1668 in Regensburg beigesetzt. Catharina Regina, die inzwischen ihren Onkel geheiratet hatte und – wie Stubenbergs Sohn – aus Glaubensgründen nach Süddeutschland hatte übersiedeln müssen, verfaßte bewegende „Trauer Gedancken Uber Die Erschreckende Erfahrung bey meiner Ankunfft / Meiner liebsten Freundin tödtlichen Hintritts."[19] Sie hat ihre Verse wiederum nur mit den Initialen C. R. F. v. G. unterzeichnet. Es ist ihr letzter nachweisbarer Kontakt mit Johann Wilhelm von Stubenbergs Sohn, der schon 1677 starb. Catharina lebte in Nürnberg bis zu ihrem Tod im Jahre 1694.

2. Teil

Erklärung

AUs dem Unglück-dornen-grund seine Sinne lassen keumen /
in der Wiederwärtigkeit sich nicht gar erstorben meinen /
ist nur halber Götter Saat / die den schon erfaulten Saam
seiget in die Unglücks-Erd durch die vielgebeisste Ram;
Wir erkennen offtermals vor verdrüßlich dicke Regen /
die sich zur Fruchtbarkeit an die dürren Körner legen;
So / die unglückvollen Wolken machen des Gewächses Stiel /
mit durchbrechen frühe dringen zu den hochem Tugendziel:
Biß es hat ein Loch gefunden und die hoche Sonn ereilet /
also deine gute Mühe sich im niedern nicht verweilet /
nimmt die Güte fremder Sprach / bringt sie an das Teutsche Liecht /
machend daß die Weißheitslust bey uns eben wol anbricht /
biß du durch die Dorn- und Wolken selbsten oben an gestiegen /
wo du bey der klaren Sonnen über Unglück lernest siegen.

anonymes Widmungsgedicht
aus F. Bacon, *Getreue Reden* . . . Nürnberg 1654

Entzuckung bey Belesung der Tiefsinnigen Andachten der VII.
Buß-Psalmen von dem hochbegabten Unglückseligen übersetzet.

19 Die Leichenpredigt (verfaßt von M. Georg Wonna) befindet sich in der Staatl. Bibliothek in Regensburg. Das Gedicht ist abgedruckt bei Bircher *Stubenberg*, S. 288 f.

DEr schwache Menschen Sinn bestärket sein vermögen /
   so viel er immer kan;
Beginnt was irrdisch ist der Erden beyzulegen /
   und schwingt sich Himmel an /
Der Geist / der Feuergeist pfeilt an die höchsten Sternen /
   Durch GOTTES Gnad erhöht;
Von aller Finsterniß will er sich weit entfernen /
   in seiner Herzens-Red.
Neig / neig dein Angesicht aus Demut zu der Erden /
   in dem der schnelle Sinn
Muß / gleich der Morgenröt hell und beflügelt werden /
   und flammen wolkenhin.
Es hat die guldne Glut das fromme Herz berühret /
   die alle Warheit weist:
Es hat der Sonnen-glanz die schöne Hand geführet /
   die Geist und Feuer laist:
So brennet das Papier / und ist schwer zu erkennen:
   Die Feder ist ein Stral /
Befeurend das Gemüt / lässt seine Sterne brennen /
   gleich jenem HimmelsSaal.
Haß aller Erden Lob / weil dich der Himmel liebet /
   beleucht von seinem liecht!
Die Reue bringet Freud / in leid und Buß betrübet /
   die niemand reuet nicht.
Der Threnen perlentau erhitzet solche Flammen /
   die glüen als Saffran /
Wie gleicher weis der Schmid besprützt den Eisenstammen /
   daß man es zwingen kan.
So muß das Unglück zu Glück und Segen werden /
   nach dieser jammer-zeit:
Erfolget solches nicht auf dieser bösen Erden
   so wart / der Ewigkeit!

anonymes Widmungsgedicht aus
G. F. Loredano, *Andachten über die Sieben*

Buß-Psalm . . . Ulm 1654

Schon die Thematik dieser beiden Gedichte entspricht ganz dem Wesen der Dichte-
rin Catharina Regina von Greiffenberg: während es im ersten Gedicht um den Sinn des
Unglücks und seine Überwindung geht, so handelt es sich im andern Gedicht um die
,,Entzuckung" des Autors beim Lesen von Loredanos ,,tiefsinnigen Andachten" über
Davids sieben Bußpsalmen in Stubenbergs, des ,,Unglückseligen" Übersetzung. Unglück
und religiöses Erlebnis stehen hier also im Mittelpunkt; zwei Motive, die in Catharinas

Sammlung *Sonnette, Lieder und Gedichte* (1662) von zentraler Bedeutung sein werden. Besonders zu Beginn und gegen Ende des Gedichts zur Loredano-Übersetzung meinen wir die mutige Haltung und die kühne Zuversicht der „Tugendtapfferen" — so nennt sich Catharina im 211. Sonett — zu erkennen, wie sie überall in ihren Dichtungen (und auch in ihrem Gedicht auf Stubenbergs Tod) in aller Deutlichkeit zum Ausdruck kommen. Es ist vielleicht auch nicht ohne Bedeutung, daß hier nichts über die Buße und Reue als solche ausgesagt, sondern lediglich ihre befreiende und freudebringende Wirkung festgehalten wird: „Die Reue bringet Freud . . . die niemand reuet nicht." Catharinas Dichtung zeugt nur spärlich von einem Gefühl der Reue und Buße für die eigene Sündhaftigkeit und Strafwürdigkeit.

Eine stilistische Untersuchung dürfte aber zur Frage der Autorschaft mehr beitragen als eine rein thematische. Eine solche Untersuchung muß jedoch vorsichtig vorgenommen und ihre Ergebnisse den Schwierigkeiten entsprechend bewertet werden. Das Unternehmen wird überdies in zweifacher Hinsicht erschwert: zunächst haben wir es mit frühen Gedichten zu tun, die spätestens 1654 geschrieben wurden, während wir unsere Eindrücke und Prüfsteine der Sammlung *Geistliche Sonnette / Lieder und Gedichte* entnehmen, welche erst 1662 erschienen ist. Freilich wissen wir (aus einem Brief Hans Rudolph von Greiffenbergs an Birken), daß diese Sammlung schon im Sommer des Jahres 1660 fertig vorlag und also zahlreiche Gedichte noch früher entstanden sind. Doch auch eine Zeitspanne von vier oder fünf Jahren kann in der Entwicklung eines jungen Dichters von großer Bedeutung sein. Die zweite Schwierigkeit liegt sodann in jedem Versuch, stilistische Phänomene als Indizien der Autorschaft zu betrachten. Man muß die größte Vorsicht walten lassen, wenn man Bilder und Motive barocker Gedichte als Ausdruck der dichterischen oder gar der psychischen Persönlichkeit interpretieren will. In seiner Darstellung über das Bild in der Poetik des 17. Jahrhunderts hat schon Fricke den überzeugenden Nachweis erbracht, daß die barocke Sprachauffassung und -gestaltung objektivistisch ist.[20] Sprache und Dichtung sind weitgehend von einem unpersönlichen Impuls beherrscht. Die Wörter lassen sich umformen, denn sie sind einfach da, von der Individualität des Dichters abgelöst; sie haben eine allgemeine Gültigkeit und Verwendbarkeit.[21]

Trotz solchen grundsätzlichen Bedenken und Vorbehalten verläßt uns das Gefühl nicht, daß uns in den vorliegenden Gedichten diese Wortverbindung oder jener Klangeffekt, diese Handhabung der Verse oder jene Verwendung der Metaphorik bekannt vorkommen. Nicht nur Thematik und Haltung, sondern auch die Ausdrucksweise lassen also den Geist der Dichterin ahnen. Und je mehr man das vage Gefühl auf diese Indizien hin untersucht, desto stärker wächst die Überzeugung, daß die beiden Gedichte aus der Feder Catharina Regina von Greiffenbergs stammen.

20 Gerhard Fricke, *Die Bildlichkeit in der Dichtung des A. Gryphius* (Berlin, 1933), S. 33 f., 177, 187.
21 Peter Daly, *Die Metaphorik in den ,Sonnetten' der Catharina Regina von Greiffenberg* (Zürich, 1964), S. 122 ff. Im Folgenden zitiert: Daly, *Metaphorik*.

Beginnen wir unsere Betrachtung bei dem Einzelwort in seiner metaphorischen Verwendung. Im allgemeinen merken wir, daß hier die wichtigsten Bildfelder aus dem Bereich des Lichts und des Feuers entlehnt sind und in erster Linie vom Thematischen her bestimmt werden. „Licht" und „Feuer" gehören auch in den *Sonnetten* zu den bedeutendsten Bildfeldern, die, hier wie dort, hauptsächlich das Göttliche, die Weisheit und deren Erfahrung durch den Menschen umkreisen. Wir stellen sogar fest, daß (mit einziger Ausnahme des „Saffran"-Vergleichs) jede in diesen Versen gebrauchte Übertragung auch in den späteren *Sonnetten* vorkommt, freilich manchmal anders benachbart.

In den ersten Zeilen des Gedichts zur Loredano-Übersetzung lesen wir, der Geist „schwingt sich Himmel an". Das ist ein gern gebrauchtes Wort in den *Sonnetten* wo es fast ausschließlich eine Bewegung zum Himmel oder zu Gott beschreibt, bejahend und freudenvoll.[22] Es geht weiter: „der Feuergeist pfeilt an die höchsten Sterne." Etwa durch Entsagung oder Überwindung des Irdischen „schwingt sich" der menschliche Geist zu Gott; erfährt aber derselbe Geist die göttliche Eingebung, so „pfeilt" dieser „Feuergeist" „an die Sterne". Ein Beiwort aus dem Wortfeld des Feuers stellt die Dichterin oft in eine Wortverbindung, die die Erfahrung oder das Verlangen des Menschen nach göttlicher Inspiration und Weisheit ausdrücken soll. Beispiele wie „Feuer-Mund" (SLG, S. 186), „Feuerverstand" (SLG, S. 16), „Flammenfluß" (SLG, S. 8) und „Flügelflamme" (SLG, S. 1) finden sich in den *Sonnetten* verstreut. Viermal kommt dort das Wort „Pfeil" in seiner hiesigen Verwendung als Geschwindigkeits-metapher vor.[23]

Wenn Gott den Menschen in seinem höheren Streben gnädig anblickt, wird der inspirierte Geist „gleich der Morgenröte, hell und beflügelt werden und flammen wolkenhin." Das Bild des Morgenrots finden wir auch im 38. Sonett, in welchem die Dichterin betet, daß Gott „eine Morgenröt" schicken möge, ehe die Welt untergeht und seine „Sohns-Sonn' anbricht." In jenem Sonett, wie auch in unserem Gedicht, muß das Morgenrot als Zeichen der Gnade und Güte Gottes aufgefaßt werden. Aufschlußreich ist die Assoziation von „Flamme" und „Flügel", die auch das erste Sonett kennt, welches eine Bitte um „Hitz und Witz", „Geistes-Strom" und „Flügelflamm" also um Inspiration bringt, um Gott würdig loben zu können. Sowohl Liebe wie auch „Loben-Wollen" sprechen aus diesen Zeilen und aus dem Bild „Flügelflamm". Zudem dürfen wir die mystisch gefärbte Gottes- und Weisheitsme-taphorik auch nicht außer Betracht lassen, denn Catharina verwendet diese Bilder für Gott, den Heiligen Geist und die menschliche Erfahrung des Göttlichen. Gott ist „Flamme" (SLG, S. 190), „ein fliegend Himmelflammen" (SLG, S. 193); der Heilige Geist ist „ein Andachts-Flamme" (SLG, S. 185), „ein anzündens Opffer-Feur" (SLG, S. 189), ein „Flammen-Flug" (SLG, S. 189) und er schickt „ein Flammen-Heer / die Andacht anzuzünden" (SLG, S. 181). Dichterische Bedeutungen eines Wortes lassen

22 Greiffenberg, *Geistliche Sonnette, Lieder und Gedichte* (Nürnberg 1662), S. 9, 20, 22, 30, 31, 66, 84, 132, 248, 250. Im Folgenden zitiert: SLG.
23 SLG, 71, 118, 127, 242.

sich selten direkt und denotativ wiedergeben, und das ist um so mehr der Fall, wenn es sich um ein Bild handelt. Dieselben Metaphern, nämlich „Feuer" und „Flamme", werden weiterhin für das Thema der Weisheit gebraucht: „eine helle Weisheit Flamme" (SLG, S. 2), Gottes Weisheit ist ein „Flammen-Fluß" (SLG, S. 8) und die Engel haben „Feurverstand" (SLG, S. 16). In unserem Gedicht darf man vielleicht von einer Verschmelzung dieser Bedeutungen sprechen. Um diese Verschmelzung ins Auge zu fassen, wollen wir die Zeilen lesen, wie sie nacheinander folgen und aufeinander abfärben. Der durch Gott erhöhte Geist wird zu „Feuergeist" und, nachdem Gott sein Angesicht ihm gnädig zugewendet hat, „flammt" er himmelwärts. Bis jetzt ist nirgends von Weisheit die Rede, aber die folgenden Verse sprechen von einer „guldnen Glut", die den Menschen berührt, und die „alle Wahrheit weist", sowie von einem „Sonnen-glanz", der „Geist und Feuer laist." Hier wird also die Weisheit- Wahrheits-beziehung ausdrücklich erwähnt, die potentiell in der Metapher vorliegt. Die volle Verschmelzung dieser Bedeutungen wird in der Verwendung des alleinstehenden Bilds „Feuer" im Verse: „Es hat der Sonnen-glanz die schöne Hand geführt / die Geist und Feuer laist" erreicht, wobei „Feuer" etwa Göttliches und göttliche Weisheit umfaßt. In den *Sonnetten* steht dieses Bild für Gott,[24] den Heiligen Geist[25] und die Weisheit.[26]

Wie das Gedicht fortfährt, greift die dichterische Einbildung nach weiteren Licht- und Feuerbildern, die sie allerdings anders verwenden. Die inspirierte Hand „laist" „Geist und Feuer" auf dem Papier, welches jetzt „brennet" und ist „schwer zu erkennen". Schon das alleinstehende „Feuer", welches metaphorisch aufzufassen ist, erzeugt eine leichte semantische Spannung zwischen seiner wörtlichen und seiner übertragenen Bedeutung, aber der neue Vers heißt einfach und direkt: „So brennet das Papier", und hier wird die Spannung noch stärker empfunden. Das 113. Sonett liefert ein ähnliches Beispiel:

Auf dem Stroh die Ewig Liebe brennt und flammet liechter loh /
zündet solches doch nicht an . . .

Dieses Sonett besingt die Geburt Christi. Es wird klar, daß sich die Dichterin der Spannung zwischen Symbolik und Alltagswirklichkeit ganz bewußt ist, aber mehr noch — sie spielt die eine gegen die andere wortspielerisch aus; in unserem Gedicht hätten wir eine frühere Etappe dieser Anschauungs- und Gestaltungsweise. Das Papier „brennet" und ist „schwer zu erkennen", denn es handelt sich um „tieffsinnige Andachten". Der Gedankengang geht weiter, sich bildlich ausdrückend: „Die Feder ist ein Stral befeurend das Gemüt." Unsere Dichterin zeigt eine Vorliebe für diese Art überzeugter Kopula, die ein Bild autoritativ wirken läßt.[27] Charakteristisch für die Dichterin wäre auch die Anschauungsweise dieser letzten Zeilen, die, grob gesehen, eine reflektierte Bewegung des Lichts bzw. des Feuers darstellen: von oben kommen

---

24 SLG, 38, 113, 144, 190, 193.
25 SLG, 181, 185, 189.
26 SLG, 2, 8, 16.
27 Daly, *Metaphorik*, S. 179 f.

eine „guldne Glut" und ein „Sonnen-glanz", welche eine inspirierte Schrift zurück-
lassen („Feuer" und ein brennendes Papier), dann werden diese Worte („Feder") zu
einem „Strahl", der den Leser wieder inspiriert („befeurend das Gemüt"). Das Bild des
zurückgeworfenen Lichts, oft mit dem Motiv des Spiegels und des Strahls verbunden,
findet man etwa in den Sonetten 6, 10, 25 für den Begriff der „Deoglori."[28] In
unserem Gedicht folgen einige rhetorisch ausgewogene Verse, welche bildliche Sprache
vermeidend knapp und eindringlich den Wert der Reue und Buße unterstreichen. Nach
diesen fast bildlosen Versen kommt ein komplexes, nahezu verworrenes Bild von
„Threnen Perlentau" und „Flammen" und ein ausgeführter Vergleich mit dem
Schmied und der Temperierung des Eisens, dessen Bedeutung in einem neuen Vers
unzweideutig explizite wiedergegeben wird: „So muß das Ungelück zu Glück und
Segen werden." Über die einzelnen Bilder dieser Verse läßt sich für die Frage der
Autorschaft nicht viel Überzeugendes sagen. Catharinas spätere Dichtung bringt
Beispiele für die Verwendung dieser Bilder: in den Sonetten 29 und 136 werden „Tau"
und „Perle" assoziiert; Sonett 54 verbindet „Thräne" mit „Perle" und Sonett 55
„Busse" mit „Perle". Die Kombination „Perle", „Tau" und „Tränen" sowie die
Wasser-Feuer-Antithetik („Perlentau erhitzet ... Flammen"), welcher sich die
Dichterin sehr gern bedient, bleiben aber allgemein barocke Züge.

Hinter dieser stark akzentuierten Licht- und Feuermetaphorik steht eine Inspira-
tions- und Dichtungslehre, der sich nur eine relativ geringe Anzahl von Barockdichtern
verpflichtet haben. Außer den Nürnbergern, Birken und Klaj wären nur noch Catharina
Regina von Greiffenberg und Quirinus Kuhlmann zu nennen. Wie Conrad Wiedemann[29] zeigen konnte, handelt es sich bei diesen Dichtern um eine besondere Form
des Dichterselbstverständnisses. Sie haben sich alle als göttlich inspirierte Dichter im
platonisch-christlichen Sinne dargestellt. Alle bedienen sich einer Geist-Feuer-Topik
und verschreiben sich einer eher katholischen Angelologie. Die Verbindung „Geist-
Feuer" mit dem Motiv des Engels kommt zustande, da Geist und Feuer Qualitäten
sowohl der menschlichen Seele als auch des Engels sind. Wie die Engel so soll auch der
Dichter Gott loben. Für Catharina war die Deoglori die Aufgabe des Menschen
überhaupt und die besondere Berufung des Dichters; sie ist „Engel=Zweck" (SLG,
S. 1) und „Engel=werk" (SLG, S. 6). Gleichwie im anonymen Gedicht das Irdische
„der Erden beyzulegen" (Z. 2) ist, so geht dem inspirierten Sprechen ein Akt der
mystischen Läuterung voraus. Catharina läßt das deutlich werden durch das alttestamentarische Bild vom Engel, der die Lippen des Propheten durch die Reinigung mit
der glühenden Kohle aufschließt:

Komm schönster Seraphin / berühre meinen Mund!
mich woll der Flammen-Fluß / die Gottes weißheit / tränken:
daß ich was würdigs kan zu seinem Lob erdenken / (SLG, S. 8)

28 Vgl. S. 21 unten.
29 Conrad Wiedemann, „Engel, Geist und Feuer. Zum Dichterselbstverständnis bei Johann
Klaj, Catharina von Greiffenberg und Quirinus Kuhlmann." *Literatur und Geistesgeschichte.*
Festgabe für Heinz Otto Burger, hrsg. Reinhold Grimm und Conrad Wiedemann, (Berlin, 1968),
S. 85—109.

Noch intensiver betet die Dichterin:

> daß meine Zunge doch möcht eine Glutkohl werden /
> in andre Herzen schrieb' auch diesen Heiles Bund! (SLG, S. 40)

Ähnliches begegnet uns im 186. Sonett:

> HErr! beflamme meine Zunge / gib mir einen Feuer=Mund:
> Daß dein' Ehr den Strahlen gleich / mög' aus meinen Lippen scheinen.

Aus ihrer 1663 geschriebenen *Sieges-Seule* wissen wir, daß Catharina über die Engellehre des Areopagiten wohl informiert war.[30] Zwar wird der Engel im anonymen Gedicht nicht genannt, aber die Inspirationslehre, die mit dem Engel verbunden war, wird mit Nachdruck vorgetragen. Der Inspirationsweg als Spiegelfunktion der Seele und Reflex des Dichterworts gehört zum Dichterselbstverständnis Catharinas, das seinen Niederschlag in vielen Gedichten fand, die sie in den 50er Jahren verfaßte und in der Sammlung von 1662 veröffentlicht wurden. Es kommt also nicht von ungefähr, daß ihr Mentor Stubenberg sie (in seinem Widmungsgedicht) „Menschen-Seraffin" und „Engel unsers Donaustrandes" nennt. Ganz im Einklang mit der Inspirations- und Dichtungsauffassung des anonymen Gedichts zeigt das Titelkupfer der *Geistlichen Sonnette, Lieder und Gedichte* eine gegen den Himmel schauende Frauengestalt, die eine Leier in der Hand hält; ein Band führt von der Leier zu einer oben in der Sonne schwebenden Taube. Eine Art *inscriptio* erklärt das Bild: „Der Teutschen URANIE Himmelabstammend und Himmel-aufflammender Kunst-Klang und Gesang." Die Inspirationslehre, wie sie sich in dem Loredano-Gedicht durch die Geist-Feuer-Topik äußert, wäre ein Indiz mehr für Catharinas Autorschaft.

Wir lassen die Betrachtung des bildlichen Einzelwortes und schenken unsere Aufmerksamkeit dem Loredano-Gedicht als ganzem, wobei wir eines dichterischen Prozesses gewahr werden, der uns in dem Schaffen der Dichterin immer wieder begegnet: auf einen kurzen, geschlossenen Anfang mit seiner festen, bildlosen Äußerung folgt eine längere Passage, in welcher verwandte Bilder nacheinander fließen (zuweilen ineinanderfließen) und die mit einem knappen (anderswo oft pointierten) Satz schließen; es folgt dann ein dichter Bildkomplex und seine kurze, teils rhetorisch ausladende, teils epigrammatische Explizierung. Das sind auch Stilmerkmale der reiferen Sonette. Die vorliegenden, frühen Gedichte zeigen überall dieselbe feste, sichere Hand, die wir aus den *Sonnetten* kennen — dramatische Verwendung der Verbalmetaphern[31] (vgl. „pfeilt", „brennet"), die autoritative Kopula, semantische Spannung, Antithese und eine geschliffene Rhetorik. Es sind hier nur die Klangeffekte und die wortspielerischen Elemente weniger stark vertreten; auch das spricht nicht gegen Catharinas Autorschaft, da die vermißten Elemente erst mit voller sprachlicher Meisterschaft und Selbstbewußtsein zur Reife kommen können.

---

30 Vgl. *Sieges-Seule*, S. 166 f. Vgl. auch Catharinas Gedicht zum Tod der Barbara Susanna Eleonora von Regal.

31 Vgl. Daly, *Metaphorik*, S. 185—188.

Ein feines Gefühl für rhetorische Gestaltung gibt diesem Gedicht seine festen Umrisse und den Versen ihre feste Form. Nehmen wir folgende Verse als Beispiel:

> Beginnt was irrdisch ist der Erden beyzulegen /
> und schwingt sich Himmel an /
> Der Geist / der Feuergeist pfeilt an die höchsten Sternen /
> Durch GOTTES Gnad erhöht;

Dieser lange Satz fängt mit zwei Nebensätzen an, welche eine leichte Spannung durch verbale Umstellung erzeugen. Wir bemerken, wie das Subjekt des zweiten Nebensatzes nicht einfach dem Verb folgt, etwa „schwingt sich der Geist Himmel an", sondern bis zum Ende des Satzes zurückgehalten wird und einen neuen Vers beginnt, welches zu einem Enjambement führt. Die Nebensätze zeigen eine gespannte, fließende Bewegung nach oben, die der Hauptsatz weiterleitet. Sehr eindrucksvoll wirkt die Gegenüberstellung der zwei Subjekte „Geist" und „Feuergeist". Eine schöne parallele Konstruktion zeigen die Verse:

> Es hat die guldne Glut das fromme Herz berühret /
> die alle Wahrheit weist:
> Es hat der Sonnen-glanz die schöne Hand geführet /
> die Geist und Feuer laist:

Hier wird der Parallelismus bis in die Wortart genau durchgeführt. Eine ausgeglichene Antithetik beherrscht die Verse:

> „Haß aller Erden *Lob* / weil dich der Himmel liebet /"

und „Die *Reue* bringet *Freud* / in leid und Buß betrübet
> die niemand *reuet* nicht."

Es findet sich auch ein leichtes Wortspiel, das einzige in unseren beiden Gedichten: das Wort „Reue" wird erst in seinem ernsten, theologischen Sinn verwendet, „Die Reue bringet Freud", dann in der Verbalform „reuet" leicht wortspielerisch wiederaufgenommen, „die niemand reuet nicht".

Vieles spricht auch für Catharinas Autorschaft des anonymen Gedichts zur Bacon-Übersetzung („Aus dem Unglück-dornen-grund . . ."), nämlich die Grundgedanken über das Unglück und seine erzieherische Funktion, über die Weisheit, die dem Menschen über das Unglück siegen hilft; die entschlossene Haltung, mit der diese Gedanken geäußert werden, und nicht zuletzt manche Aspekte der sprachlichen Gestaltung. In diesem Gedicht darf aber die bildliche Sprache weniger als Indiz für die Autorschaft gelten als im andern anonymen Gedicht zur Loredano-Übersetzung, denn eine neue Schwierigkeit liegt vor. Wir wissen nicht, ob der Verfasser dieser „Erklärung" das Emblem selbst gewählt, vielleicht sogar selbst gezeichnet hat oder ob Stubenberg die Wahl getroffen hat. Aus diesem Grund können wir die Wahl der Motive weniger stark berücksichtigen, sind sie doch durch das Emblem bestimmt. Obwohl sich die

Unglücksmotive „Regen", „Wolke", „Saam" und „dürre Körner" auch wieder in den *Sonnetten* finden,[34] so sind sie doch ganz allgemein in der Barockliteratur verbreitet. Wie sonst im Schaffen der Dichterin steht das Unglück nicht allein da; es wird auch kein heroischer Einzelkampf zwischen dem Menschen und dieser stärkeren Macht dargestellt. Das Unglück wird als eine natürliche Bedingung des Lebens angesehen und, obwohl nicht ausdrücklich gesagt, deuten die Bilder daraufhin, daß das Unglück eine gottgewollte Notwendigkeit ist, welche sich erzieherisch auswirkt. Diese Auffassung entspricht einer Grundeinstellung der Dichterin der *Sonnette*.[35] Die Naturbilder des 92. Sonetts zeigen, mit welcher Unvermeidbarkeit Gück auf Unglück folgt:

> O Süsser Himmelschluß / auf Regen / Sonnenscheinen /
> Auf Stürmen / stille Zeit / auf Schnee und wehens Plag /
> erblicken nach begier / den blau- und Goldnen Tag!
> wer kan / daß Witterung die Sonn verschönt / verneinen?

Die Dichterin will damit noch mehr sagen, daß nämlich dieses Unglück eigentlich Quelle und Ursprung des höheren Glücks sei: „das gibt die gröste Lust / was uns am meinsten plagt" (SLG, S. 92). Die Naturbilder der *Sonnette* und dieses Gedichts verleihen der Unausbleiblichkeit, mit welcher Glück dem Unglück folgt, den Charakter eines Naturgesetzes.

Dieser Gedanke beherrscht den größten Teil des Gedichts, welches das Ausmaß seiner Bedeutung verstehen läßt. Die letzten Verse haben die Weisheit zum Thema, welche dem Menschen über das Unglück siegen hilft. Der Leser hat den Eindruck, daß mit Weisheit nicht etwa die menschliche Vernunft gemeint ist, sondern eher eine Weisheit, die von Gott her kommt und ihm zugewandt bleibt. Das Bildfeld der Sonne läßt diesen Eindruck aufkommen. Die „hoche Sonne" und das „Tugendziel" weisen auf Gott und ein höheres Glück, dann wird „Weisheit" durch die Verbalmetapher „anbricht" mit dem Bild der Sonne verbunden, die mit Gott und Glück schon assoziiert ist. Schließlich lesen wir, daß der Mensch durch Weisheit zu „der klaren Sonne" „oben ansteigt", wo er über das Unglück siegen lernt. Dieser Gedankengang wäre auch im Einklang mit der Lebensauffassung der Dichterin.

Eine Betrachtung der Form dieses Gedichts würde im allgemeinen nur die Ergebnisse der vorhergehenden Untersuchung wiederholen und darf daher erspart bleiben. Es sei ein letztes Merkmal von Catharinas Dichtung erwähnt, das in diesen Gedichten vertreten wird, nämlich die Wortverbindung. Die Dichterin der *Sonnette* kombiniert gerne Wörter und Wortelemente, wie z. B. folgende markanten Beispiele: „Anfangsschirmungsgeist", „Wunderschickungskunst", „Wort-Carthaune", „Herz-Erz-Herzog". Aus den beiden anonymen Gedichten wären folgende Wortverbindungen ganz im Geist und Geschmack der Dichterin: „Herzens-Red", „Feuergeist", Perlen-

---

34 Vgl. SLG, S. 41, 45, 52, 55, 56, 61, 92, 94, 144.
35 Daly *Metaphorik*, S. 94—99.

tau", „jammer-zeit", „Unglück-dornen-grund", „Unglücks-Erd", „Tugendziel" und „Weisheitslust".

Zusammenfassend möchte ich festhalten, daß sowohl die Gedanken und Haltungen als auch die Inspirationsauffassung dieser Gedichte in Einklang mit denjenigen der Dichterin sind, und daß die poetische Form sowie viele Bilder und Wortverbindungen ihre Gegenstücke in den *Sonnetten* finden. Zudem sprechen viele stilistische Züge für Catharinas Autorschaft. Das alles beweist im strengen Sinn ihre Autorschaft nicht, denn was das Stilistische angeht, sollten wir darüber im klaren sein, daß das Wort Buffons „le style c'est l'homme même" im Barock nur in Ausnahmefällen paßt. Aber trotzdem erlaube ich mir die Meinung, ja die Überzeugung, daß Catharina Regina von Greiffenberg diese zwei Gedichte verfaßt hat.

KAPITEL II

„TRAUER LIEDLEIN IN UNGLÜKK UND WIEDERWERTTIGHEIT" – VOM PRIVATEN GELEGENHEITSGEDICHT ZUR ÖFFENTLICHEN ANDACHTSBETRACHTUNG

Trauer Liedlein
in
unglükk und Wiederwerttigheit.

1

Liebster Jesu höhr mein flehen!
laß mich nicht so Trostlos gehen,
Du Verbirgest dich seer lang,
Meiner seel wird Angst und bang
5 Mir will Herz und Muth entfallen!
Kreütz und Trübsal auf mich strallen

2

Ach mein Herz will mir zerbrechen
Ich kann schier kein wohrt mehr sprechen
mich erstükkt der seüfzer Stoß
10 Die Jch in der brust verschloß
Es erdränken mich die Thränen
Ja mir schier mein Herz Abbrennen

3

Ich Verschmacht' in meinen Nöthen!
Jesu will tu mich denn tödten?
15 mich? die Also hofft auf dich?
und so fäst Verliesse sich
auf dein Wohrt, das Ja nicht Trieget?

4

Mein Gott denke nur wie lange
20 Jch in diesem dörner gange
hab das herz mitt schmerz geritz
weißes tränen-blutt geschwizt
laß sie nicht vergebens streichen
Sondern Gott dein Herz erweichen.

5

25 Ach Jch muß noch länger kämpfen!
viel mehr Rauhe Streiche dämpfen!
Alß die Caananitterin:
Die Jch Viel geblagter bin!
Doch Wolltt' Jch es gerne tragen
30 wurd Er mir wie Jhr auch sagen!

6

Ach! es ist seer grooß dein hoffen
meines Wihlens Ziel hast troffen
Dir geschehe Wie du willtt!
glaub beÿ mir für Alles giltt
35 O Wie glükklich wer mein leiden!
Wurd Er Mich Also beschaÿden:

Obwohl das Gedicht „Trauer Liedlein in unglükk und Wiederwerttigheit"[1] keine Unterschrift trägt, ist es zweifellos Catharina Regina von Greiffenberg zuzuschreiben. Auf der Rückseite des gleichen Blattes befindet sich ein Lied mit der Überschrift „in eben derselben", das unter dem Titel „Erhörungs Verlangen" in Catharinas Erstlingswerk *Geistliche Sonnette, Lieder und Gedichte* (Nürnberg 1662) aufgenommen wurde. Das Handschriftenbündel, das dieses Gedicht enthält, umfaßt auch handschriftliche

---

Eine kürzere Fassung dieses Kapitels erschien als Aufsatz in *Euphorion*, LXVI (1972), 308–314.

1 Die Handschrift befindet sich im Archiv des Pegnesischen Blumenordens und trägt die Katalognummer PBLO VIII/I, Blatt 18.

Für sein Entgegenkommen und die Erlaubnis, hs. Gedichte und Briefe zu zitieren, sei an dieser Stelle Herrn Dr. L. Veit, Oberkonservator des Germanischen Nationalmuseums gedankt.

Bei der Transkription der Briefe und Gedichte versuchte ich den Charakter der Handschriften möglichst zu wahren. Aus diesem Grunde wurden die Zeichen „ÿ" und „eü" beibehalten, die nur selten in den Druck übernommen wurden. In bezug auf Groß- und Kleinschreibung geht Catharina ganz willkürlich vor. In den Briefen und Gedichten kommen praktisch alle Wortarten, ungeachtet ihrer Stellung, mit großen Anfangsbuchstaben vor. Dagegen werden Substantive häufig klein begonnen. Bei manchen Buchstaben, wie z. B. bei Z, F, H, V, W, D, ist über dies nicht eindeutig zu entscheiden, ob sie groß oder klein sind. In Zweifelsfällen wurden Substantive groß geschrieben, alle anderen Wortarten jedoch klein. Von dieser Regel bin ich allerdings bei der Übertragung des Z abgewichen. Es erscheint in identischer Ausführung — sehr groß — am Anfang, in der Mitte und am Ende eines Wortes. Da aber ein Großbuchstabe im Wortinnern von Catharina kaum beabsichtigt war, wurde das Z überall, außer im Anlaut von Substantiven, klein wiedergegeben. Das in den Verbindungen „sch" und „ch" häufig fehlende „c" wurde ergänzt, da diese Auslassung eher als Schreibflüchtigkeit zu erklären ist. Flüchtig ausgeführt sind oft auch die Konsonanten „m" und „n". Folgende kalligraphischen Abkürzungen, die in allen Handschriften Catharinas wiederkehren, wurden der Übersichtlichkeit halber ausgeschrieben:

ϑ	=	,der'
ϑz	=	,das' oder ,daß'
η	=	,-en' oder ,-em'
v	=	,von'

Übergeschriebene Buchstaben wurden auch aufgelöst.

28

Versionen anderer Gedichte, die in der Sammlung von 1662 veröffentlicht wurden. Und selbst wenn dies nicht der Fall wäre, bestände kaum ein Zweifel hinsichtlich der Autorschaft dieses Gedichtes, da es viele der ihr eigenen orthographischen und stilistischen Merkmale aufweist.

Das „Trauer Liedlein" ist eines der wenigen unveröffentlichten Gedichte Catharinas, deren biographische Einordnung Schwierigkeiten bereitet.[2] Das Gedicht selbst läßt keine Rückschlüsse auf die Art des Unglücks zu und gibt keinerlei Hinweise auf das Entstehungsdatum. Catharinas Briefe an ihren Nürnberger Freund Sigmund von Birken erwähnen das Gedicht nicht, und soviel ich weiß, bezieht sich auch Birken in seiner Korrespondenz mit der Dichterin nicht darauf. Die übrigen in handschriftlicher Form überlieferten Gedichte Catharinas wurden entweder in die Anthologie von 1662 aufgenommen oder können auf Grund brieflicher Bemerkungen zeitlich festgelegt werden.[3] Das „Trauer Liedlein" stellt in dieser Hinsicht einen Ausnahmefall dar.

Jedoch muß das Gedicht für Catharina eine besondere Bedeutung gehabt haben, denn sie verwendet es in gekürzter Fassung in der fünften Betrachtung ihres Werkes *Des Allerheiligsten Lebens JESU Christi. Sechs Andächtige Betrachtungen von Dessen Lehren und Wunderwercken* (Nürnberg 1693) und das mehr als 30 Jahre nach der ersten Niederschrift.

Man darf mit ziemlicher Sicherheit annehmen, daß das Gedicht vor dem Erscheinen der *Geistlichen Sonnette, Lieder und Gedichte* entstanden ist. Schon im Herbst 1659 hatte Johann Wilhelm von Stubenberg, ein Nachbar Catharinas und ihr erster Lehrmeister in der Dichtkunst, dem Oberhaupt des Pegnesischen Blumenordens, Sigmund von Birken, eines der Sonette Catharinas zur Begutachtung vorgelegt, und im folgenden Jahr (am 5. 6. 1660) wandte sich der Onkel der Dichterin, Hans Rudolph von Greiffenberg, an Birken mit der Bitte, Catharinas Dichtungen zu korrigieren und die Drucklegung der Gedichtsammlung zu überwachen. In ihrem frühesten überlieferten Brief an Birken (vom August 1665) dankt Catharina ihm für seine Bemühungen, ihrer „ungestallten Mißgebuhrt" ans Licht der Öffentlichkeit zu verhelfen.[4]

Aus dieser knappen Darstellung der Umstände, die zur Herausgabe des Erstlingswerkes der Dichterin führten, geht hervor, daß die 250 Sonette wie auch die Lieder und Gedichte im Jahre 1660 bereits fertig vorlagen und mit ihnen auch das „Trauer Liedlein", da es auf einem Blatt niedergeschrieben ist, das ein in der Sammlung vorkommendes Gedicht enthält. Damit ergeben sich einige reizvolle Fragen. Befand sich das „Trauer Liedlein" unter den handschriftlichen Gedichten, die Birken zur Veröffentlichung bearbeitete, warum hat er es den Lesern vorenthalten? Es behandelt doch zwei der Hauptthemen der *Geistlichen Sonnette, Lieder und Gedichte*: das der

2 Vgl. Ingrid Black und Peter M. Daly *Gelegenheit und Geständnis. Unveröffentlichte Gelegenheitsgedichte als verschleierter Spiegel des Lebens und Wirkens der Catharina Regina von Greiffenberg.* Faksimiledruck mit Kommentar. In „Kanadische Studien zur deutschen Sprache und Literatur" Bd. 3, (Bern, 1971). Im Folgenden zitiert: Black und Daly.
3 Vgl. Black und Daly, S. 20—22, 26f., 36f., 48—50, 56—59, 68f.
4 Vgl. Horst-Joachim Frank, *Catharina Regina von Greiffenberg. Leben und Welt der barocken Dichterin* (Göttingen, 1967), S. 35. Im Folgenden zitiert: Frank. Vgl. auch oben S. 8 f., 11 ff.

„Wiederwerttigheit" und das der Macht des Glaubens; und das Motiv der Kanaaniterin kommt in verschiedenen Sonetten und Gedichten vor.[5] Das „Trauer Liedlein" schlägt einen stark ausgesprochenen persönlichen Ton an und erinnert an jene anderen persönlich gehaltenen Gelegenheitsgedichte, die Catharina hin und wieder im Verlaufe ihrer langen Freundschaft an Birken schickte. Jedoch werden diese späteren Gelegenheitsgedichte häufig in den Begleitbriefen erwähnt, die um Rat und Hilfe bitten oder Birken Trost und Mut zuzusprechen suchen. Da das „Trauer Liedlein" offensichtlich viel früher entstanden ist, muß eine andere Erklärung für sein Vorhandensein in Birkens Privatkorrespondenz gesucht werden. Dennoch macht das „Trauer Liedlein", ebenso wie die späteren Gedichte, den Eindruck eines echten Gelegenheitsgedichtes, das als Kommentar zu einem bestimmten Anlaß verfaßt wurde.

Das „Trauer Liedlein" ist wohl das düsterste der handschriftlichen Gedichte, die sich mit dem Thema des Unglücks befassen. Catharinas Not und Leiden haben die Grenzen des Erträglichen überschritten, sie droht im Kampf gegen die Not zu unterliegen. Christus verbirgt sich, während „Creuz und Trübsal auf" sie „strallen". Das Bild kann sowohl als Blitzstrahl wie auch Hagel von Pfeilen gedeutet werden.[6] In dieser Hinsicht ist ein Emblem von Georgette de Montenay besonders interessant: Es stellt einen Amboß dar, gegen den ein Bogenschütze einen Hagel von Pfeilen schießt; die Pfeile aber prallen alle ab. Das Emblem versinnbildlicht die unerschütterliche Wiederstandskraft des glaubenden Christen.[7] Die zweite Strophe des Gedichts verdeutlicht die intensiven Empfindungen Catharinas. Diese gipfeln in der antithetischen Feststellung der Dichterin, sie ertrinke und ihr Herz verbrenne in den Tränen, die sie weine — eine Variante der für den Petrarkismus so bezeichnenden Wasser-Feuer-Antithetik.

Christus, auf dessen Wort sie gebaut hat, scheint keinerlei Anteilnahme an ihrem Geschick zu zeigen. Die vierte Strophe konzentriert ihr Leiden in einem Wort-Emblem des von Dornen geritzten Herzens. Auch andere Barockdichter verwenden dieses Emblem gern. „Zittert nicht anitzt ihr Herz in lauter Dornen", fragt zum Beispiel Andreas Gryphius in einer Leichenrede.[8] Gryphius verweist übrigens ausdrücklich auf ein Emblem oder genauer gesagt eine Imprese des Typotius, die ein Herz im Dornenkranz zeigt. Weitere Beispiele desselben Emblems finden sich bei Cramer, van Haeften und Athyrus. Das Herz-Emblem wird von Catharina weiter ausgemalt, wenn sie an ihr Leiden die Hoffnung knüpft, das Blut, das sie bei der Geißelung mit Dornenruten geschwitzt habe, möge nicht vergebens geflossen sein, sondern Gottes Herz erweichen. Diesem Gedanken scheint eine uralte Vorstellung zugrunde zu liegen, nach der ein Stein durch Blut weich gemacht werden könne. Zwar behauptet unser Lied nirgends, Gott sei hartherzig, aber die Feststellung, Gott verberge sich und

---

5 Vgl. SLG, S. 43, 67, 125.

6 Vgl. Daniel Cramer, *Decades Quatuor Emblematum sacrorum...*, (Frankfurt, 1616), Emblem Nr. 27.

7 Georgette de Montenay, *Emblemes ou Devises Chrestiennes...*, (Lyon, 1571), Nr. 14.

8 Zitiert nach Dietrich Walter Jöns, *Das „Sinnen-Bild". Studien zur allegorischen Bildlichkeit bei Andreas Gryphius* (Stuttgart, 1966), S. 71.

schenke dem Flehen der Dichterin keine Beachtung, vermittelt diesen Eindruck, der durch „erweichen" untermauert wird.

In den letzten beiden Strophen nennt Catharina das neutestamentarische Fundament, auf dem ihre Hoffnung ruht: den Präzedenzfall, den Christus schuf, als er die Kanaaniterin für ihren unerschütterlichen Glauben belohnte. Catharinas ausführliche Paraphrase der Worte Christi vergegenwärtigt auf eindringliche Weise das biblische Geschehen. Für einen Augenblick werden die Grenzen zwischen Realität und dem Erwünschten, zwischen Damals und Jetzt, aufgehoben. Catharina erlebt in Vorahnung die beglückende Empfindung der göttlichen Begnadung. Rückschauend kann sie dann ihr Leiden sogar glücklich nennen.

Wie eingangs bemerkt wurde, findet sich auf der Rückseite des Manuskriptes mit dem Gedicht „Trauer Liedlein" ein zweites Gedicht über dasselbe Thema, einfach mit „in eben derselben" betitelt:

in eben derselben

1

Sollt dem Brunnen des gesichtes?
Der Erzklaarheit Alles liechtes?
Meyne Noth verborgen seÿn?
Soltten Seüfzer Herzen Spohren,
beÿ dein Urohr seÿn Verlohren?
Ach der glauben saget Nein:

2

Sollt das Allerforschend Wesen
nicht in meinem Herzen lesen
Deßen innerste begier?
solltt' er weil es Ihm zu Ehren
nicht Solch Seltten wunsch gewehren
Glaube hältt es wohl dafür!

3

Sollt der Zarttest Augen schmerzen
nicht den höchsten gehn zu herzen
Alß die gröst' unleidlichkeit
Soll' Er wan man an Will tasten
Seinen Augen-Steren Rasten
und Verziehen lange Zeit!

4

Siht Er doch in Meinen flehen
seines geistes Strallen stehen
und mitt Christ Rubinenblutt
Alle meine Wohrt Versezet
ist sein Herz denn nicht durchetzet
Von der Purpur flammen flutt?

5

Er wird Ja die thränen Zählen?
und ergezung auß erwählen?
auf so heissen Himmel Zwang!
Seine Hand wird sie Abwischen,
und mitt Himel lust erfrischen,
fliessen sie gleich noch so lang!

6

Die beweglichst Erzbewegung
lässet Zu die kreütz erregung
Daß sie den Hülff Stachel spitz
daß die Heissen liebes Strallen
können durch gedonnert fallen,
und die gnaden Hülf' hehr blizt.

7

O Du Himmlisch leises lenden!
unbegreiflichs segen senden!
Jch vertrau mich deinen Rath.
kann Jch schon dein Ziel nicht sehen
will Jch in Gehorsam gehen
und es finden in der thatt?

8

Laß mir nur Ein Wenig leüchten
Deine Weiß und mich befeüchten
mitt dem Edlen glaubens safft
mein Verschmachtes seelen leben
so will Jch mich gantz dir geben
giebstu nur ein fünklein krafft.

32

Die *Geistlichen Sonnette, Lieder und Gedichte* enthalten eine überarbeitete Version dieses Gedichtes unter dem Titel „Erhörungs-Verlangen" (S. 318). Allem Anschein nach muß Birken die Veränderungen vorgenommen haben, die sich auf Normalisierung der Rechtschreibung und Straffung der Syntax wie auch auf Verbesserungen von Rhythmus und Bildwelt beziehen. Die Manuskriptfassung „in eben derselben" hat dieselbe Strophenform wie das „Trauer Liedlein", aber es ist um zwei Strophen länger. Es wirkt auf den Leser bei weitem nicht so persönlich und geständnishaft wie das „Trauer Liedlein." Während im ich-du Stil gehaltenen „Trauer Liedlein" Catharina Christus direkt mit „du" anredet, versucht das zweite Gedicht, im hohen und ernsten Stil des Barock verfaßt, sich Gott in ausgeglichenen und wortspielerischen Umschreibungen zu nähern. Gott ist der Ursprung allen Wissens und Verstehens, die Quelle des Sehens und Hörens — „Brunnen des gesichtes", „der Erzklaarheit alles liechtes", „Urohr", „Allerforschend Wesen" — es ist unvorstellbar, daß Er nicht um die Leiden der Menschen weiß. Das „Trauer Liedlein" ist einfacher und unmittelbarer:

> Liebster Jesu höhr mein flehen!
> laß mich nicht so Trostlos gehen
> Du Verbirgest dich seer lang,
> . . .
> Jesu willttu mich den tödten?
> mich? die Also hofft auf dich? [9]

Trotz dieses grundsätzlichen Gegensatzes der zwei Gedichte gibt es aber doch gewisse Anzeichen, daß sich der Schmerz in der dritten Strophe von „in eben derselben" als persönliches Geständnis lesen läßt. Mit Recht hat Horst - Joachim Frank[10] in solchen Aussagen einen der wenigen unverhüllten Wirklichkeitsbezüge in der Greiffenbergschen Dichtung gesehen: sie darf als Hinweis auf die Beschwerden der Augenkrankheit aufgefaßt werden, unter der Catharina litt. Das Bild „der Zarttest Augen schmerzen" ist also mehr als bloß poetische Umschreibung für „Tränen".[11]

Im zweiten Gedicht finden sich natürlich auch verschiedentlich Anklänge an die Themen im „Trauer Liedlein". Das Gebet, daß „weißes tränen-blutt" Gottes Herz erweichen solle („Gott dein herz erweichen" Z. 32 f.) wird in der vierten Strophe von „in eben derselben" vertieft und erweitert:

---

9 Gedanken und Ausdrücke aus dem „Trauer Liedlein" und „in eben derselben" klingen auch in anderen Gedichten der Sammlung *Sonnette, Lieder und Gedichte* wieder an. Das Sonett 52 trägt die vielsagende Überschrift „Über die Verbergung Göttlicher Hülff und Gnaden." Hier scheint Gott sein Herz verhärtet zu haben, „ . . . selbst Gültigkeit / als Felsen hart / . . . "; er hat sein Ohr menschlichem Klagen verschlossen, „der das gehör erschuff / erhört nicht was ich sag." Im Sonett 59 erscheint „der Himmel ganz versteinert."
10 Vgl. Frank, S. 39 und 65.
11 Ein ähnliches Bild im 52. Sonett, welches einem ähnlichen Thema gewidmet ist (vgl. Fußnote 10), gewinnt ebenfalls eine Dimension persönlicher Bedeutsamkeit:

> Bin dein Aug=Apfel ich / wie lästu mich antasten
> fühlstu den schmerzen selbst / wie kanst zu heilen rasten?

Siht Er doch in Meinen flehen
seines geistes Strallen stehen
und mitt Christ Rubinenblutt
Alle meine Wohrt Versezet
ist sein Herz denn nicht durchezet
Von der Purpur flammen flutt?[12]

Die Strophe bedarf eingehender Untersuchung. In den beiden Eingangsversen stellt die Dichterin fest, daß Gottes Geist (oder der Heilige Geist), durch Lichtstrahlen veranschaulicht, in ihrem Gebet („flehen") gegenwärtig sei. Dahinter verbirgt sich wohl die Ansicht, daß der Mensch in seiner Schwäche den Weg zu Gott nicht selbst finden kann, sondern der Schöpfer ihm die Richtung weisen muß. Der Mensch bedarf nicht nur des Heiligen Geistes, sondern auch der Erlösung durch Christus. Die Verse 3 und 4 sind von der einführenden Wendung „Siht Er doch" abhängig und stellen somit eine Parallelkonstruktion zu den ersten Versen dar. Gott sieht also, daß die Gebetsworte („Wohrt") mit „Christ Rubinenblutt ... Versezet" sind. „Versezet" ist reich an Bedeutungen: im Kontext durchaus relevant erscheinen die folgenden Bedeutungen: 1. von etwas anderem fest umschlossen, d. h. Catharinas Worte werden vom Blut umschlossen und festgehalten; 2. zu Pfand setzen, etwa hier als Unterpfand für eine Schuld, d. h. das Blut Christi stellt das Gebet der Dichterin sicher; 3. aneinanderfügen, vermischen stofflicher Bestandteile, d. h. Christi Blut ist in die Worte der Bittenden eingeflossen, dabei verleiht es ihnen Wert und Wirkung. Diese besondere Wirkung wird auch in den letzten Versen der Strophe beschrieben:

ist sein Herz denn nicht durchezet
Von der Purpur flammen flutt?

Das Bild der „Purpur flammen flutt" veranschaulicht die Mischung von Gebet und Erlösungskraft („Rubinenblutt"), aber die Wirkung („durchezet") rührt lediglich von der Kraft des Blutes her. Es ist also die alte Vorstellung, daß sogar der harte Diamant durch das Blut eines Bockes erweicht wird, eine Vorstellung die auf Xenokrates zurück geht, und durch den *Physiologus* weit verbreitet wurde.[13] Wie im Falle des Gedichtes „Trauer Liedlein " ist die Implikation klar: Gott zeigt ein hartes Herz. Anders aber als im „Trauer Liedlein" sagt Catharina hier, daß Gott für das böse Schicksal („HimmelZwang") verantwortlich ist, insofern er als „Erzbewegung" das Unglück erlaubt:

Die beweglichst Erzbewegung
lässet Zu die kreütz erregung.

---

12 Vgl. auch Sonett 56 „Auch über die Thränen":
Die Thränen / dienen auch / zu wahrer Tugend Zucht /
erweichen Gottes Herz und bringen freuden Frucht. (Z. 13f.)
13 Vgl. Daly, *Metaphorik*, S. 56f.; SLG, S. 167, 201 und 363.

Damit greift die Dichterin das Theodizeeproblem auf, welches im persönlicheren „Trauer Liedlein" keine Rolle spielt. Gott erlaubt Unglück und Bedrängnis, welche das rettende Eingreifen Gottes nur vorbereiten:

Daß sie den Hülff Stachel spizt
daß die Heissen liebes Strallen
können durch gedonnert fallen
und die gnaden Hülf' hehr blizt.

Es ist tatsächlich „ein unbegreiflichs segen senden!" wie die Dichterin sagt. Die siebente Strophe zeigt die Dichterin in einer Haltung des Vertrauens und Gehorsams, sie akzeptiert die „Ziele" Gottes, die sie nicht sehen kann, und das Gedicht endet mit einem ruhigen Gebet um „glaubens safft." Das Gedicht „in eben derselben" behandelt also auf breiterer Basis das Thema, das schon im „Trauer Liedlein" zur Sprache gekommen war. Die Basis ist breiter insofern als hier eine Frage der Theodizee aufgegriffen wird, das ruhige Vertrauen des Christen in die unfaßbare, doch wohlwollende Vorsehung Gottes ausgedrückt, und das Gedicht mit einem Bittgebet um Glaubensstärke abgeschlossen wird — Aspekte, die alle im direkteren und persönlicheren „Trauer Liedlein" offensichtlich nicht vorhanden sind. Wenn man die beiden Gedichte nebeneinander liest, kann man nicht umhin, das „Trauer Liedlein" als das zuerst Geschriebene anzusehen, denn es drückt eine persönliche Erfahrung in einer ungewöhnlich offenen und geständnishaften Weise aus, während das zweite Gedicht eine Reihe von allgemeineren Abwandlungen des gleichen Themas vorlegt, erweitert und vervollständigt durch die Aspekte der Theodizee, der christlichen Demut und des Glaubens. Die Gedichtüberschriften selbst unterstützen diese Lesart.

Das „Trauer Liedlein" Gedicht gibt keinen Hinweis darauf, worin Unglück und Widerwärtigkeit bestehen, aber in der Intensität seiner Empfindungen und in der Bedeutsamkeit, die die Dichterin ihm offenbar beimißt, erinnert es uns an ein anderes unveröffentlichtes Gelegenheitsgedicht: „Die Betrübte Unschuld."[14] In diesem Gedicht verteidigt sich Catharina gegen den Vorwurf der „ÿppigkeit", mit dem böswillige Mitmenschen ihre Ehre beflecken. Die „ÿppigkeit", d. h. Ausschweifung, die ihr zur Last gelegt wird, ist die Ehe mit ihrem Onkel Hans Rudolph, die zwar mit Zustimmung der protestantischen Kirche und eines Vertreters der weltlichen Obrigkeit, des Markgrafen von Brandenburg-Bayreuth, geschlossen worden war, deren Rechtsgültigkeit in Österreich jedoch wiederholt angefochten wurde. Diese Angriffe trafen Catharina um so mehr, da sie sich anfänglich voller Abscheu dem Werben ihres Onkels und Vormunds widersetzt hatte und sich erst zur Heirat bereit erklärte, als Hans Rudolph einer lebensgefährlichen Schwermut zu verfallen drohte.[15]

In einer Fußnote zu dem handschriftlichen Gelegenheitsgedicht „Trost der Hoffnung in Eüsserster Wiederwärttigkeit" aus dem Jahr 1669 erwähnt die Dichterin

14 Vgl. Black und Daly, S. 30—41.
15 Vgl. Frank, S. 41f. Vgl. auch unten S. 75 f.

„die Hoffnung... in gröstem Sturm just vor Zehen Jahren." Die „Eüsserste Wiederwärttigkeit" im Jahre 1659 aber war sicher die überraschende Liebeserklärung des Onkels, die die Dichterin in tiefe seelische Qualen stürzte. Erst 1663 konnte sie sich entschließen, den Onkel zu heiraten. Da das „Trauer Liedlein" vermutlich ebenfalls kurz vor 1660 entstand, darf man mit einiger Sicherheit annehmen, daß mit dem hier genannten Unglück und der „Wiederwerttigkeit" auf die gleiche Bedrängnis angespielt wird.

Entspricht diese Vermutung den Tatsachen, so erklärt sich, weshalb Birken „in eben derselben" in die Sammlung von Catharinas Gedichten aufnahm, das persönlichere „Trauer Liedlein" aber wegläßt. Birken wußte von Hans Rudolphs Liebe und Catharinas Verweigerung des Heiratsantrages. Es dürfte auch der Grund sein, warum Catharina die Strophen, die ihren Schmerz am unverhülltesten zum Ausdruck bringen, wegläßt, als sie einen Teil des Gedichtes in die fünfte Betrachtung über die „Wunderwercke" Christi einflicht. Einerseits hat die Dichterin seit der Niederschrift von den dargestellten Empfindungen Abstand gewonnen, zum anderen sind die Probleme und die gefühlsmäßige Reaktion der Dichterin von solch persönlicher Art, daß sie in einer der geistlichen Erbauung dienenden Betrachtung nichts zu suchen haben.

Mit nur geringen Abwandlungen erscheinen 16 Zeilen des „Trauer Liedleins" in der fünften Betrachtung. Dies darf nicht allzusehr überraschen, denn die Betrachtung behandelt die Wunder Christi, zu denen auch die Heilung der Tochter des kanaanäischen Weibes gehört. Dieses Wunder ist von besonderer Bedeutung für Catharina. Sie erwähnt es in verschiedenen Sonetten.[16] Im Sonett 125 nennt sie die Glaubenshaltung der Kanaaniterin einen „Glaubens=Heldenstreich", der

... erlegt die grösten zween:
Gott / zu erbarmen sich; den Teufel / auszugeehn.

Der Aufbau der Betrachtung ist einfach: Catharina zitiert den biblischen Bericht und gibt im Anschluß an die einzelnen Verse eine ausführliche Auslegung der jeweiligen Begebenheit, in die sie Gedichte und Gebete einschiebt. Gelegentlich klingen die Formulierungen an das „Trauer Liedlein" an. Catharinas Kommentar zu dem biblischen Vers, der vom Auszug Christi in die Gegend von Tyrus und Sidon erzählt, lautet: „er verbirgt sich nur / um gefunden zu werden" (S. 916). Dies gemahnt an die Feststellung des „Trauer Liedleins": „Du Verbirgest dich seer lang." Die Betrachtung unterscheidet sich jedoch durch ihren bejahenden Ton vom „Trauer Liedlein." Vertrauen und Zuversicht sprechen auch aus diesem Vers der Betrachtung: „seine Entziehung ist eine verborgene Näherung" (S. 917). Die Vorstellung, Christus sei die Zuflucht aller Elenden und Bedrängten, findet knappen Ausdruck in dieser Zeile des „Trauer Liedleins": „meines Wihlens Ziel hast troffen"; in der Meditation kehrt der Gedanke wieder in der Formulierung: „er ist das Hülff-Ziel aller Elenden" (S. 919).

---

16 Vgl. SLG S. 42, 67, 124, 125.

In der biblischen Erzählung erfahren wir nun von der Weigerung Christi, dem Flehen der Kanaaniterin Beachtung zu schenken. Catharina bringt ihre Verwunderung über dieses Verhalten Christi in den Bildern der Quelle, des Meeres und des „Gnadenuhrwerks" (S. 923) zum Ausdruck. Gleichzeitig weist sie darauf hin, daß auch andere das Schweigen Gottes erfahren haben (S. 924), und bereitet damit die unmittelbareren, persönlicheren Ich-Strophen gegen Ende der Betrachtung vor. Das Schweigen Christi scheint anzudeuten, daß das Herz Gottes dem Menschen gegenüber verhärtet sei. Der Gedanke, Gott sei hartherzig wie auch Catharinas Unvermögen, dies zu fassen, kommen in der folgenden Aussage zum Ausdruck: „daß auf Stein erweichen ... [17] nicht ein Fünklein Antwort kommet" (S. 924).[18] Kurz nach dieser Prosastelle stoßen wir auf dieses Verspaar:

Auf Felß erweichend Flehen /
Die selbste Gütigkeit fort unerbittlich sehen![19]

In der vierten Strophe des „Trauer Liedleins" bittet Catharina ebenfalls, ihr Leiden möge Gottes Herz „erweichen". Wiederum besteht der Unterschied zwischen Gelegenheitsgedicht und Betrachtung in dem stark emotionellen Tone des Gelegenheitsgedichtes, aus dem tiefe Verzweiflung spricht. In der Betrachtung beharrt Catharina jedoch darauf, „daß Gott alles zu unserm Besten thue ... dieses Schweigen eine so grosse als verborgene Wohltat Gottes seyn" (S. 925) und schließt mit der Einsicht: „der Glaube muß aus allen Blumen Hönig sauben / wann sie noch so bitter seyn ..." (S. 926). Solch eine Feststellung oder solch ein zuversichtlicher Ton fehlt im „Trauer Liedlein".

Aus ihrem tiefen Gottvertrauen heraus gibt Catharina auch den scheinbar abweisenden Worten der Jünger, „laß sie doch von dir / denn sie schreiet uns nach" (S. 926) eine positive Deutung. Ihrer Meinung nach legen die Apostel dem Meister nahe, der Kanaaniterin zu helfen, „sie bitten vor die Bittende" (S. 926).[20]

Als Christus endlich antwortet, gebraucht er recht barsche Worte: „Es ist nicht fein / daß man den Kindern ihr Brod nehme / und werffe es für die Hunde" (S. 939). Aber

---

17 Auf der gedruckten Seite ist hier eine Lücke; es ist zu vermuten, daß der Ausdruck entweder „erweichend flehen" oder „erweichend klopfen" gelautet hat.

18 Vgl. SLG, S. 125:

... klopf hart an diesen Stein:
ein Gnadenfünklein wird unfehlbar seyn darein /.

Auch diese Worte sind an die Kanaaniterin gerichtet.

19 Vgl. *Betrachtung*, S. 940.

20 Vgl. Kommentar von Lohmeyer-Schmauch: „Zwar scheinen ihre Worte die Frau abzuweisen; es sind die Worte von Dienern, die dem Herrn eine Belästigung ersparen wollen, Worte, die sie ganz ähnlich in den beiden Geschichten von der wunderbaren Speisung begegnen (vgl. auch 18, 22). Sie setzen voraus, daß der Meister ein Wort der Verabschiedung sagen muß, aber sie begründen es auch nur äußerlich, mit dem lästigen Aufsehen, das die Frau mit ihrem Rufen auf „uns" lenkt. Sie sollen Jesu Schweigen wenigstens äußerlich brechen. Und die Worte enthalten zugleich wider ihren Willen einen Hinweis auf den endgültigen Ausgang der Erzählung; denn Jesu letztes Wort, das das Wunder bewirkt, ist in der Tat auch dieses verlangte Wort des Abschieds. So stehen sie in einem seltsamen Zwielicht." (*Das Evangelium des Matthäus* [Göttingen, 1958], S. 253).

auch diese Entgegnung kann die Dichterung positiv auslegen als „das Ja im Nein" und als „eine Prob des Glaubens" (S. 941). Catharina ist der Ansicht, „der Disputir-Meister, der Heilige Geist" (S. 942), sei in die Kanaaniterin eingegangen, die durch ihr demütig-gläubiges Vertrauen dem Herrn die Erfüllung ihres Wunsches abringt: „dein Glaub ist groß / dir geschehe wie du willt."

Die Dichterin verleiht ihrer Überzeugung von der Kraft des Glaubens knappen, dramatisch-anschaulichen Ausdruck in dem Wort-Emblem: . . . daß du / ein schwaches Weib / solchen unüberwindlichen Palmenglauben hast / der sich keine Last der Anfechtung niederdrücken läßt / sondern unüberwindlich emporsteiget" (S. 945). An die Beschreibung des Wundervollzuges schließt Catharina dieses Gebet an: „Ach Aller-gütigster – JESU! Wann wird es mit mir auch auf solche Glückseelige Weise ausgehen? Wann wird es einmal bey mir also heisen auf diese Klage? " Es folgen die fünfte und sechste Strophe und vier Zeilen der dritten Strophe des „Trauer Liedleins":

Muß ich doch viel länger Kämpfen /
Vielmehr rauhe Streiche dämpfen /
   Als die Cananiterin /
   Die ich viel geplagter bin.
   Doch wolt ich es gerne tragen /
Würd Er mir / wie ihr / auch sagen:
Weib! es ist sehr hoch dein Hoffen /
Meines Willens Ziel hast troffen /
   Dir geschehe wie du wilt /
   Glaub bey mir vor alles gilt.
Ach! wie glücklich wär mein leiden /
Würd Er mich also bescheiden!
   Ach! du Aller=zartester Liebhaber! wie kanst Du es
immer über dein Lieb=zerfliessendes Herze bringen / daß Du
mich so lange ohne Hülffe lässest?
Mich / die also hofft auf Dich /
Und so fest verliesse sich
   Auf dein Wort / das ja nicht trieget /
Ach! ich werd noch seyn vergnüget!

Von den ersten vier Strophen des „Trauer Liedleins" verwendet Catharina nur die Verse 15–18. Die übrigen sind persönlicher gehalten und von so tiefer Verzweiflung erfüllt, daß sie vom Zweck der religiösen Erbauung in der Betrachtung ablenken würden.

KAPITEL III

EMBLEMATISCHE STRUKTUREN IN DER DICHTUNG DER GREIFFENBERG*

Catharina Regina von Greiffenberg und die Emblematik

Obwohl meines Wissens Catharina selbst kein illustriertes Emblembuch verfaßt hat — ihre *Tugend-Übung* ist eine Sammlung von *emblemata nuda* [1] —, hat sie doch immer ein Interesse für die Emblematik gezeigt. Es ist kaum anzunehmen, daß sie die emblematischen Erbauungsbücher der Nürnberger Wülffeler, Klaj, Dilherr und Saubert nicht gelesen hat. Aus Birkens Tagebüchern entnehmen wir, daß die Dichterin dem Freund ein emblematisch aufgemachtes Werk geschenkt hat: am 23. November 1665 notierte Birken, „Uranie mir den Treuen Seelen Freund verehrt." Joachim Kröll sieht darin einen Hinweis auf das 1658 erschienene Buch *Der treue Seelen=Freund Christus Jesus / mit nachdenklichen Sinn=Gemählden / anmuthigen Lehr=gedichten / und neuen Geistreichen Gesängen / abgebildet und fürgestellet durch Fräulein Annen Sophien / Landgräfin zu Hessen.*[2] Im vorigen Jahr hatte sich Birken ein Exemplar der *Hieroglyphica* von Pierus Valerianus gekauft,[3] ein emblematisches Werk von zentraler Bedeutung, welches die Hieroglyphen mit den Natursymbolen der mittelalterlichen Tierbücher, Steinbücher und des *Physiologus* kombiniert.[4] Auch Catharina kannte dieses Kompendium der Emblematik und schöpfte daraus, wie aus ihrem *Leiden und Sterben CHRISTI* ersichtlich wird. Das Motiv der „Brandbegängnis" des römischen Kaisers im 10. Emblem der Passionsbetrachtungen ist nachweislich Valerianus verpflichtet: zum Erklärungsgedicht hatte Catharina folgende Glosse gemacht „Apotheosis. vid. Pier. Hierogl. c. 19".[5]

Mit der einzigen Ausnahme der *Sieges-Seule* sind all ihre Werke mit Emblemen oder emblematischen Kupfertiteln versehen. Während sie für den Kupfertitel ihres Erstlingswerks *Sonnette, Lieder und Gedichte* (Nürnberg, 1662) wahrscheinlich nicht verantwortlich war — er stammt vermutlich von Sigmund von Birken — hat sie sich Mühe gegeben, ihre Andachtswerke mit Emblemen in der Art eines Hugo, van Haeften, oder Dilherr auszustatten. Am 21. Mai 1669, als Catharina an ihrem Andachtsbuch über die Leiden und Sterben Christi arbeitete, mußte sie dem Freund Birken gestehen:

---

*Der größere Teil dieses Aufsatzes erschien früher in *Europäische Tradition und Deutscher Literaturbarock*. Internationale Beiträge zum Problem von Überlieferung und Umgestaltung, hrsg. von Gerhart Hoffmeister (Bern u. München, 1973), S. 189—222.

1 Siehe Kapitel 4. Die nicht-bebilderten Emblemsammlungen haben auch eine große Rolle gespielt; nach Heckscher und Wirth machen sie etwa ein Zehntel der Gesamtproduktion aus; vgl. *Reallexikon der deutschen Kunstgeschichte* (Stuttgart, 1959), 5, Spalte 101.
2 Vgl. Birkens *Tagebuch*, hrsg. von Joachim Kröll (Würzburg, 1971), Bd. I., S. 209.
3 Ebd. S. 99.
4 Vgl. Praz, S. 24.
5 Siehe Anhang, S. 185.

Jch Wolltte Jhn gern wegen Einiger Verß und Sinnenbilder
Zu Raht Ziehen dennen Jch nicht gescheÿt genug bin, Sie
sollen *Zu gleich klaar und dunkel seÿn, Verständlich und
unverständig. nach deren Erfüllung sollen Sie teüttlich
seÿn, davor nicht Ein Mahl Eine Andeüttung geben.*[6]

Diese Beschreibung der Eigenschaften des Emblems stimmt mit der Definition
Harsdörffers in den *Frauenzimmer Gesprächspielen* (I. 59; IV. 170) überein und
entspricht der Nürnberger Praxis im allgemeinen. Schottel gibt eine ähnliche, wenn
auch ausführlichere Definition in seinem „Kurzten Vorbericht" zu Franz Julius von
dem Knesebecks *Dreyständige Sinn-bilder* (Braunschweig, 1643):

> In gemein ist auch bey Erfindung eines Sinnbildes in acht zu nehmen / daß der
> Deutspruch mit füglicher rührender Deutung auff das Bild gehe / und etwas nach-
> sinnens / bey Anschauung seiner / verlasse: Denn wenn das Sinnbild also gar zu
> offenbar / so gar gemein / leicht / ohne Kunst / Nachdruck / und Lehre ist / alsdann
> tritt es auß von seinem erforderten gebürlichen Stande: Wie im Gegentheile es auch
> nicht gar so dunckel / unvernehmlich / zweiffelhaft seyn / noch zur Natur eines
> Rätsels kommen / sonderen / wie summarisch erwehnet / darin eigentlich und
> eintzig bestehen muß / daß ein schickliches Bild zur überschrifft einen nachdenck-
> lichen / lehrreichen / gehörigen Deutspruch habe / welcher mit einer Außlegung
> kürtzlich erkläret / und des Sinnbildes Meynung also entdecket sey.

In der Technik traut sich die Dichterin offensichtlich zu wenig zu. Auch ein Jahr
vor dem Erscheinen der *Leiden und Sterben CHRISTI* (Nürnberg, 1672) fühlt sie sich
noch gezwungen, dem Freund zu bekennen: „Habe auch derwegen, Mich der Kupfer
und Emblemata nicht besunnen, noch was Auß Sinnen können . . ." (7. September
1671). Birken mußte auch diesmal das Werk in Druck geben.

Literatur und Emblematik

Die enge Verwandtschaft der Emblematik zur Literatur des 17. Jahrhunderts dürfte
heute als allgemein anerkannte Tatsache gelten, aber wenn auch mancher Kritiker
nebenbei auf emblematische Bilder und Motive in der deutschen Barocklyrik verweist,
liegen bisher keine gründlichen Studien der emblematischen Lyrik dieses Zeitalters vor;
einzige Ausnahme bildet die Untersuchung von Dietrich Jöns über *Das „Sinnen-Bild".
Studien zur allegorischen Bildlichkeit bei Andreas Gryphius* (Stuttgart, 1966).

---

6   Siehe Kapitel 5, S. 119 ff.

Wer in letzter Zeit über die Dichtung der Greiffenberg geschrieben hat, läßt zwar die fast zum Modewort gewordene Formel der „Emblematik" gelegentlich fallen.[7] In der Greiffenbergforschung, wie im allgemeinen, herrscht aber eine gewisse begriffliche Unklarheit, die das Studium der emblematischen Literatur als solcher erschwert hat. 1946 gab Stegemeier der Hoffnung Ausdruck: „that the term *emblem* need not be again and again defined by everyone who today discusses the subject . . . ."[8] Wenn man sich allerdings die vielen und verschiedenartigen Erscheinungsformen der Emblematik vergegenwärtigt, dann überrascht es kaum, daß Stegemeiers Hoffnung noch nicht in Erfüllung gegangen ist. Wer umsichtig vorgehen will, fühlt sich verpflichtet, den Begriff zu definieren, oder weniger anspruchsvoll gesagt, seinen eigenen Gebrauch des Wortes zu beschreiben.

Ich gehe von der Grundlage aus, die in der Germanistik Schöne und Jöns geschaffen haben, die sich ihrerseits auf frühere Arbeiten von Praz, Volkmann und Giehlow beziehen. Es dürfte ratsam sein, zunächst zwischen der emblematischen Auffassungs- und Gestaltungsweise oder, um mit Jöns zu sprechen, zwischen einer „Denkform" und „Kunstform" zu unterscheiden.[9]

Die emblematische Form des Denkens muß als Erbe des mittelalterlichen typologischen Denkens angesehen werden, in welchem jedes Ding eine Mehrzahl von Bedeutungen verkörpert, die unmittelbar aus seinen Eigenschaften, seiner Form und seinem Gebrauch hergeleitet werden. In dieser Weltanschauung ist das „Seiende . . . ein zugleich Bedeutendes."[10] So betrachtet wurzelt die Semantik des Emblems in dessen Ontologie. Da aber ein jedes Ding aus einer Vielzahl von Eigenschaften besteht, die je nach Qualität gut oder schlecht ausgedeutet werden, entstehen manchmal Schwierig- keiten in der Auslegung, und zwar sowohl für den kundigen wie auch für den uneingeweihten Leser. Harsdörffer bemerkt zum Problem:

> Die Deutung ist auch mehrmals als zweiffelhafftig / und kan /
> wie vor von den Löwen gesagt worden / gut und böß seyn. Die
> Schlange ist ein Bild der Klugheit / der giftigen Verleumdung /
> und wann sie den Schwantz in dem Mund hat / eine Abbildung
> der Ewigkeit.[11]

---

7 Vgl. Frank S. 96 f., 119 f., Anm. 86, 403, 430, 431; John Sullivan, *The German Religious Sonnet of the Seventeenth Century* (U. of California, Berkeley Diss. 1966), University Microfilms 67–8658, S. 201, 206, 212 f., 220, 223; Daly *Metaphorik*, S. 19–26, im ersten Teil, „Die Meta- phorik nach Stoffgruppen," wird vielfach auf Parallelstellen in den Emblembüchern hingewie- sen.

8 Henri Stegemeier, „Problems in Emblem Literature", *Journal of English and Germanic Philology*, XLV (1946), 26.

9 Vgl. Dietrich Jöns, S. 29. Schon 1931 machte T. O. Beachcroft die Unterscheidung zwischen „mode of thought" und „means of expression" in dem Aufsatz „Quarles and the Emblem Habit", *The Dublin Review*, N. S. VI (1931), 84.

10 Albrecht Schöne, *Emblematik und Drama im Zeitalter des Barock* (München, 1968[2]), S. 48.

11 *Frauenzimmer Gesprächspiele* VII, 98; vgl. auch VIII, 189 und II, 19f.

Die spezifische Bedeutung hängt immer von der gedachten Eigenschaft ab, die aus dem Textzusammenhang zum Vorschein treten soll. Jöns postuliert: „Die Kenntnis der Eigenschaften der Dinge ist somit Vorbedingung für die Erschließung des geistigen Sinnes . . ." (S. 31). Aber auch hier weiß schon Harsdörffer von einer solchen Vorbedingung und bemerkt dazu ferner, daß die in Frage kommende, doch verborgene Eigenschaft manchmal nicht abgebildet werden kann. Er schreibt: „daß man von keinem Sinnbilde urtheilen kan / man habe dann zuvor der Figuren Natur und Eigenschaften gründlich erlernet / welche vielmals verborgen ist / und nicht ausgemahlet werden kan / daher dann des Sinnbildes Verstand schwer und tunkel wird" (F. G. IV, 244). Eine solche Sinngebung hat nichts mit subjektiver Willkür zu tun, denn der Dichter erkennt Sinnbezüge, die im Wesen der Dinge objektiv bestehen.[12] Das Zusammenspiel aller Dinge, welche diesen Verweisungscharakter besitzen, bringt ein „wahrhaft weltumspannendes Bezugs- und Bedeutungsgewebe"[13] hervor.

Der emblematische Kunstwille — oder vielleicht besser gesagt, das emblematische Gestaltungsprinzip — setzt sich überall im sprachlichen Kunstwerk durch. Es ist am ehesten zu erkennen im Wort-Emblem, ist aber schließlich auch in der Struktur eines ganzen Gedichts manchmal zu finden. Wenn wir vom Inhalt absehen, reduziert sich das formale Problem der emblematischen „Kunstform"[14] auf eine einzige strukturelle Frage, die lautet: wie verbindet der Dichter das Abstraktum mit dem Konkret-Visuellen?

Im Emblem steht oft die *inscriptio* mit ihrer abstrakten Bedeutung in einem Spannungsverhältnis zum abgebildeten Gegenstand der *pictura*.[15] Die sentenzenhafte Kurzfassung der *inscriptio* in Verbindung mit der *pictura* kann den Rätselcharakter hervorrufen, der einer Auflösung durch die *subscriptio* bedarf.[16] Der dreiteilige Bau des Emblems erscheint in der Dichtung als zweiteilige Form wieder – zum Bild-Wort wird das Bedeutungs-Wort gestellt, und zwar am einfachsten und unmittelbarsten in der Form der Verbindung von Substantiven. Zum Beispiel betet Catharina am Ende eines Sonetts über den Glauben: „Mein Glaubens=Felse werd' ein klarer freuden=bach" (SLG, S. 34). Das alttestamentliche Motiv von Fels und Quelle wird visuell *dargestellt* und gleichzeitig auf das Verhältnis von Glaube und Freude hin *gedeutet*. Wir haben es in solchen Wort-Emblemen mit dem charakteristischen Nebeneinander von Bild und Bedeutung zu tun, es sind dies „Sinn und Sinne . . ., die beiden Komponenten des ästhetischen Vergnügens dieser Jahrhunderte, das Sensuelle und das Intellektuelle . . . ."[17] So wie die genannten Gegenstände des emblematischen Bildteils konkret, unbeseelt, vielfach statisch und immer abgekapselt dastehen, so sind auch die Bedeutungen klar, fixiert und objektiv. Es kann somit keine gefühlsmässig-subjektive

---

12 Vgl. Jöns, S. 31ff., Schöne S. 47ff.
13 Schöne, S. 49f.
14 Vgl. Jöns, S. 3—28.
15 Ebenda, S. 17.
16 Vgl. Schöne, S. 21.
17 Jöns, S. 3.

Interaktion zwischen Bild und Bedeutung entstehen, sondern das Wort-Emblem erweist sich als eine intellektuelle Kombinationsfigur und nicht als symbolische Verschmelzungsfigur.[18]

Fremde Vorstellungen – bildliche und gedankliche – die zur Emblematik gehören

Der Leser, der nur eine flüchtige Bekanntschaft mit Emblembüchern gemacht hat, wird nicht alle emblematischen Strukturen in der Dichtung als solche erkennen. Wahrscheinlich sind es eher die „fremden Vorstellungen" in bildlicher Form, die ihm emblematisch erscheinen: etwa die „ungewöhnlichen" Wort- und Bildkombinationen, die früher als „weithergeholt", „willkürlich" oder gar „geschmacklos" galten. In Greiffenbergs Dichtung denkt man etwa an das Bild des mit dem Blut Christi „geschmierten" Kompasses:

> O Geist / mein Steuermann! HErr Christ / mein Nordesstern!
> lenk' und erleucht mit stäts / daß sich mein Zünglein wende /
> mit deinem Blut geschmiert / nach dir / ob ich noch fern /
> und an dem Hafen bald der Seeligkeit anlände. (SLG, S. 28)

An sich geht es hier lediglich um eine Variante des üblichen Kompaß-Emblems,[19] wie es auch in Sonett 58 vorkommt:

> Mein Zünglein stehet stät / von Wellen fortgetragen /
> auf meinen Stern gericht . . .

Oder man denke an ein Sonett, in welchem Gott als eine Art Marionettenspieler[20] erscheint, der die Herzen der Menschen manipuliert:

> ziehst du nur diese Schnur / dran alle Herzen hangen /
> So ist der Sinn= Entwurf schon in das That=seyn gangen. (SLG, S. 16)

In solchen Fällen ist der unkundige Leser mit Bildkombinationen konfrontiert, die er aus der moderneren Lyrik nicht kennt. Die Bildbereiche liegen oft weit auseinander (Christi Blut und Kompass auf einem bestürmten Schiff), oder sie sind unbequem visuell und dinglich (Gott mit den Herzens-Puppen). Solche Bildkomplexe sind aber nicht schwerverständlich.

Es gibt aber auch Bildkombinationen, welche wegen ihrer Sinngebung fremd wirken. Um die Bekehrung derer, die bei der Kreuzigung Christi anwesend waren, zu beschreiben, prägt Catharina folgendes Bild:

> Der Herzen=Diamant ist durch sein Blut erweichet. (SLG, S. 167)

---

18 Vgl. Peter M. Daly, „The Poetic Emblem", *Neophilologus*, LIV (1970), 385, 393f.
19 Vgl. Hermann Hugo, *Pia Desideria* . . . III, 34; Harsdörffer, *Sonntagsandachten* LXIX weitere Beispiele bei Sambucus, Vaenius, Hooft und Vischer in Arthur Henkel und Albrecht Schöne, *Emblemata. Handbuch zur Sinnbildkunst des XVI und XVII Jahrhunderts* (Stuttgart 1967), Sp. 1471f. Im Folgenden zitiert: E.
20 Vgl. Jacob Bornitz, *Emblematum Ethico-politicorum* . . . (Heidelberg, 1664), S. 13.

Die Bedeutung des Bildes wird angegeben, aber die Voraussetzung dafür ist die Annahme der uralten, heute nicht mehr haltbaren, „wissenschaftlichen" Tatsache, daß das härteste Material, der Diamant, nur durch Bocksblut weich gemacht werden könne. Das emblematische Bild beruht also auf einer überlieferten und als Tatsache geglaubten Vorstellung, die schon bei Xenokrates zu finden ist und die natürlich dem Christentum sehr willkommen war. Der Christ braucht nur den Bock durch das Lamm[21] zu ersetzen, um ein treffendes Emblem der Erlösung zu haben. Der Bock konnte typologisch als Präfiguration des Erlösungstods gelten.

Es gibt viele dichterische Bilder, die überhaupt keinen Hinweis auf den gemeinten Sinn geben, sie bleiben daher ohne Kenntnis des emblematischen Hintergrunds zunächst dunkel.[22] Beispiele aus dem Bereich der Natur wären etwa Lorbeer, Adler und Maulwurf, die in einem anderen Zusammenhang besprochen werden.[23] In solchen Fällen bietet die Emblematik eine willkommene Hilfe, denn sie entschlüsselt den Sinn des Bildes. Es muß aber betont werden, daß die Emblembücher nicht so sehr Ursprung solcher Sinngebung darstellen, sondern eher als Sammelbecken bestehender Tradition zu betrachten sind.

Der Vergleich mit Emblembüchern zeigt, daß die „fremden" Vorstellungen dem 17. Jh. alles andere als fremd im negativen Sinne waren. Die Dinge, wie sie in Dichtung und Emblematik wieder auftauchen, waren Träger von festen Bedeutungen allgemeiner Art, die in unmittelbarem Zusammenhang mit einzelnen Eigenschaften, Formen oder Funktionen — wirklichen oder geglaubten — standen. Die Basis für das richtige Verständnis konnte vielfach vorausgesetzt werden. Derselbe Vergleich mit Emblembüchern läßt ferner erkennen, daß der Dichter oft bildliche Motive miteinander kombiniert, die einen ausgeprägt dinglichen, visuellen, oft statischen und nicht-organischen Charakter aufweisen. Das ist eine Gestaltungsweise, die als emblematisch gelten darf.[24]

Zusammenfassend ist festzuhalten, daß das dichterische Bild erstaunlich oft eine Verwandtschaft mit der Emblematik als Kunst- und Denkform zeigt.

Emblematische Denkformen in Greiffenbergs Dichtungen

Die Voraussetzung für die emblematische Denkweise wie auch für die mittelalterliche Typologie liegt in der Annahme einer sinnvollen, von Gott geschaffenen Welt. Die Natur wird wortwörtlich als zweites Buch Gottes angesehen und gelesen. Diese emblematische Auffassung der Natur als Buch Gottes begegnet überall in Catharinas Dichtungen, wie folgende Beispiele zeigen:

21 Vgl. SLG, S. 201.
22 Vgl. oben S. 33.
23 Vgl. unten. S. 47–50.
24 Vgl. Daly, „The Poetic Emblem," 385.

In dem weissen Blüte=Buch /
  ich aufsuch /
die Erschaffungs=Wunder (SLG, S. 351);

Leset / in weißlichten Blättern der Blüh /
Göttlicher Allmacht ungleiche Werke. (SLG, S. 227)

Aber nicht nur das Bild des Buches und die dazugehörenden Motive der Seiten, Blätter und des Lesens, sondern auch das Bildfeld des Spiegels (u. a. auch vor- und abbilden, sehen, widerstrahlen) können als Ausdruck des emblematischen Denkens verstanden werden. Der Dichterin ist der Frühling ein „Ewigkeits-Spiegel":

Ewigkeits=Spiegel man findet in dir /
Himmlischer Siegel=Ring / heller Saphir /
da sich ließ Göttlicher Name einschneiden! (SLG, S. 226)

Wiederum von der Natur im Frühling heißt es:

Es zeigt uns GOtt in ihm / als in dem Spiegel Glanz /
und weist uns selben auch in all=erschaffnen Dingen:
wie seine Schön' herblickt aus bunten Blumen Kranz.
Sein Süßheit sich zu Mund will aus den Früchten schwingen.
Ja alls / was sichtbar nur / ist GOttes Ebenbild /
wie schön / süß / gut er sey / wie hoch! wie reich! wie mild.[25] (SLG, S. 224)

Daß Catharina bewußt emblematisch dachte und ihre Dichtungen wiederholt emblematisch gestaltete, geht aus verschiedenen Äußerungen in den Gedichten hervor. Emblematik ist eine Art des Paralleldenkens, normalerweise wird aus einem Gegenständlich-Visuellen eine rein abstrakte Bedeutung gewonnen, oder aber das Abstrakte wird neben das Visuelle gestellt. Eines der vielen Sonette über die „Gottlobende Frühlingslust" liefert ein klares Beispiel dieses analogen Denkens auf zwei Ebenen, für welches der erste Vers die Richtung schon festsetzt:

Die Bäume nicht allein / mein Herz will auch ausschlagen. (SLG, S. 233)

Die Schlußverse lassen keinen Zweifel daran aufkommen, daß die Dichterin die Natur nicht um ihrer selbst willen oder ihrer eigenen Schönheit wegen beschreibt, sondern als Manifestation Gottes; das Irdische wird geistlich interpretiert:

was irdisch hier geschicht / ist Geistlich mir in Sinnen:
nur in das Ewig ziehlt / mein wunder=freud Beginnen. (SLG, S. 233)

Ein Sonett an „Die lieblich Sommer= und Ernde-Zeit" schließt mit einer Art emblematischen Manifests:

---

25 Vgl. ferner Son. 229 und 230.

Das Sichtbare / weiset unsichtbare Ding /
daß jenes aus diesem unmerkbar entspring. (SLG, S. 241)

Es überrascht also kaum, wenn Catharina die Blumen „Ihr gemahlte Bilder-Schrifften" nennt und dabei das eigentlich emblematische Verhältnis von *pictura* und *scriptura* beschreibt:

Ihr gemahlte Bilder=Schrifften /
    Aller Welt vor Augen hie /
Im [sic] den balsamirten Lüfften /
    Himmels=witz beblickte Blüh /
Ihr macht Gottes Wunder lesen /
    Weiset seine Gütigkeit /
    Durch das Glück gestickte Kleid /[26]

Die darauffolgende Strophe führt diesen Gedankengang weiter und preist die Bedeutsamkeit der Blumen in leicht paradoxer Weise als „beredte stumme Sprachen" und „Lehrer ohne Zung' und Mund":

Ihr beredte stumme Sprachen /
    Lehrer ohne Zung' und Mund /
Prediger der höchsten Sachen /
    Ihr verkündet Gottes Bund /
Wie er uns hie woll versorgen /
    Mit Gesundheit / Kleid und Weyd' /
Doch die allersüstte Freud'
Sollen wir ihm künfftig borgen /
    Welcher schönster Sonne=Schein /
    Eure Bilder=Schatten seyn. (LJ, S. 694)

Sonett 238 preist das Vergißmeinnicht als eine „kleine Sittenlehrerin", und in den *Lebensbetrachtungen* nennt die Dichterin wiederum die Blumen ganz allgemein „Sitten-lehrer höchster Tugend" (LJ, S. 663).

Das barocke Synonym für Emblem, „Sinnbild", verwendet die Dichterin für verschiedene Blumen: die Friedelar ist ein „Sinnbild" Christi (LJ, S. 676), und die Farben und Striche auf den Blättern der Tulpe sind ein „Sinn=Bild" (LJ, S. 678) von der Liebe Christi.

Die Gedichte, die Catharina in die Betrachtungen einflicht, sind oft mit Blumen-emblemen gefüllt. Jede Blume ist ein „Seiendes ... und zugleich Bedeutendes" (Schöne, S. 48), insofern es vom Schöpfer geschaffen wurde, um auf eine höhere Wahrheit zu deuten, die den Menschen auf seinem Lebensweg begleiten sollte. Aus den

---

26 *Des Allerheiligsten Lebens JESU Christi Ubrige Sechs Betrachtungen Von Dessen Heiligem Wandel / Wundern und Weissagungen / von = und biß zu seinem Allerheiligsten Leiden und terben* ... (Nürnberg, 1693), S. 693 (abgekürzt auf LJ).

Lebensbetrachtungen (LJ) stammen die folgenden Beispiele. Die Tulpe mit ihren sechs Blättern deutet auf die sechs Tage der Schöpfung, während ihre rote Farbe an die Liebe Gottes in dem Blut Christi erinnert:

> Es zeigt die sechs Erschaffungs=Tage /
>   Die sechs=beblättert Tulipan /
> Und wie GOtt vor uns Sorge trage /
>   Zeigt sie mit ihren Blicken an!
>   Ein jeds ein Blut= Verschreibung ist /
>   Der Lieb= und Blutes JEsu Christ.   (LJ, S. 680)

Die Tulpe heißt auch „Keusche Gottes Liebe Brenner" (LJ, S. 670)

Selbstverständlich gehört die Lilie zu den beliebtesten emblematisch gebrauchten Blumen wegen ihrer Bezüge zu den Begriffen der Tugend, Reinheit, Keuschheit, Demut und Ehre. Die Lilie ist für Catharina „ein Folg'=Exempel", wie man Gott ehren solle:

> Die Lilien / Leuchter in dem Tempel /
>   Zu seiner Ehr in aller Welt /
> Sie geben uns ein Folg'=Exempel /
>   Daß wir seyn gleicher Weis bestellt!
>   Zu leuchten unserm GOtt zur Ehr /
>   Daß alles sich zu ihm bekehr'.   (LJ, S. 681)

Besonders interessant wird an einer Stelle die Form der Lilie als Dreieck zur Basis einer höheren Sinngebung; die Dichterin stellt nicht nur den offensichtlichen Bezug zur Dreieinigkeit fest, sondern betont auch, daß die höhere Weisheit Gottes in der Natur größer sei als die mathematische Weisheit des Pythagoras:

> Frühe Lilien / Weisheit=Zeichen /
>   Deren drey=Eck müssen gar
> Jenes des Pythagors Weichen /
>   Weil es nur von Menschen war /
> Von drey=Eingen Eurs erfunden /
> Drum ihr jenes überwunden /
>   Hat auch viel mehr Weisheit Schatz
>   Bey euch / als in jenem Platz.   (LJ, S. 668)

Die Farben sind wie alles andere Träger eines geistlichen Sinnes. Unter Harsdörffers Frauenzimmern sind sie Gegenstand eines belehrenden Spiels (F. G. I, 83–93). Bei Catharina sind sie „Spiegel" von Gottes „Güte":

> jeder Blumen Farb' und Blüte /
> ist ein Spiegel seiner Güte.
> Roht / ist seiner Liebe Spur:
> daß er uns sein Herz abmahlet /
> wie es lauter Flammen strahlet. (SLG, S. 343).

In demselben „Wiesen Liedlein" ist Blau die Farbe von Gottes „Hoheit Bild" (vgl. SLG, S. 238) wie auch Sitz des „Herrschungs=Witzes." Im Weiß der Blättlein „bespiegelt sich" Gottes „rein=weisse Herzenstreue"; Purpur „zeiget an das blutig schwitzen." Grün „zeiget" das „Hoffen", welches als Geschenk der „Gottes Güte" aufgefaßt wird (vgl. SLG, S. 238).

Am Beispiel der Blumen wird deutlich, wie die Emblematik als Denkform darin besteht, daß aus einem konkret-visuellen Gegenstand gewisse Bedeutungen gewonnen werden, welche ihrerseits aus dessen Eigenschaften herausgelesen werden. Gerade die Eigenschaften, welche die Voraussetzung einer solchen Sinngebung darstellen, sind vom Dichter nicht immer explizit genannt, so wie es dem Emblematiker nicht immer gelingt, dieselben Eigenschaften zu zeichnen. Was Harsdörffer über die Emblematik in diesem Zusammenhang zu sagen wußte, gilt auch für die emblematische Dichtung: er insistiert, „daß man von keinem Sinnbilde urtheilen kan / man habe dann zuvor der Figuren Natur und Eigenschaften gründlich erlernet / welche vielmals verborgen ist / und nicht ausgemahlet werden kan / daher dann des Sinnbildes Verstand schwer und tunkel wird" (F. G. IV, 244).

Die früher vielfach gescholtene Rätselhaftigkeit, Spitzfindigkeit und Willkürlichkeit des Emblems entpuppt sich manchmal als ungeduldige Reaktion des unkundigen Lesers, der die „verborgenen" Eigenschaften nie „gründlich erlernet" hat. Ein markantes Beispiel liefert Catharina in dem handschriftlichen Gedicht „An die Deogloria", dessen dritte und letzte Strophe lautet:

Zu denn Adlern zu gelangen
gieb Jch Einen Maulwurff Ab!
daß Jch kann die Löwen fangen
Nehm Jch fort den Hirten-Stab.
üm, die Hirschen zu berükken
Muß Jch Spinnen-weben Strükken.
Deoglori Jch und Du,
Wissen, wie Es gehet zu![27]

Oberflächlich betrachtet, hat es zunächst den Anschein, als veranschaulichten die drei Bilder denselben Gedanken: Schwäche überwinde Stärke. Zudem dürfte die Kombination Adler und Maulwurf sinnwidrig oder wenigstens willkürlich anmuten. Eine ahistorisch werkimmanente Interpretation hilft nicht weiter. Das richtige Verständnis des ganzen Gedichts und dieses emblematischen Bildes wird erst ermöglicht durch Einblick in Greiffenbergs Leben einerseits und durch Kenntnis einer naturkundlichen Überlieferung andererseits. Dazu das Wesentliche in Kürze: 1666 hatte sich die Dichterin das Lob Gottes zur Lebensaufgabe gesetzt, wozu vor allem ihr religiös-politisches Vorhaben gehörte, den katholischen Kaiser Leopold I. zum lutherischen Glauben zu überzeugen. In dieser Absicht unternahm sie mehrere Reisen nach Wien

---

27 Das Gedicht ist reproduziert und besprochen in: Black und Daly, S. 46—53.

und verfasste verschiedene Schriften. So gesehen, gewinnen Adler und Maulwurf an Bedeutung: als König der Vögel und als Wappentier[28] des Hauses Habsburg erscheint der Adler oft in den Gedichten und Briefen der Dichterin als Emblem für Leopold I; der Maulwurf dagegen ist der Erde verhaftet und vergleichsweise schwach, er ist in diesem Gedicht als Bild für die Dicherin zu verstehen. Was bringt aber beide Tiere zusammen? Es kann nicht der Jagdinstinkt des Adlers sein. Das Emblembuch liefert einen Anhaltspunkt: nach Sambucus ist der Adler Beschützer des Maulwurfs, der seine sichere Höhe verläßt, um dem armen blinden Tier beizustehen.[29] Es gehören also in der Naturkunde der Zeit Adler und Maulwurf doch zusammen.

Der Adler gehört bekanntlich zu den beliebtesten emblematischen Tieren. In Catharinas Dichtungen überwiegen die Bezüge zu seinem hohen Flug,[30] seiner Schnelligkeit[31] und zu Christus als „Himmels Adler",[32] welche auch biblisch fundiert sind. Darüber hinaus aber werden andere Eigenschaften verwertet: seine scharfen Augen,[33] die ohne zu blinken oder blinzeln in die Sonne schauen können;[34] seine Flügel, die er dadurch erneuert, daß er in den Strahlenkranz der Sonne fliegt und sie verbrennen läßt; und, ganz allgemein, sein Verhältnis zur Sonne.[35] In jedem der erwähnten Fälle wird die gemeinte Bedeutung klar dargestellt und sie ist im Gedicht aus dem Zusammenhang zu entnehmen. Es gibt aber auch Bilder, die ohne Kenntnis der ungenannten Eigenschaften „schwer und tunkel" bleiben. In einer Betrachtung über die „Göttliche Tugend der Beständigkeit"[36] schreibt Catharina, daß „die Sonn eine Adler=Prob ist" (S. 455). Das ist eine Anspielung auf das im Mittelalter oft begegnende Motiv der „Jungenprobe":[37] der Adler zwingt seine Jungen, in die Sonne zu schauen, und diejenigen, welche blinzeln, werden von ihm als Bastarde verstoßen.[38]

28 Schon die Mehrzahl „Adlern" könnte als Anspielung auf den habsburgischen Doppeladler verstanden werden.
29 Vgl. Sambucus S. 214 [E. 489], welches Werk in sechs Auflagen und zwei Übersetzungen vorliegt. Vgl. Mario Praz, *Studies in Seventeenth-Century Imagery*, revised ed. (Rome, 1963), S. 486f.
30 Vgl. SLG, S. 5, 9, 164, 246; S. 343; *Höchstheilsam= und Seelenerbauliche Betrachtungen Von Allerheiligster Menschwerdung / Geburt und Jugend / Wie auch von Leben / Lehre und Wunderwerken / Und dann vom Leiden und Sterben unsers Herrn und Heilands JESU Christi . . .* (Nürnberg, 1693), S. 190 und 228.
31 Vgl. SLG, S. 9.
32 Vgl. SLG, S. 175.
33 Vgl. Camerarius, Nr. 3 [E. 769]. Vgl. SLG, S. 254 „Uber das Sinnbild / Ein die Welt=Kugel beschauenden Adler," in welchem der scharfsichtige Adler ein Emblem der „Göttlichen Weißheit" ist, vgl. Camerarius, Nr. 2 [E. 760], wo er die Fürsorge des Fürsten bedeutet. Ferner auch *Sieges-Seule*, S. 170.
34 Vgl. Sambucus S. 28 [E. 775], Jacobus Typotius, *Symbola Divina et Humana* . . . (Prag. 1601), S. 44.
35 Vgl. SLG, S. 256 „Uber den / durch alles Ungewitter / der Sonne zufliegenden Adler", in welchem der Adler etwa das Verlangen des von Unglück geplagten Menschen nach Gott darstellt. Siehe ferner SLG, S. 324: „. . . nimm Adlers=Augen / schau in die Sonn / die ewig Freud"; SLG, S. 382: „Adlers=Lust ist in der Sonne / in der Tugend meine Freud." Vgl. Camerarius, Nr. 4 [E. 778], 14 [E. 779]; Typotius, S. 16, Nr. 6.
36 *Des Allerheiligsten Lebens JESU Christi Sechs Andächtige Betrachtungen Von Dessen Lehren und Wunderwercken* (Nürnberg, 1693), S. 453. Im Folgenden zitiert: LC.
37 Vgl. Otto Seel, *Der Physiologus* (Zürich u. Stuttgart, 1960), S. 75, Anm. 37.
38 Vgl. Reusner, Nr. 8 [E. 773], und 4 andere Embleme [E. 774].

Der Christ also bleibt beständig in seinem Glauben, obschon von Widerwärtigkeiten umgeben und angegriffen, welche ihn prüfen.

Die Vorstellung, daß der Adler sich verjüngen kann, indem er die alten Fittiche in der Sonne verbrennen läßt, ist die Voraussetzung für das folgende Gebet:

laß' / eh sie [=Welt] untergeht / auf flammen noch dein Liecht:
daß die Angst=Müden noch neu Adler Flügel kriegen.
Schick' eine Morgenröt / eh dein Sohns=Sonn' anbricht.
Sing' uns ein Schwanen Lied / eh wir im Zügen ligen! (SLG, S. 38)

Wieder ein anderes Adlermotiv, das in der emblematischen Naturkunde seine Berechtigung findet, begegnet uns in einem Sonett aus der *Tugend-Übung*. Um die Tugend der Standhaftigkeit zu preisen, prägt Catharina folgende Bilder:

Der Adler beckt so lang / den Hirschen umzubringen /
biß er die Hirnes-Schal durchbort und jener fällt.
Der Biber wirfft dem Baum / weil sein Fleiß stäts anhält.
Der Unnachläßlichkeit muß endlich alls gelingen. (S. 341)[40]

Das ist ein gutes Beispiel des emblematischen Arguments: zwei rein visuelle Naturtatsachen beweisen die Richtigkeit eines allgemeinen und abstrakten Gedankens.

Die Feuerfestigkeit des Lorbeers, die bei den Emblematikern[41] und Dichtern als unumstößliche Tatsache galt, wird in den Gedichten der Greiffenberg nur einmal ausdrücklich erwähnt:

Der Lorbeer widersteht dem Feur und Donner=stein.
Die Tugend lässet sich von Boßheit nicht verletzen: (SLG, S. 83)

Der Lorbeer wird emblematisch als Zeichen der „ununterdrucklichen Tugend" ausgelegt. Die Beziehung von Lorbeer zu Tugend findet man öfters in Catharinas Dichtung, auch dort, wo die Pflanze in erster Linie als Anerkennungskranz gemeint ist.[42] In der *Tugend-Übung* erscheint der Lorbeer in Verbindung mit dem klassischen Mythos von Apollo und Daphne, die in einen Lorbeerbaum verwandelt wird, um sie vor dem liebeshungrigen Gott zu beschützen (S. 330 f.). Hier wie in anderen Gedichten der Greiffenberg geht es um die weiblichen Tugenden der „Keuschheit" und „Ehre."

In diesem Zusammenhang ist auf einen interessanten Fall in einer Betrachtung über die Gleichnisse Christi zu verweisen. Zum Christuswort von den Samen, die auf fruchtbare und unfruchtbare Erde gesät werden, schreibt Catharina: „ein solches Getraid=Harmlein ist ein Lorbeer / der allen Donner veracht" (LJ, S. 455). Unter „Donner" ist wohl „Donnerkeil" zu verstehen, was die Beziehung zur Feuerfestigkeit des Lorbeers aufrechterhält.

39 Vgl. Boria, Nr. 6 [E. 773], Reusner, [E. 774]. Typotius, S. 3, Nr. 6 „Renovamini" (Abendmahlsemblem).
40 Vgl. Camerarius, Nr. 10 [E. 767].
41 Vgl. Black und Daly, S. 39, Anm. 43–47.
42 Vgl. SLG, S. 305, und „die Betrübte unschuld," Vers 33 in Black und Daly, S. 35.

Die hier besprochenen Beispiele der emblematischen Denkweise sind lediglich eine Auswahl aus den emblematisch gebrauchten Motiven in der Dichtung der Greiffenberg.[43]

Emblematische Kunstformen der Dichtung
Das Wort-Emblem als Requisit

Im folgenden soll die formale Seite betrachtet, d. h. die emblematische Kunstform in der Dichtung untersucht werden. Das emblematische Gestaltungsprinzip setzt sich überall durch: im Einzelwort, in Wortgruppen, in Strophen und sogar im ganzen Gedicht.

Die Seiten der Emblembücher sind mit „emblematischen Requisiten"[44] gefüllt, also mit den Abbildungen von Gegenständen aus der Natur und aus dem Kulturbereich des Menschen. Diesen Abbildungen entsprechen in der Dichtung Bilder, die oft keine Erklärung benötigen. Die emblematischen Requisiten verkörpern also eine Bedeutung, und diese wird direkt vermittelt.

In einem Sonett mit dem Titel „Auf die verfolgte doch ununterdruckliche Tugend" führt Catharina eine Reihe von Bildern und antiken Beispielen des siegreichen Unternehmens an und schließt mit der Ermutigung:

Drum biet der Noht die Spitz' / und laß dich nichts abwenden:
es schwebt schon über dir / die Kron in GOttes Händen. (SLG, S. 83)

Als ungedeutetes Zeichen funktioniert die Krone hier als emblematisches Requisit.[45] Requisit.

Der visuelle Eindruck wird in Emblemkombinationen dadurch noch verstärkt, daß die einzelnen Motive aus verschiedenen, sogar weit auseinander liegenden Bereichen stammen. Wiederum von der „verfolgten, doch ununterdrucklichen Tugend" schreibt Catharina:

Die Kron / kommt aus dem Feur / dann auf des Königs Haar.
So wird ein Ehren=Stern aus Unglück und gefahr. (SLG, S. 84)

Die rein bildliche Zeile – „Feur . . . Kron . . . König" – ist unmißverständlich, aber die emblematisierende Tendenz führt Catharina dazu, eine abstrakte und generelle Deutung[46] hinzuzufügen. Interessant und charakteristisch in diesem Wort-Emblem ist

---

43 In einem anderen Zusammenhang werden auch folgende Motive in diesem Kapitel besprochen: Adler (S. 48f.), Alchimie (S. 53), Zeder (S. 51), Kompaß (S. 42f.), Kreuz (S. 29f., 52f.). Fels und Quelle (S. 51f.), Koralle (S. 59f.), Muschel und Tau (S. 56), Schlange (S. 63).

44 Vgl. Schöne, S. 214ff.

45 Ähnliche Beispiele in der Emblematik bei Bornitz, S. 13; Dilherr, *Augen= und Hertzens=Lust. Das ist, Emblematische Fürstellung der Sonn= und Festtäglichen Evangelien* . . . (Nürnberg, 1661), S. 124.

46 Wie Schöne gezeigt hat, sind auch die Deutungen der Emblembücher nicht immer abstrakt gehalten, S. 21.

die Kombination von „Feur" und „Haar", welche die gewollte Kontrastwirkung noch erhöht. Wie gewöhnlich bedeutet Feuer „Unglück," dessen offensichtlich prüfende und läuternde Funktion es ist, das Gold für die Krone zu bereiten, die selbst wiederum „Triumph" veranschaulichen soll.

Ein anderes Beispiel für emblematische Requisiten findet sich im folgenden Gedicht:

Creutz ist des Glückes Tor (SLG, S. 84)

In einem „Trost-Liedlein" erscheint die Zeder als Zeichen der überwundenen Stärke und als bildlicher Beweis, daß „die Verharrung sieget"; es heißt :

stäte Müh
feyret nie /
gar die Cedern beuget.   (SLG, S. 371)

Damit will Catharina weder auf den exotischen Baum vom Lande Libanon, noch auf die Bedeutung „Schönheit ohne Frucht"[47] anspielen, sondern die sprichwörtliche Stärke des Baumes in Anspruch nehmen.[48]

Zuweilen findet man Gruppen von emblematischen Requisiten, die wie gesagt, keiner näheren Aufschlüsselung bedürfen. Drei typische Vergänglichkeitsembleme folgen einander, um die Unzuverlässigkeit des irdischen Lebens zu veranschaulichen:

Schatten / Pfeil / und Flügel=Art ist / mit seinem Gut / diß Leben.[49] (SLG, S. 242)

Das Wort-Emblem als Kompositum oder Genitiv-Verbindung

Wie wir gesehen haben, kann das Verständnis für die überlieferte Bedeutung des emblematischen Motivs beim Leser oft vorausgesetzt werden, weil der Kontext auf sie verweist. Das charakteristische Emblem aber vereint Bild mit Text, *pictura* mit *scriptura*, denn oft reduziert erst die Kombination beider die zahlreichen möglichen Deutungen des emblematischen Gegenstandes. Der einfachste Weg, Ding und Bedeutung miteinander zu verbinden, ist die Substantiv-Zusammensetzung. Am Ende eines Sonetts über die „GOtt=beliebende Glaubens stärke" betet die Dichterin:

Mein Glaubens=Felse werd' ein klarer freuden=bach. (SLG, S. 34)

Die alttestamentarische Geschichte von Moses und dem Felsen wird hier emblematisiert, und auf das Verhältnis von Glauben und Freude hin interpretiert. Dasselbe Bild

---

47 Vgl. Opitz, „ . . . An Cedern / an Zypressen / Am Lorbeerbaume zwar ist keine Zier vergessen / Die Früchte desto mehr . . ." „Vielguet", *Weltliche Poemata*, S. 93.
48 Vgl. Gryphius, „Gleich einer Ceder, die von tollem Nord bekriget mit Felsen=festen Stamme sieget." *Catharina von Georgien*, I, 875.
49 Vgl. Conrad Meyer, *Fünf und zwanzig bedenkliche Figuren* . . . (Zürich, 1674), Nr. 23; Antonius Sucquet, *Andächtige Gedancken zur Vermeidung des Bösen und Vollbringung des Guten aus dem Buch Weeg des ewigen Lebens* . . . (Wien, 1681), Nr. 4.

von Fels und Quelle wird aber in Son. 98 für Christus und sein erlösendes Blut verwendet:

Ach halt dich nur / mein Glaub / zu Christus Wunden=Blut:
in seinem Herzens=Felß bistu unüberwindlich.
Schöpf' aus der Hülffe=Quell / aus seinem Blut / den Muht. (SLG, S. 98);[50]

und als Ermutigung an die „Cananeische Glaubens=Heldin":

Du wirst nach Heiles-Safft aus diesem Felsen trinken   (SLG, S. 125);

und schließlich begegnet das gleiche Motiv in einem Sonett „Über des Creutzes Nutzbarkeit" :

Aus hartem Felß die süssen Brunnen springen. (SLG, S. 82)[51]

Wenn die Wort-Embleme nicht „zweiffelhafftig" (Harsdörffers Wort) sein sollen, wird der Dichter den gemeinten Sinn ausdrücklich nennen müssen, wie im Beispiel von Fels und Quelle, wo die auslegenden abstrakten Teile der Komposita die Bedeutungen von „freude", „Hülffe", und „Heil" angeben.

Die emblematischen Komposita gehören zu den verbreitetsten Formen des Wort-Emblems überhaupt. Zu diesen echten Komposita sollte man auch die Genitiv-Verbindung rechnen, zusammengeschriebene, wie getrennte, da die damalige Schreibweise in dieser Hinsicht ziemlich willkürlich verfährt. Catharina schreibt: der Christ muß dulden, „daß der boßheit Rauch Ehren=Flammen niederschläget" (SLG, S. 65). Um Gott zu loben, betet sie um Inspiration: „Wollst meinem LebensBaum viel Lobesfrücht bescheren" (Son. 2).

Zu den interessantesten Komposita zählen die Verbindungen mit „Kreuz". In den geistlichen Sonetten finden wir: „Creuzes Spieß" (SLG, S. 22), „Creutzes Feuer" (SLG, S. 42), „Creutzes=Stahl" (SLG, S. 43), „Creutz=erhitzt" (SLG, S. 90), „Creutzes=schwärz" (SLG, S. 93), und „Creutzes Ruten" (SLG, S. 198). Es stellt sich die Frage, ob solche Wortverbindungen überhaupt bildlich gemeint waren und so aufgefaßt wurden. Freilich läßt sich weder beweisen, ob ein Dichter sein Wort konkret-visuell verstanden haben wollte (hier begibt man sich auf das Glatteis der Frage nach der dichterischen Intention); noch läßt sich feststellen, ob der zeitgenössische Leser (der, wie der „Barockmensch" eine Hilfskonstruktion bleibt) das dichterische Wort visuell erfahren hat. Doch m. E. sind solche Komposita vielfach visuell zu verstehen, und zwar gerade in den zitierten nicht-organischen Kombinationen, welche Grimms Wörterbuch für rein abstrakt erklärt. Es dürfte nicht unangebracht sein, vom Gebrauch des Begriffs „Kreuz" in den Emblembüchern gewisse Rückschlüsse auf das dichterische Bild zu ziehen, um Parallelen aufzuzeigen.

50 Vgl. Typotius, S. 3, Nr. VII mit dem Abendmahlsemblem von Fels und Quelle.
51 Vgl. SLG, S. 32, wo das Motiv die Bedeutung von „GOttes Güte" vermittelt, in Harsdörffers *Sonntagsandachten* Nr. X zeigt das gleiche Motiv wie „der HErr seine Heiligen wunderlich führet."

Christliche Emblembücher sind mit Kreuzen gefüllt, die bald als alleinstehende Requisiten, bald in den verschiedenartigsten Kombinationen erscheinen. Van Haeften zeigt Abbildungen von Weinpressen, Wagen und verschiedenen Schiffsteilen in der Form eines Kreuzes.[52] Die Mehrzahl dieser Embleme zeigen das Kreuz in den Bildern und in den auslegenden Wortteilen. Ein noch deutlicheres Indiz für die potentielle Bildlichkeit des Begriffs liegt in den Emblemen vor, in deren *picturae* das Kreuz erscheint, ohne in der *scriptura* genannt zu werden. Mannichs Sammlung enthält ein Emblem, das einen Mann mit einem Sack voller Kreuze zeigt, dem von Gottes Hand geholfen wird; die Kreuze bedeuten „Sünden", aber weder die lateinische *inscriptio* und *subscriptio*, noch das deutsche Erklärungsgedicht erwähnt das Kreuz als solches.[53] Ähnlich verfährt Meissner, um den Satz „Besser ists unrecht leyden, als unrecht thun" zu versinnbildlichen: eine mit einem Kreuz bedeckte Frau liegt am Boden, dem Schwert eines Soldaten hilflos ausgeliefert. Die *scriptura* erwähnt nicht das Kreuz, obwohl in der „kurtzen Erklärung" das abgebildete „Creutz" als „Unrecht" gedeutet wird.[54] Ein ähnliches Beispiel begegnet in einem anonymen Erklärungsgedicht, das aller Wahrscheinlichkeit nach aus der Feder der Greiffenberg stammt.[55] Das emblematische Bild zeigt Dornbüsche und ein Kreuz auf der Erde; eine Pflanze dringt durch die Dornen und oben durch einen Ring von Gewitterwolken, der Sonne entgegen. Das Erklärungsgedicht spricht von „Unglücks-Erde", „unglückvollen Wolken" und „Unglückdornengrund", aber nirgends wird das Kreuz erwähnt.[56]

Die potenzielle Bildlichkeit alchimistischer Motive wird in manchem Emblem und Wort-Emblem voll verwirklicht. Zwei Beispiele, die Verbindungen mit Feuer enthalten, müssen hier genügen. Um dem Thema der Glaubensprobe Ausdruck zu verleihen, macht Catharina emblematischen Gebrauch vom Bild der Goldläuterung, die in Bibel und Emblematik wiederholt erscheint. Im 42. Sonett heißt es:

GOtt probt des Glaubens Gold / im Tiegel unsrem Leib:
und weiß des Creutzes Feur doch also zu regiren /
daß beedes unverseert / das Gold und Tiegel / bleib.

In einem Gelegenheitssonet an ihren leidenden Freund Birken versichert sie ihm ihres treuen Mitleids in zwei Bildern:

Ach! Was jamer ist Es sehn Treue Freünd' in solchem Leid!
Ziehstein seyn derselben [Treue Freünd'] Plagen, Unßer Thränen feüchtigkeit
Ja Ihr [Treue Freünd'] Kreüz Ein Brenn-stand ist macht der Treue krafft Ausfliessen.[57]

---

52 Vgl. Daly, „The Poetic Emblem", 383.
53 Mannich, *Sacra Emblemata* . . . (Nürnberg, 1624), S. 3 [E. 1086].
54 Meissner, *Politisches Schatzkästlein* . . . (Frankfurt, 1625), Teil 5, S. 8.
55 Vgl. Kapitel 1 dieser Arbeit.
56 Das Kupferbild wird reproduziert und besprochen in: Daly, „Southwell's ‚Burning Babe' and the Emblematic Practice", *Wascana Review*, III (1968), 35.
57 Das Gedicht ist gedruckt und besprochen in Black und Daly, S. 19—22, 26—29.

54

Wenn man „Brenn-stand" einfach als Zustand des Brennens interpretiert, dann meint das Bild einen Destillationsvorgang, wodurch das Feuer des Leidens (= Kreüz) eine Flut mitleidender Tränen hervorbringt.[58]

Parallelität von Bild und Deutung

Vom Kompositum ist es nur ein kleiner Schritt zu jenen emblematischen Strukturen, in welchen Bild und Bedeutung syntaktisch und räumlich nebeneinander stehen. Auf das Bild folgt appositionell die Deutung oder umgekehrt. Um göttliche Inspiration betend, schreibt die Dichterin:

mich woll der Flammen=Fluß / die Gottes weißheit / tränken. (SLG, S. 8)

Zu „Gottes seltsame Geist-Regierung" (Titel) gehört es,

Daß / vor holde Rosenblüh / Tugendstrauch Haß=Dornen träget: (SLG, S. 65)

Von der verfolgten, doch unbesiegten Tugend heißt es:

Der Lorbeer widersteht dem Feur und Donnerstein.
Die Tugend lässet sich von Boßheit nicht verletzen.   (SLG, S. 83)

In den längeren Dichtungen des Barockzeitalters, etwa im Lehrgedicht oder Versepos, findet man, daß einzelne Wort-Embleme manchmal durch ein ganzes Werk gestreut sind, die, zusammen betrachtet, ein formales Gefüge bilden, welches auch dem Werk eine gewisse thematische Einheit verleiht. In seiner Untersuchung von Lohensteins Sophonisbe hat Schöne solche emblematischen Gefüge als „Spiel der Sinnbilder" aufgezeigt,[59] aber meines Wissens ist die deutsche Barocklyrik selten von diesem Standpunkt aus betrachtet worden. Man hat dagegen Spensers The Faerie Queene mit Gewinn so interpretiert.[60]

Bilderreihen

Zu den verschiedenen formalen Möglichkeiten des Emblembuches gehört auch die Behandlung eines Themas durch die Häufung einzelner Motive zu einem komplexen Emblem oder durch eine Reihe von drei oder mehr Einzelemblemen, „mehrständige

---

58 Mehrere Beispiele aus der Emblematik sind bei Praz, S. 88ff. angeführt.
59 Vgl. Schöne, S. 102–119. Man vergleiche dazu die Kritik von Rolf Tarot (in Anzeiger für deutsches Altertum, LXXXVI [1965], S. 72ff.), sowie die Bedenken von Reinholf Grimm („Bild und Bildlichkeit in Barock. Zu einigen neueren Arbeiten", Germanisch-romanische Monatsschrift, XIX [1969], S. 394).
60 Vgl. D. S. Fowler, „Emblems of Temperance in The Faerie Queene, Book II," Review of English Studies, XIII (1962), S. 143–149. Jane Aptekar, Icons of Justice. Iconography and Thematic Imagery in Book V of „The Faerie Queene" (New York, 1969).

Sinnbilder"[61] genannt. Ausschlaggebend ist das Thema, das nach einer visuellen Formung verlangt.

In der Dichtung begegnen oft Bildergruppen, die, vom Bildfeld aus betrachtet, nicht das Geringste miteinander gemeinsam haben, weil sie ein völlig anorganisches Konglomerat darstellen, jedoch vom Thema her eine Einheit bilden. In den gemeinten Fällen werden die Bilder oft ohne irgendwelche Bedeutung hintereinander gestellt und erinnern an die *picturae* der Emblembücher, die erst durch die *inscriptio* und *subscriptio* ihren vollen Sinn enthüllen. In der Dichtung spielt mehrmals der Titel des Gedichts die Rolle der *inscriptio*, und die nicht-bildlichen Verse, die unmittelbar auf die Bilderreihen folgen, stellen eine Art *subscriptio* oder Erklärung dar.

Ein besonders treffendes Beispiel bietet das 82. Sonett, dessen Titel „Über des Creutzes Nutzbarkeit" das Thema nennt und etwa der *inscriptio* vergleichbar ist. In den ersten Versen wird das Thema rein bildlich behandelt:

EIn schöne Sach / im Leiden Früchte bringen!
die Edlen Stein / zeugt die gesalzne Flut.
Es wird das Gold vollkommen in der Glut.
Aus hartem Felß die süssen Brunnen springen.
Die Rose muß her durch die Dörner dringen.
Die Märtyr=Kron / wächst aus vergossnem Blut /

Der allgemeine Sinn der Bilder Edelstein, Gold, Brunnen, Rose und Märtyrer-Kron dürfte klar sein, aber eine präzisere Deutung liefern die darauf folgenden Verse:

aus Plag' und Streit [wächst] der Christlich Helden=muht.
Wer hoch will seyn / muß nach der Hoheit ringen.[62]

Jedem Thema, sei es noch so persönlich, vermag der barocke Dichter durch kombinierte Embleme Ausdruck zu verleihen. In ihrem 125. Sonett lobt die Dichterin die „Cananeische Glaubens=Heldin" (Titel), die ein Wunder von Christus „erzwingen" konnte. Zuerst reagiert Christus unfreundlich auf ihre Bitte, indem er sich abwendet, und hier fängt das Gedicht an. Die Dichterin spricht die folgenden Worte der Ermunterung an die Kanaaniterin:

DU kühne Kämpferin! laß nur den Muht nicht sinken /
halt bet= und nötend' an! klopf hart an diesen Stein:
ein Gnaden=fünklein wird unfehlbar seyn darein /
das wird / nach starken stoß / mit Freuden aus ihm blinken.
Du wirst nach Heiles=Safft aus diesem Felsen trinken.
Das Tiger / wird gar bald ein Pelican dir seyn:
der Mars / ein Venus Stern; Blitz=Donner / Sonnenschein. (SLG, S. 125)

---

61 Vgl. Harsdörffer, F. G. VIII, 1–16, 107–130; Dilherr, *Heilige Sonn= und Festtags=Arbeit. Das ist, Deutliche Erklärung Der jährlichen Sonn= und Festtäglichen Evangelien: in welcher Dreyständig=nachdenkliche Sinnbilder vorangesetzt . . .* (Nürnberg, 1674).
62 Vgl. SLG, S. 76 über ein ähnliches Thema.

Der schweigende Christus wird durch folgende Bilderreihe dargestellt, Stein, Fels Tiger, Mars und „Blitz=Donner". Als thematische und visuelle Antithese zu dieser Reihe dienen die Bilder: Funke und Quelle, Pelikan, Venus und Sonnenschein. Charakteristisch emblematisch ist zunächst die Struktur des Bildes: Christus, ob seiner scheinbar hartherzigen Vernachlässigung der Frau ist ein Stein, den die Frau schlagen soll. Das führt zu zwei Assoziationen: dem Glaubensfunken und dem Heils-„wasser". Bezeichnenderweise wird Christus der Stein zu Christus dem Felsen in offensichtlicher Anspielung an das Alte Testament. Die Bildfolge, welche das Sonett beschließt, ist denn auch keine überflüssige Wiederholung, sondern eine Aufzählung der göttlichen Gaben, mit denen die Frau beschenkt werden soll. Trotz gegenteiliger Anzeichen soll der wütende Tiger ihr Pelikan (sich aufopfernde Gnade) werden; der grimmige Mars soll zum Stern Venus (Liebe) werden und das Gewitter schließlich, das Zeichen göttlichen Zornes oder sogar göttlicher Strafe, soll sich in Sonnenschein (Gnade und Erleuchtung) verwandeln.

Ein weiteres Sonett über die Kraft des Glaubens beschreibt die Heilung des Blinden im Neuen Testament. In einem äußerst zugespitzten Satz hält Catharina die Macht des Glaubens fest:

wer überweindet GOtt? der Glaube thut's allein. (SLG, S. 126)

Kurz darauf folgen zwei Bilder, die diesen Satz visuell beweisen:

Die Allmacht=Muschel sich dem Glaubens=Thau aufschliest:
zu Wunder=Perlen bald Vertrauens=Kraft erspriest /
Die / biß vollkommen sie / sein Schutzes=Schal bezirkt
Das Pulfer kracht / so bald ein Fünklein Feur drein fällt:
die Allmacht macht / wann sich der Glaube zu ihr hält. (SLG, S. 126)

Der letzte Vers wiederholt in allgemeinen und abstrakten Worten, etwa wie eine *subscriptio*, die Bedeutung der Bilder.

Das emblematische Gedicht als Struktur

Bis jetzt haben wir lediglich Gedichte betrachtet, welche Beispiele des Wort-Emblems in verschiedenen Formen enthalten. Es wurde jedoch eingangs darauf hingewiesen, daß es auch emblematische Gedichte gibt. Moderne Kritiker haben des öfteren auf dieses Phänomen hingewiesen. „Poems which need only the picture to make them acknowledged emblems are frequent, and among the most characteristic of the [Jacobean] age" meint T. O. Beachcroft.[63] Etwas genauer formuliert Jean Hagstrum dieselbe Ansicht:

---

63 Beachcroft, „Quarles – and the Emblem Habit," 83.

. . . the poetry of the seventeenth century, the century of emblems, can be hieroglyphic and emblematic even when not accompanied by its own design. It then verbally creates or implies its own design. The title of the poem or the metaphorical words of its text may bring an image to mind, which then becomes the emblem of the poem, the „visual" embodiment of its abstract meaning.[64]

Jean Hagstrum denkt hier an Gedichte wie Herberts „Collar", „Pulley" und „Church-floor."

Solche Formen lassen sich ohne Mühe in der deutschen Barocklyrik auffinden. Schon Anna Kiel hat zwei Möglichkeiten des emblematischen Gedichtes bei Rompler von Löwenhalt aufgezeigt.[65] Zum ersten wird ein abstraktes Thema visuell so behandelt, daß ein Bildfeld in mehrere kleine Bilder zerlegt wird, wobei jedem Bildteil seine Deutung zukommt. Beispiele wären etwa Romplers „Kirch-Schiff" und „Gaistliche Spiegelberaitung". In einer zweiten Gruppe wird zuerst das Bild bzw. eine Reihe von zusammengehörenden Bildteilen dargestellt, ohne Explikation; dann folgt die Erklärung in meist abstrakt und generell gehaltenen Worten. Als Beispiel zitiert A. Kiel Romplers „Unser Wandel ist im Himel."

Manfred Windfuhr entdeckt eine ähnliche Struktur in manchen Sonetten des Andreas Gryphius. Nachdem er Goethes „Seefahrt" mit Gryphius' Sonett „An die Welt" verglichen hat, kommt er zu dem Schluß: „Bei den Positionen der auslegenden Hinweise fällt auf, daß Gryphius die Erläuterungen vorwiegend über und unter den Bildbereich setzt, in die Überschrift und die Terzette. Sein Sonett nähert sich dadurch der Dreiteiligkeit des Emblems . . . ."[66]

Es ist aber auch noch eine dritte Gruppe von Gedichten, die eine emblematische Struktur aufweisen, anzuführen. Die ersten beiden Gruppen, die anhand von Rompler-Beispielen erläutert wurden, zeichnen sich dadurch aus, daß sie für ein Thema ein Bildfeld emblematisch auslegen. Die dritte Gruppe zeigt einen anderen Aufbau: das Thema wird durch eine Reihe von Bildern, oft in selbständigen Strophen, variiert, wobei jedes Bild in sich selbst vollständig, von dem nächsten völlig abgelöst und isoliert dasteht. Vom Standpunkt des Visuellen aus haben diese abgekapselten, stark visuellen und oft dinglichen Bilder nichts gemeinsam, sie gehören ganz verschiedenen Bildbereichen an und sind nur durch ihren Bezug zum Thema aneinander gebunden. Um Beachcroft wiederum zu zitieren, muß Crashaws Gedicht „The Weeper" als „Emblem Poem" gelesen werden:

It is simply a series of descants upon a central theme: when one verse is closed there is nothing to do save to begin another: and Crashaw over a number of years continued to add verses to his collection of conceits on the „Weeping Magdalen",

---

64 Jean Hagstrum, *The Sister Arts* (Chicago, 1958), S. 98.
65 Vgl. Anna Kiel, *Jesias Rompler von Löwenhalt. Ein Dichter des Frühbarock,* (Diss. Amsterdam, Utrecht, 1940).
66 Manfred Windfuhr, *Die barocke Bildlichkeit und ihre Kritiker* (Stuttgart, 1966), S. 92. Zu ähnlichen Einsichten kommt auch Jöns, S. 91–102.

which are not intended to develop one from the other any more than are the beads of a rosary.[67]

In den erhaltenen Dichtungen der C. R. v. Greiffenberg gibt es mehrere Sonette mit einer vollendeten emblematischen Struktur. Die Sonettform scheint für die emblematische Gestaltung besonders geeignet zu sein, weil sie einen strengen Aufbau nach Quartett und Terzett hat, der eine klare Unterteilung in Bild und Auslegung nicht nur erlaubt, sondern auch fördert.

Für jeden der drei konstatierten Grundtypen des emblematischen Gedichts lassen sich Beispiele bei Catharina auffinden.

Ein erster Typus begegnet in den Sonetten 50, 57[68] und 92, welche folgendes Schema aufweisen. In Klammern stehen die entsprechenden Teile des Gesamtemblems. Das Schema lautet:

1. Gedichttitel mit Thema (*inscriptio*),
2. Gedicht mit

   a) bildlicher Darstellung (*pictura*),
   b) bildlicher Auslegung (Erklärungsgedicht),
   c) Wortauslegung (*subscriptio*).

Wir nehmen Sonett 57 als Beispiel.

Auf eben selbe. [Über die Thränen]

DIe Sonn hat diese art / daß sie die feuchtigkeiten
aufziehen in die Lufft /
aus tieffer Erden Grufft /
und kan durch ihre hitz sie allgemach verleiten /
    wann sie noch hoch am Tag / bringt also schöne zeiten /
den holden Bisem=tufft
der aller kurzweil rufft /
und bleibt Wind / Regen / Blitz und Donner auf der seiten.
    Die Göttlich gnaden brunst
zieht auf der Thränen dunst /
wann sie nach Gottes will'n uns lieblich pflegt zuscheinen /
    und kehrt in Geistes freud
die trübsal dieser zeit.
So muß sich GOttes gnad mit unser Noht vereinen.

Im Titel wird das Thema „Thränen" genannt, welches in den Quartetten durch bildliche Tatsachen aus der Natur demonstriert wird, jedoch, wie immer in der

---

67 T. O. Beachcroft, „Crashaw — and the baroque Style," *The Criterion*, XIII (1934), 423.
68 H. Frank hat schon darauf hingewiesen, daß in diesem Sonett auf das Bild im Oktave die Bedeutung im Sextett folgt (S. 259 der Diss.).

picturae der Emblembücher, ohne irgendwelche Deutung. Die Auslegung folgt in den ersten fünf Versen des Sextetts, in welchem die einzelnen Bildteile wiederholt und, wie in einem erklärenden Gedicht zu einem gedruckten Emblem, mit einem deutenden Wort versehen werden. Der letzte Vers fixiert noch einmal den allgemeinen Sinn durch einen abstrakten Satz: „So muß sich GOttes gnad mit unser Noht vereinen."

Vielleicht am augenfälligsten ist die emblematische Struktur in Gedichten, in welchen ein Bildfeld Punkt für Punkt ausgearbeitet und ausgelegt wird, so daß die Bildteile entweder durch Substantiv-Komposita oder appositionelle Deutungen auf ihren Sinn festgelegt werden. So entsteht aus einer Reihe von Wort-Emblemen ein ganzes Gedicht. Das Gedicht impliziert sein eigenes Emblem.
Das Schema ist sehr einfach:

1. Gedichttitel mit Thema (*inscriptio*),
2. Gedicht mit Bildern und Auslegung (*pictura* und *subscriptio*)

Als Beispiel darf Sonett 28 angesehen werden:

> Auf meinen Vorsatz / die Heilige Schrifft zulesen.
>
> AUf deinem Namen will / o HErr / ich mich begeben
> hin in das tieffe Meer GOtt=eingegebner Schrifft /
> wo man mit Geistes=Mast und Glaubens=Segeln schifft;
> da uns der Himmels=Port vor Augen pflegt zuschweben.
> Die Augen der Vernunfft / wann man da auf will heben
> Corall= und Perlen=Schätz / wann man hinab vertiefft /
> muß man verbinden / daß Unglaubens Salz nicht trifft:
> daß Christus Blut=Corall im Hertzen möge leben /
> O Geist / mein Steuermann! HErr Christ / mein Nordesstern!
> lenk' und erleucht mich stäts / daß sich mein Zünglein wende /
> mit deinem Blut geschmiert / nach dir / ob ich noch fern /
> und an dem Hafen bald der Seeligkeit anlände.
> In diesem Demant Meer / das deinen Thron umgibt /
> ergez' ich mich / biß dir / dich mir zu weisen / liebt.

Das ganze Gedicht ist die Bearbeitung eines Seefahrtsmotivs, in welchem der Mensch ein Schiff ist, das durch das Meer der heiligen Schrift zu Gott segelt. Im zweiten Quartett greift Catharina das Problem der Vernunft auf, welche für den Christen eine Gefährdung des Glaubens bedeutet, und deshalb seinen Anteil an der Erlösung in Frage stellen kann. Das alles wird aber durch ein neues Bild dargestellt, nämlich das des Perlenfischers, der nach Korallen und Perlen taucht und der seine Augen verbinden muß, damit ihm kein Salzwasser in die Augen dringt. Catharina scheint dadurch sagen zu wollen, daß die Vernunft in letzten Dingen des Glaubens und für den Empfang der Gnade unzulänglich, ja gerade gefährlich sei. Nicht daß die Vernunft als solche verwerflich sei, nur habe sie ihre Grenzen. Das Bild von „Christus Blut=Corall," das „im Hertzen möge leben," darf nicht als Kenning-artige Metapher oder lediglich als bildliche Einkleidung mißverstanden werden. Es sind wichtige Bedeutungen, die mit der Koralle mitgegeben werden. Die Emblembücher erwähnen oft die Stärke und Schönheit der Koralle, die aber erst dann Farbe bekommt, wenn sie aus dem Wasser geholt wird und in der Sonne steht.[69] Ähnlich der Koralle, die ihre schöne Farbe erst im Tod gewinnt und offenbart, so zeigt Christus im Erlösungstod sein wertvolles Blut. Catharina denkt dabei in erster Linie nicht an Tod, sondern an Schönheit, Wert und Bewährung der Koralle[70] bzw. Christi Blut, welches in ihrem Herzen leben, d. h. weiterwirken soll. Das dürfte der primäre emblematische Bezug sein, aber nicht irrelevant wäre auch der Hinweis auf eine Vorstellung, die wenigstens in den Naturbüchern belegt wird, wo es von der Koralle heißt: „Er ist auch den bösen geistern wider das er gecreuzelt ist."[71]

Im ersten Terzett wird ein neues Motiv eingeführt, das Bild vom Kompass, dessen mit dem Blut Christi beschmierte Nadel sich nach dem Nordstern (Christus) wendet.

In den letzten zwei Versen kehrt die Dichterin zum bildlichen Ausgangspunkt, zum Meer, zurück, diesmal in dem gesteigerten Ausdruck „Demant Meer",[72] in dem sie sich „ergetzen" will, bis Gott sich zeigen wird. Die Dichterin also vertieft sich mit Freude in die Heilige Schrift und erwartet die Gnade einer Offenbarung. Damit ist die Fortbewegung in dem Schiffahrtsemblem aufgehoben, um der stillen Gottesschau in der Meditation Platz zu machen.

Die Gestaltung dieses emblematischen Gedichts[73] mit seinen vier ausgelegten Hauptbildern erinnert an die mehrständigen Sinnbilder der Nürnberger.[74]

Der dritte Typus läßt eine Dreiteiligkeit erkennen, die sich auf folgende Formel bringen läßt:

1. Gedichttitel mit Thema (*inscriptio*),
2. Gedicht mit

  (a) bildlicher Darstellung (*pictura*),
  (b) Wortauslegung (*subscriptio*).

Diese Form wird in dem 17. Sonett voll realisiert.

GOTTes Vorsehungs=Spiegel

DEr Kasten schwebte schon / HErr GOtt / in deinen Sinnen /
als sich der Himmel trübt und sich die Flut anhebt'.
Eh die alt' Erd' ertrank / schon in der neuen lebt
der beeder Welten Held / auf deines Rahts schaubühnen.

---

69 Vgl. Michael Maier, *Atlanta Fugiens* . . . (Oppenheim, 1617), Nr. XXXII, und E. 361f.
70 Vgl. Greiffenberg, *Tugend-Übung*, S. 331 mit der Deutung Schönheit und Bewährung der Liebe durch Unglück; SLG, S. 32 mit dem Sinn „Hülffe" in der „Noht".
71 Konrad von Megenburg. *Naturbuch*, S. LX.
72 Vgl. Offb. 4, 6.
73 Sonett 238 an die Vergißmeinnicht zeigt eine ähnliche Struktur: es kann durchaus als nicht-illustriertes Emblem angesehen werden. Vgl. diese Arbeit, S. 133 ff.
74 Vgl. Anm. 61.

Das Feur war schon gekült / als jene Drey darinnen.
Auch David war gekrönt / weil er in Elend schwebt.
das Weib war schon entzuckt / eh ihr der Drach nachstrebt.
GOtt pflegt die Schnur / eh man in Irrgang kommt / zu spinnen.
Die Schlange war entgifft / eh Paulus sie berührt.
der Freuden=Lehre✶ Liecht brann schon in GOttes wißen /
ehe man ein Füncklein noch in allen Seelen spürt.
Vor Unglücks Schickung / ist der Höchst auf Hülff beflißen.
drum folget ihm / wie fremd und seltsam Er euch führt.
sein' Hand hat aus der Höll / geschweig aus Noht / gerißen.

✩Evangelium.

Schon im Titel wird das abstrakte Thema von der Vorsehung Gottes durch das im Barock durchaus beliebte Motiv des Spiegels visuell orientiert. Die Vorsehung wird dann „widergespiegelt" in acht verschiedenen Bildern in den Quartetten und dem ersten Terzett des Gedichts selbst. Die genannten Figuren und Ereignisse aus dem alten und neuen Testament besitzen exemplarischen Wert. Im Schlußterzett wird zunächst der allgemeine Sinn der Bilder festgehalten: „Vor Unglücks Schickung / ist der Höchst auf Hülff beflißen." Die letzten Zeilen mit den einleitenden Worten „drum folget ihm /..." wenden sich an den Leser, der aufgefordert wird, sein Leben unter diesem Leitspruch zu gestalten.[75]

Selbstverständlich gibt es auch emblematische Gedichte, welche nicht in die drei beschriebenen Kategorien passen, wie etwa die Sonette 44 und 48. Die genannten drei Kategorien sollen nur als Hilfskonstruktionen dienen, und nicht als Zwangsjacken, in die man die Gedichte zwängt.

Unter den „Kunst=Gesängen" und „Kunst=Gedanken" der Sonettensammlung befinden sich einige Gedichte, welche auch als nicht-illustrierte Embleme gelten dürfen. Ein Vierzeiler trägt den Titel:

Über das Sinnbild /
Ein die Welt=Kugel beschauender Adler.

Der Titel des Gedichts stellt den visuellen Gegenstand, einen die Weltkugel beschauenden Adler vor die Augen des Lesers und erfüllt die Funktion der emblematischen *pictura*. Der Höhenflug und die scharfe Sicht des Adlers werden im Vierzeiler auf die göttliche Weisheit hin interpretiert:

DIe Göttliche Weißheit all Sachen regiret /
die kuglichte Erden weiß=wunderlich führet.
Alls wendet und lendet und endet der HErr:
den seinen zum bästen / und Göttlicher Ehr. (SLG, S. 254)[76]

---

75 Vgl. SLG, S. 218.
76 Vgl. Parallele in den Emblembüchern von Camerarius, Ruscelli und Pittori in E. 778f.

Es gibt ein zweites emblematisches Adler-Gedicht in genau derselben Form. Wiederum nennt Catharina den visuellen Gegenstand im Titel: einen Adler, welcher durch ein Ungewitter zur Sonne fliegt:

> Über den /
> durch alles Ungewitter /
> der Sonne zufliegenden Adler.

Auch hier liegt dem Gedicht eine „Natur-tatsache" zugrunde, nämlich der Adler läßt sich in seinem Flug zur Sonne hin durch nichts verhindern. Die Dichterin leitet eine ebenso allgemeine und objektive Lehre daraus, daß kein Unglück den Menschen oder die Seele von Gott fernhalten soll. Das Gedicht bringt diese Auslegung und entspricht der emblematischen *subscriptio:*

> DEr Adler den Aufflug zur Sonnen hinkehret /
> kein Donnerstrahl / Blitze noch Regen ihm wehret:
> durch stürmendes Unglück / und feurige Noht
> dich schwinge / und dringe zum ewigen GOtt.   (SLG, S. 256)[77]

Schließlich sei auf eine etwas eigenartige Gruppe von trochäischen Achthebern mit italienischen Titeln[78] kurz hingewiesen, fünfzehn an der Zahl, welche eventuell auch als nicht-illustrierte Embleme betrachtet werden sollten. Ob diese Gedichte einfach kurze Paraphrasen über italienische Sprichwörter sind, wie Frank meint,[79] oder ob sie zu den oben besprochenen Adler-Gedichten als nicht-illustrierte Embleme zählen, kann nicht endgültig entschieden werden. Ich finde aber, daß die überwiegende Mehrzahl durchaus den Kunstcharakter des Emblems, manchmal sogar der Musterimprese, besitzt. Es ist mir aber bis jetzt nicht gelungen, ein italienisches Original zu finden.

Was die Titel angeht, sind sie mit Ausnahme von 35, 36 und 38 kurz und sentenzenhaft genug, um als *inscriptio* zu gelten. Man vergleiche etwa: „Ogni Cosa per lo Meglio" (SLG, S. 395, Nr. 31) oder „Chi non risica, non quadagno" (SLG, S. 396, Nr. 34). Es sei auch daran erinnert, daß Giovio es für wichtig hielt, daß die *inscriptio* in einer anderen als der Muttersprache des Impresendichters geschrieben werden sollte. Ein weiterer Umstand unterstützt den Eindruck des Impresencharakters der italienischen Titel: die *inscriptio* der Musterimprese dürfte den visuellen Gegenstand der *pictura* der Imprese nicht benennen. Mit einer möglichen Ausnahme (Nr. 36) wird das visuelle Motiv des Gedichts im Titel nicht erwähnt. Alle Titel sind recht allgemeine Sentenzen, die doch als persönliche Lebensmaximen gelten dürfen.[80] Diese Lebensmaximen werden alle an einem visuellen Exempel bildlich dargestellt, welches in

---

77 Vgl. E. 778f.
78 Vgl. SLG, S. 395—402.
79 Frank, S. 36.
80 Dieter Sulzer, „Zu einer Geschichte der Emblemtheorien", *Euphorion*, LXIV (1970), 35; Schöne, S. 45; Harsdörffer, F. G. I, 54.

eindeutiger Weise ausgelegt wird. Nach Giovio muß die Imprese einen verborgenen Sinn enthalten, aber sie sollte nicht obskur oder zweideutig sein.[81]

Ein Beispiel muß genügen, um den emblematischen Charakter der Gruppe aufzuzeigen. Der allgemein gehaltene Titel „Un cuor Animoso Vince ogni estremo" (S. 395, Nr. 32) wird am Beispiel der Haltung des Flußgottes Acheloos, der sich in eine Schlange verwandelt, um dem Herkules zu entkommen, bildlich dargestellt:

AChelous hat's erwiesen / als er in Alcides Hand:
da er sich bald macht zur Schlangen / schlüpfrend seine Freyheit fand.
In der eusserst grossen Noht sollen wir seyn Klugheit-Schlangen;
durch der Weißheit List und Rank / unverwehrten Pass erlangen.[82]
(SLG, S. 395, Nr. 32)

Diese exemplarische Geschichte, die einen „Wahrheitsgehalt" beansprucht und erst dadurch zur emblematischen Denkweise gehört, stellt einen Kontext dar, in welchem die Schlange eine positive Deutung erfährt.[83] Die Schlange versinnbildlicht das Verlangen nach Freiheit und Klugheit, wie es auch in der Bibel heißt: „Seyd wie die Schlange klug."[84] Die *pictura* ist im ersten Verspaar enthalten, während die letzten beiden Verse die allgemeine Auslegung bringen, und den Leser durch das „wir" miteinbeziehen.

Das Figurengedicht

Gewisse Figurengedichte können durchaus als Krone der emblematischen Dichtung angesehen werden. Die Zeilen im Figurengedicht sind von verschiedener Länge, um die Umrisse des im Gedicht beschriebenen oder besprochenen Objekts wiederzugeben. Diese Gedichtform stellt den Gipfel der *ut pictura poesis* Dichtung dar. Aber wenn wir in die Blütezeit der Figurengedichte zurückblicken, stellen wir fest, daß es der Gegenstand mancher Argumente war; seine Verfasser zeigen nicht selten ein gewisses Unbehagen in ihrer Verteidigung oder Rechtfertigung der Form. Die heutige Wissenschaft versteht das Figurengedicht meistens als exzentrische Übung, bestenfalls geschickt, schlimmstenfalls kindisch. Die Geschichte seiner Rezeption ist noch problematischer als die des Emblems, welches im 17. Jahrhundert wenigere Gegner gehabt zu haben scheint. Über das Figurengedicht schreibt Curtius: „Die manieristi-

81 Vgl. Giovio in der Übersetzung von Schöne, S. 44.
82 Vgl. Reusner, Nr. 18 [E. 1650] zeigt Herkules im Kampf mit Acheloos in der Gestalt eines Stiers.
83 In einem weiteren Vierzeiler dieser Gruppe wird das Schlangenmotiv negativ ausgelegt: die Geschichte von Perseus und dem Drachen wird als Sieg der Keuschheit über „der Begierde Schlangen" ausgedeutet (SLG, S. 400, Nr. 42). Vgl. Reusner, Nr. 6 [E. 1667].
84 Vgl. Matth. 10, 16, Daniel Cramer, *Decades Quatuor Emblematum Sacrorum ...* (Frankfurt, 1617), Emblem XXXV.

sche Virtuosität feiert ihre höchste Triumphe, wenn sie grammatische mit metrischen Spielereien verbindet."[85] In ähnlicher Weise spricht Margaret Church von Figurengedichten als „Grecian pedantries" und „an intellectual game."[86] In ihrem Aufsatz über das deutsche Figurengedicht nennen Warnock und Folter[87] diese Form des Bildgedichts „manneristic oddities" (S. 42) oder eine „manifestation of the ornamental" (S. 40), letztere in der Nachfolge Curtius', dessen Urteil sie auch anführen, daß „in manieristischen Epochen der *ornatus* wahl- und sinnlos gehäuft wird" (S. 278). Andererseits erkennen aber Warnock und Folter die ernsthafte religiöse Verwendung des Figurengedichts und verweisen ihrerseits auf seine Nähe zur emblematischen Tradition, ohne allerdings die Zusammenhänge weiter zu verfolgen.

In einem Zeitalter, welches die emblematische Synthese in allen Kunstformen verwendet, ist es nur natürlich, daß das Figurengedicht emblematische Funktion annehmen sollte, indem die Umrisse des Betrachtungsobjekts die zeichnerische Darstellung ersetzen, und damit die ernsthafte begriffliche Basis des emblematischen Gedichtes in einer Verdichtung der *pictura* des Emblems zu einer *figura* des Wortkunstwerkes Parallele findet. In dieser Synthese von Text und Umriß wird dem Leser das Meditationsobjekt dauernd vor Augen gehalten und zwingt seine Aufmerksamkeit immer wieder auf die konkrete gedankliche Basis zurück; solche Dichtung spricht, wie das Emblem, gleichzeitig die Sinne wie auch den Intellekt an.

Harsdörffer war sich dieser Verwandtschaft zwischen Figurengedicht und Emblem sehr wohl bewußt und erkannte, wie damit die Wirkung der Figurengedichte gestärkt wurde: „Diese Erfindungen hält man für Poetische Fechtsprünge / und wann sie nicht gantz ungezwungen / oder mit dem Gemähl / und Sinnbilderen / verbunden sind / mögen sie bey den Verständigen schlechte Ehre erlangen" (F. G. V. 23). In der Tat wurde Nürnberg zu einem Zentrum der Figurendichtung, sowohl in ihrer leichteren wie auch in ihrer ernsthafteren Ausprägung. Für Birken jedenfalls war das Figurengedicht zweifellos auch für religiöse Thematik geeignet; in seiner *Teutsche Rede-bind und Dicht-Kunst* (Nürnberg, 1679) schreibt er: „Wer seinen Jesum recht kennet und liebet / wird nebenstehendem Creuz noch viele nachmachen / auch dergleichen mit der DornKrone der Geisel=Seule / und andrem unsers theuren Heilands Passion=Zeug / ersinnen können" (S. 144). Beinahe die Hälfte von Kornfelds Figurengedichten befassen sich mit religiöser Thematik, wie Warnock und Folter gezeigt haben (S. 49). Wir wissen, daß auch Catharina sich an Figurengedichten versuchte: Für Leopolds Krönung verfaßte sie Figurengedichte in der Form der Insignien des Kaiserhauses Habsburg. Leider sind diese und die „Adler-grotta" Gedichte verloren und es lassen

---

85 Ernst Curtius, *Europäische Literatur und lateinisches Mittelalter* (Bern u. München 1963⁴), S. 285.

86 Margaret Church, „The first English Pattern Poems", PMLA, LXI (1946), 646.

87 Robert G. Warnock und Roland Folter, „The German Pattern Poem: A Study in Mannerism of the Seventeenth Century", *Festschrift für Detlev W. Schumann Zum 70. Geburtstag* hrsg. R. Schmitt, (München, 1970), S. 40–73.

sich nicht einmal Vermutungen über den Anteil von eigentlicher Emblematik in diesen Gedichten anstellen. Aber die Sammlung *Sonnette, Lieder und Gedichte* enthält ein literarisch hochstehendes Kreuzgedicht.

❋(403)❋

XLVII.

Uber den gekreutzigten JESUS.

Seht der König König hängen/
und uns all mit Blut besprengen.
Seine Wunden seyn die Brunen/
draus all unser Heil gerunnen.
Seht/Er strecket seine Händ aus / uns alle zu umfangen;
hat/an sein liebheisses Hertz uns zu drucken/Lust verlangen.
Ja er neigt sein liebstes Haubt/ uns begierig mit zu küssen.
Seine Sinen und Gebärden/sind auf unser Heil geflissen.
Seiner Seiten offen = stehen/
macht sein gnädigs Hertz uns seh:
wann wir schauen mit den Sinen/
sehen wir uns selbst darinnen.
So viel Striemen/so viel Wunden/
als an seinen Leib gefunden/
so viel Sieg-und Segens-Quellen
wolt Er unsrer Seel bestellen.
zwischen Himmel und der Erden
wolt Er aufgeopffert werden :
daß Er GOtt und uns vergliche/
uns zu stärken / Er verbliche:
Ja sein Sterben/ hat das Leben
mir und aller Welt gegeben.
Jesu Christ! dein Tod und Schmerzen
leb' und schweb mir stets im Herzen!

Spruch=

Das ist nichts weniger als eine emblematische Meditation in der Form eines Figurengedichtes. Doch davon soll im fünften Kapitel die Rede sein.

KAPITEL IV

CATHARINA REGINA VON GREIFFENBERGS *TUGEND-ÜBUNG*. EIN PERSÖNLICHES EMBLEMBUCH

Soweit uns heute bekannt ist, hat Catharina nie ein illustriertes Emblembuch verfaßt, aber ihre *Tugend-Übung Sieben Lustwehlender Schäferinnen*, gedruckt im Jahr 1675 als Anhang zur *Sieges-Seule*, stellt eine Sammlung von *emblemata nuda* dar und dürfte als solche in Praz' Bibliographie der Emblembücher[1] eingeschlossen werden. In seinem äußeren Aufbau ist die *Tugend-Übung* unter allen Emblembüchern, die mir zu Gesicht gekommen sind, ganz eigenartig. Die im Titel genannten sieben Schäferin-nen stellen einen dramatischen Rahmen, freilich leichter und statischer Art, für die Embleme dar. In der kurzen Einleitung heißt es:

> Diese [„sieben Lustwehlenden Schäferinnen"] geben / jede vor sich / ihrer Geist-lichen und Heldischen / und auch (aus Schertz) ihrer Liebes-gedanken / ein gewisses Zeichen und Erklärung: der Geistlichen / durch ein ihnen zugeeignetes Wunder Heiliger Schrifft mit einen *Symbolo* oder Gedenk-spruch; der Heldischen / in einem Schildbild / durch ein altes Helden-beyspiel samt der Beyschrift; der Liebes-gedan-ken / durch einen Favor oder Liebs-geschenke / mit einen Sinnspruche. Die Erklärung beschihet in Sonneten. (S. 329)

Jede „Übung" besteht also im Benennen einer bestimmten Sache, Person oder Begebenheit, sofern sie versinnbildlicht und damit als *pictura* verwendet werden kann. Der *pictura* ihrerseits wird ein kurzes Motto zugestellt und beide zusammen werden in einem Sonett, ganz im Sinne einer *subscriptio*, interpretiert. Die Dreierstruktur des charakteristischen Emblems ist also perfekt nachgebildet.

DIE *TUGEND-ÜBUNG* UND DAS GESPRÄCHSPIEL

Bei näherer Betrachtung erscheint die *Tugend-Übung* als eine Art emblematischen „Gesprächspiels" in Gedichtform und erinnert in manchem an Harsdörffers *Frauen-zimmer Gesprächspiele*, die Catharina gekannt haben muß. In der zehnten Betrachtung des *Leidens und Sterbens CHRISTI* empfiehlt die Dichterin die „Gespräch-spiele" als „schöne Geist-kunst-und gedanken-spiele: welche alle / zugleich nützen und ergetzen / lehren und belustigen / den Himmel zum Zweck / und die Ehre GOttes zum Punct haben" (S. 720). Über diese Gesprächspiele, welche „in der grösten Kurzweile die Ewigkeit zum Ziel haben" führt Catharina weiter aus:

---

1 Mario Praz, *Studies in Seventeenth-Century Imagery*, 2. bearb. Aufl. (Rome, 1963). Vgl. auch Kapitel 3, Anm. 1.

Sind sie den Geistlosen gar zu geistlich / und dünkt sie die Frölichkeit ausser ihrem Element zu seyn / wann sie in der Andacht ist: so lassen sie ihnen doch die Tugend und Weltweißheit gefallen / ihre Sinne und Geister zu üben. Man kan sie im spielen so gewürtzt / verzuckert / verblümt / verschmitzt / artlich / krauß und bunt vorbringen / daß man so viel darob zu lachen / als davon zu lernen hat. Man kan durch die wünsche-spiele so schicklich zu verstehen geben / was zu wünschen oder abzustellen wäre / daß die getroffene boshaftigen ohn schande zu schanden / und die preißbare / ohne Heucheley / ihres Ruhms versichert werden. Es kan sich der Geist zeigen / indem er die Ehre aus scheinbarer schmach / und den schimpf aus angethaner Ehre / spielen machet. Es gibt unendliche Veränderungen / und dienet trefflich zum Verstand-üben / wenn man viel unterschiedliches auf ein einiges Absehen richten kan; die viele Veränderung aber / ist die gröste Ergetzung. (S. 720 f.)

Wie Rosemarie Zeller in ihrer Studie über *Spiel und Konversation im Barock* (Berlin, 1974)bemerkt, dürfen die von Catharina erwähnten „wünsche-Spiele" ihre Entsprechungen in Harsdörffers Spielen „Der beste Wunsch" (XCII), „Deß besten Wunsch" (CXV) und „Glimpf und Schimpf" (XXXIII) finden. Es wird noch zu zeigen sein, in welchem Maße die *Tugend-Übung* auch die Frage der Ehre aufnimmt, und wie in einem Fall eine Schäferin das Thema „der Ehre aus scheinbarer schmach" behandelt.

In Catharinas engstem Freundeskreis wurden die Gesprächspiele nachgeahmt; selbst ein Sigmund von Birken fand es nicht unter seiner Würde, ein Werk mit dem Titel *Gottseelige Gesprächs-Lust*[2] zu schreiben, welches von Blake Lee Spahr als „an obvious imitation of Harsdörffers *Frauenzimmer Gesprächspiele*, . . . a series of thirty conversations having to do with religious topics"[3] charakterisiert worden ist. Birken schrieb aber auch ein anderes Werk, welches der *Tugend-Übung* noch näher steht, nämlich die *Pegnesische Gesprächspielgesellschaft* (1665). Für die Hochzeit des Grafen von Windischgrätz mit der Gräfin Maria Eleonore von Oettingen geschrieben, finden die Gesprächspiele in der idyllischen Welt der Hirten und Schäferinnen statt. Wenn meine Datierung der *Tugend-Übung* richtig ist, dann wäre Birkens Originalität in der Kombination von Schäferwelt und Gesprächspiel weniger imponierend, als Rosemarie Zeller meint (vgl. S. 97). Letzten Endes ist aber die Frage, wer zuerst mit einer solchen Kombination von Schäferwelt und Gesprächspiel in literarischer Form im Deutschen aufkommt, nicht sehr wichtig. Man neigt zunehmend zu der Ansicht, daß die Gesprächspiele in der Tat in der Gesellschaft gespielt wurden, und da die Schäfermode in Nürnberg zu der Zeit sehr beliebt war, war eine solche Kombination im gesellschaftlichen Leben wahrscheinlich bereits vorzufinden.

Die Ähnlichkeit der *Tugend-Übung* mit den *Frauenzimmer Gesprächspielen* besteht einmal ganz allgemein in einer gleichartigen Mischung von *prodesse* und *delectare*, von ernsthaften Themen und gelehrten Anspielungen einerseits und gesellschaftlicher

---

2 Dieses Werk, welches nie gedruckt wurde, ist als Hs. im Archiv des Pegnesischen Blumenordens erhalten.
3 *The Archives of the Pegnesischer Blumenorden*, S. 81.

Unterhaltung und witziger Einfallskunst andererseits. Zusätzlich zu dieser allgemeinen Ähnlichkeit erinnert die *Tugend-Übung* an mehrere *Gesprächspiele*, wie etwa die „Blumenspiele". In dieser leicht dramatisierten Erfindung – einem „Aufzug von Blumen", wie Harsdörffer sich ausdrückt – werden die Blumen dargestellt „als Nymphen singend und danzend auf den Schauplatz" (F. G. VIII, 131). Jede Nymphe verkörpert eine Blume; die Nymphe beschreibt diese Blume und interpretiert ihre Eigenschaften, erfindet ein Motto oder eine „Beyschrift" dafür und schließlich singt sie ein erklärendes Lied über die Blume.

Die erste Nymphe stellt zum Beispiel das Veilchen dar, welches folgendermaßen gedeutet wird:

> Wann ich das Veielblümlein recht betrachte, so finde Ich daß es füglich mit der De-
> mut kan verglichen werden. Jenes ist das erste unter den Blumen, diese die erste /
> und gleichsam der Grund aller andern Tugenden. Der Veil wächst an kleinen niedri-
> gen / und auf der Erden liegende Stäudlein / in dem Schatten / und gibt einen lieb-
> licheren Geruch / als die Kaiserskron / oder stolze Tulipan / welche in dem Sonnen-
> schein herlich prangen / aber niemand nützen. Die Demut sihet nicht hoch anzu-
> kommen / dienet aber mehr / als der Ehrgeiz / und Hofpracht. Der Veil kühlet in
> hitzigen Kranckheiten; die Demut besänftiget die vergallten und zornigen Hertzen.
> (F. G. VIII, 137)

Auf diese und ähnliche Weise werden das Veilchen, die Rose, die Lilie und die Nelke als Embleme behandelt, um die weiblichen Tugenden Demut, Zucht, Scham Tugend und Reinheit zu versinnbildlichen.

Im dritten Band der *Frauenzimmer Gesprächspiele* findet sich ein Spiel, welches die persönliche „Meinung" oder den „eigenen Spruch" zum Thema hat; die Beteiligter werden aufgefordert, den Spruch zu erklären: „Und der König sprach: Ruffet den Jünglingen / daß ein jeder seinen Spruch selbst erkläre. Nach Art der Gesprächspiele, da ein jeder seine Meinung Ursach zu geben schuldig wird" (F.G.III, 42). Die sieben „lustwehlenden Schäferinnen" wählen sich drei Embleme samt Sprüchen aus und er klären ihre „Meinungen" in Sonetten. Wie in einem Gesprächspiel reden sie abwechs lungsweise.

Die Diskussion um die Emblemkunst als solche und über das Erfinden einzelner Em bleme beansprucht viele Seiten der *Frauenzimmer-Gesprächspiele*. Es erstaunt denr auch nicht, wenn Harsdörffer einen Band seiner Embleme mit dem Titel *Lehr- und Sinnreicher Hertzens-Spiegel*[4] als lehrreiches Spiel für die kultivierte Gesellschaft emp fiehlt. In der Vorreder schreibt er:

> Wann man sich nun in vertraulicher Gesellschaft dieser Erfindungen gebrauchen
> will / muß jedes anwesende / in dem ersten Theil / wann es eine Weibs-Person
> und in dem andern / wann es eine Manns-Person / mit einem Stefft / Messer oder
> Steck-Nadel einstechen / seines Hertzens-Spiegel-Bild auswehlen / ablesen und be
> merken . . .

4 Siehe unten, S. 109 ff.

DIE *TUGEND-ÜBUNG* IM KULTURELLEN RAHMEN NIEDERÖSTERREICHS

Sind die sieben Schäferinnen der *Tugend-Übung* lediglich eine Fiktion, wie man wohl zuerst annehmen möchte, also völlig losgelöst vom eigentlichen Leben Catharinas auf Seisenegg? Wir haben Anlaß anzunehmen, daß die *Tugend-Übung* wenigstens zum Teil aus Catharinas Assoziation mit einem literarischen Zirkel von Damen der niederösterreichischen Aristokratie entstanden sein könnte, welcher unter dem pastoralen Pseudonym „Ister Nymphen" bekannt war. Die „Ister Nymphen" waren eine kleine Gruppe gleichgesinnter Damen, die ihrerseits der „Ister Gesellschaft" angehörten, einer lockeren Organisation von Personen, die an Literatur interessiert waren und sich für die Pflege von Kultur und Gesellschaft einsetzten. Bis jetzt wissen wir noch nichts über den Ursprung und die Absichten der Ister Gesellschaft.[5] Aus verschiedenen Widmungen und Vorworten hat aber Martin Bircher ein Bild dieser „ausschließlich aus Adligen gebildeten Ister Gesellschaft" entworfen, die „nur in loser Form bestanden hat." Bircher schreibt:

In ihrem Mittelpunkt wird die Pflege der Gesellschaft, gemäß den Spielformen jener Zeit, gestanden haben. Stubenberg — wie auch seine Freunde Dietrichstein, Hohberg, G. A. von Kuefstein, Catharina Regina von Greiffenberg, u. a. — fühlen sich der Ister Gesellschaft verpflichtet, doch ist kaum anzunehmen, daß von ihr wesentliche literarische Anregungen ausgegangen sind. Sie kann daher wohl nicht als ein kultureller Hintergrund des Schaffens der erwähnten Schriftstellen gelten, bildete aber möglicherweise ein breiteres Diskussionsforum und widmete zweifellos den gedruckten Werken ihrer Mitglieder besondere Aufmerksamkeit.[6]

Aus Birchers Nachforschungen geht hervor, daß die Ister Gesellschaft zumindest zu Catharinas Lebzeiten aktiv war und ihre Korrespondenz zeigt auch, daß ihr diese Gruppe nicht unwichtig gewesen ist. Verschiedene hochgestellte Persönlichkeiten gehörten entweder der Ister Gesellschaft an oder waren ihr wohlgesinnt, so zum Beispiel Birken, Stubenberg, Windischgrätz, Kuefstein, Hohberg und Anton Ulrich von Braunschweig.[7]

Unser Hauptinteresse liegt aber bei der kleinen Gruppe der „Ister Nymphen", wahrscheinlich ihrer sieben, die zusammen mit Catharina „jenen religiös gestimmten Bund" — wie Horst-Joachim Frank sagt — ausmachten. Zu diesem Bund gehörten Susanne Popp (Isis); Maria Katharine Hede, geborene Frisch und spätere Gattin von H. A. Stockfleth (Isidora, oder einfach Dora); die beiden Gräfinnen Zinzendorf; die Gräfin Ranzau; und schließlich eine Iris und eine Helliclora, deren Identität uns

---

5 Vgl. Bircher, *Stubenberg*, S. 76.
6 Vgl. Bircher, *Stubenberg*, S. 78f.
7 Vgl. Bircher, *Stubenberg*, S. 76, 215f., 270; Frank, *Greiffenberg*, S. 102f., Bircher, „Unergründlichkeit . . . ."

unbekannt ist. Catharina selbst war als Ister-Clio bekannt.[8] In einem Brief vom Juni 1673 beschreibt Catharina einen Besuch der „Ister Nymphen" Isis, Isidora und der beiden Gräfinnen Zinzendorf auf ihrem Schloß Seisenegg. Bei dieser Gelegenheit rezitierten sie aus Anton Ulrichs *Aramena* und lasen mit verteilten Rollen ein Schäferspiel, das als „das Schöne hirten-spiel von der Lea und Rachel"[9] beschrieben wird. Frank nimmt an, daß die „Ister Nymphen" auch Konversationsspiele in der Art der Harsdörffer *Gesprächspiele* veranstalteten. Was die Damen zusammenbrachte, waren die gemeinsamen geistigen Interessen: „Den Mittelpunkt des freundschaftlichen Beieinanderseins aber bilden erbauliche Gespräche über eigene Empfindungen und gemeinsame andächtige Betrachtungen" (S. 105). Frank geht wahrscheinlich richtig, wenn er sagt: „Am ehesten faßbar wird uns ihr [der „Ister Nymphen"] Geist aus einem kleinen Werk Catharinas, das sie wohl für den Kreis ihr nahestehender Frauen verfaßte: die *Tugend-Übung Sieben Lustwehlender Schäferinnen*" (S. 30). Aber ob Catharina die Schrift wirklich für die „Ister Nymphen" verfaßt hat oder inwieweit es sich um eine dichterische Aufzeichnung einer Unterhaltung oder eines Gesprächspiels der Nymphen handelt, läßt sich nicht feststellen. Doch die Möglichkeit, daß dem so sei, ist nicht von der Hand zu weisen, denn wir finden verschiedene Anzeichen dafür, vom allgemein kulturhistorischen Zusammenhang bis zur Verwendung von „Schäfer-Nymphe" für „Schäferin".

Was den kulturhistorischen Zusammenhang anbelangt, neigt die heutige Literaturwissenschaft mehr und mehr zu der Ansicht, daß vieles, was früher als literarische Fiktion und unverbindliches Spiel aufgefaßt wurde, mehr an „Leben" enthält als man meinte. Rosemarie Zeller sieht in der häufigen Darstellung von Gesprächspielen im barocken Roman einen Hinweis darauf, „daß solche Spiele tatsächlich gespielt wurden" (S. 56). Wichtiger als diese Feststellung ist in meinen Augen die Erkenntnis, daß solche Gesprächspiele zuweilen eine persönliche, wenn auch verdeckte Relevanz für die beteiligten Personen haben. Zum Beispiel in Loredanos *Dianea* findet im Kriegslager der Thrazier ein Gespräch über die Liebe statt. Auf der einen Ebene handelt es sich um ein unverbindliches Gesprächspiel, auf einer anderen aber glaubt sich der Fürst von Epiro persönlich angegriffen. „Das Gespräch, das nur Zeitvertreib war, gewinnt plötzlich eine aktuelle Bedeutung. Die Aussage, die in jeder Sammlung von Maximen stehen könnte, wird für einen Augenblick existentiell" (Zeller, S. 57).

---

8 Nach Bircher sollen auch Emilia von Slavata, Gräfin von Losenstein; ein gewisses „Freile Löblin"; die Gattin des Fürsten Johann Weikhard von Auersperg; Margareta Maria von Buwinghausen und Wallmerode; Gräfin „Svsanna Eleonora, verwittwete Gräfin Kevenhüllerinn / Geborene Gräfin zu Kolonitsch" Mitglieder der Ister Gesellschaft gewesen sein, wie auch einige Damen, deren eigentliche Namen uns nicht bekannt sind, nämlich Caritana, Cynthia, Eretiha, die „Ertz Großmeisterin" und die Hoffende. Vgl. Bircher, *Stubenberg*, S. 78, 209f., und 213ff.

9 Vgl. Frank, S. 105. Der Brief ist 2.6.1673 datiert. Wahrscheinlich handelt es sich um ein Werk Birkens „S. v. B. / Gedicht-Spiel / von Jacob, Lea und Rahel / A. 1672 M. Decembr. / in 14 vormittägen" (zit. Spahr, *Anton Ulrich und Aramena*. The Genesis and Development of a Baroque Novel. University of California Publications in Modern Philology, Vol. 76, (Berkeley and Los Angeles, 1966). Nach Spahr ist das Schäferspiel im 5. Teil der *Aramena* eine kurze Fassung de oben erwähnten „Gedicht-Spiels."

Bei der *Aramea* geht es manchmal noch komplizierter zu, denn ein Gesprächspiel kann sogar auf drei Ebenen funktionieren und einen verschlüsselten Bezug zur Realität, zum eigentlichen Leben in Wolfenbüttel haben, denn der fünfte Teil ist, wie Spahr aufzeigen konnte, ein Schlüsselroman. In einem Kreis von Priesterinnen und Schäferinnen wird ein Spiel der Charakterbeschreibung gespielt. Hinter der beschriebenen Person der Eidanie verbirgt sich aber die Herzogin Elisabeth Juliane von Wolfenbüttel. Wie Rosemarie Zeller zusammenfaßt:

> Diese Aussage in der *Aramena* [das Lob der Eidanie] erhält aber eine erhöhte Bedeutung dadurch, daß mit Eidanie Anton Ulrichs Gemahlin gemeint ist. Zweifellos wußte das ein gewisser Kreis von zeitgenössischen Lesern. Diese Stelle hat einen gewissen Wert im Ganzen im Roman, darüberhinaus hat sie einen gewissen Wert am Hof von Wolfenbüttel. Wiederum zeigt sich hier ein Spannungsverhältnis zwischen geschlossener Form des Romans und offener Form, die durch den Verweisungscharakter entsteht. (S. 58)

Wenn also im Barockroman ein Gesprächspiel eine private, wenn auch verschleierte Beziehung zum Sprechenden erhalten kann, und darüber hinaus, wenn ein verdeckter Bezug zwischen fiktionalem Charakter und historischer Person auch bestehen kann, dann sollte es denkbar sein, daß ein so objektiv und auf den ersten Blick so unverbindlich aussehendes Werk wie die *Tugend-Übung* auch persönliche Sinndimensionen enthalten kann.

DIE *TUGNED-ÜBUNG* UND DIE PERSÖNLICHEN ERFAHRUNGEN DER AUTORIN

Was sind denn diese „Übungen" eigentlich? Da wenige Exemplare des Werkes erhalten geblieben sind[9A] und es keine moderne Ausgabe gibt, dürfte ein längeres Zitat am Platz sein. Die Embleme und Sonette der ersten Nymphe sollen als Beispiel dienen.

Die Erste erwehlet / zu ihres Gott-vertrauens Erklärung / die Arche Noha / samt dem Oelblat-bringenden Täublein / mit dem Gedenk-spruch:
> Gottes Schickung /
> mein' Erqwickung.

Kein Wunder ist zu groß / kein Werk so unerhöret /
das / zu der Frommen Hülf / der Höchste nicht erfand.
Die Arche ward' erbaut / zu führen an dem Strand
den Noha / dessen Glaub die Boßheit nicht versehret;
der vor und in der Flut beständig sich bewähret:

9A Ein weiteres Exemplar wurde 1974 bei Hartung & Karl versteigert. Diesen Hinweis verdanke ich Martin Bircher.

biß ihm den Frieden-zweig das Täublein von dem Land
geholet / und ihn auch die Göttlich Gnaden-hand
geführet zu dem Port / wo er Gott Dank verehret.
Das heisst / die glaubig Heerd geführet wunderlich.
Doch der / so GOtt vertraut / kan nichts so hoch's ersinnen /
das ihm unmöglich ist und Gott nicht sezt ins Werk.
Drum glaub' ich immerfort getrost / versichre mich
aus aller Jammer-noth mit Freuden zu entrinnen:
weil Gott noch stäts beweist im Glauben seine Stärk. (S. 329f.).

Im Schild führete sie / die vom Apollo geliebte und wegen ihrer Ehr' in einen
Lorbeer-Baum verwandlete Dafne / mit der Beyschrifft:

> Die Sieges-kron
> ist Tugend-lohn.

Unüberwindlich ist nicht nur allein zu nennen
die Tugend / sondern gar ein' Allbeherrscherin.
Die Dafne hat mit Lieb Apollens harten Sinn
entzündet nicht allein / besondern auch mit Thränen
der Götter Hülff' erlangt. Als er ihr nach wolt rennen /
wurd sie zum Lorbeer-baum / ehe er noch kam dahin.
Der Sieg ist auch im Tod der Tugend Preis-Gewinn /
als die man allermeist in Noht pflegt zu erkennen.
Es steht hierinn die Prob / wann sie die Ehr vorzieht
dem Leben / und den Tod / um Tugend / gar nicht flieht.
Darum ich diese Nymf' / als Schildes-bild / stäts führe /
und bin / wie sie / bereit / zu lassen Leib und Blut /
vor Keuschheit / meinen Schatz; vor Ehr / das höchste Gut:
auf daß der Sieg mein Haubt stäts-grünend löblich ziere. (S. 330f.)

Zu ihrer Liebes-anzeigung / schenket sie / einen aus dem Meer genommenen errö-
tenden Corallen / mit dem Sinn-spruch:

> Lieb / ohne Noht /
> ist gleichsam todt.

So lang' in guter Ruh / in seiner Meer-höl / sitzet /
so lang bleibt ungefärbt der treffliche Corall /
ohn' alle holde Röht' und schönen Funkel-Strahl /
bis ihn der Fischer bricht und auf das Land ausschmitzet:
dann wird sie stark bewegt / geringelt und erhitzet /
kriegt also ihren Schein / durch Unfried / Pein / und Qwal.
So / heisse Lieb sich auch nur zeigt im Nöhten-fall

wann Boßheit / Neid / und Streit / wie Donner / einher blitzet.
Dann wird die Lieb' erhitzt / und glümmt wie eine Glut:
weil nichts der Lieb so sehr / als Unglück / stärkt den Muht.
Sie feyrt in gutem Fried / hat nichtes sich zu üben.
Die Noht veranlasst sie zu tausend wunder-werk /
sie gibt ihr Schön' und Zier / erklärt ihr Macht und Stärk.
Daher dann nieman kan ohn' Angst rechtschaffen lieben. (S. 331f.)

Die Themen dieser Sonette sind typisch für das Werk. Das religiöse Thema ist die Macht des Glaubens, „den die Boßheit nicht versehrt," der auch im Unglück unerschütterlich ist, und der schließlich durch das persönliche Eingreifen Gottes belohnt wird, im geistlichen Emblem von Noah und der Arche versinnbildlicht. Das heroische Emblem zeigt anhand von Daphne und Apollo die Macht der Tugend, welche „Unüberwindlich" ist und in der Tat eine „Allbeherrscherin". Das Liebesemblem preist am Beispiel der Koralle die Liebe, die trotz widriger Umstände wächst. Diese Themen sind natürlich sehr allgemein gehalten und bezeichnend für den Barock, aber sie stellen gleichzeitig die wichtigsten Fragenkreise im Leben und Werk der österreichischen Dichterin dar. Das Gewicht, das sie auf widrige Umstände legt, mag vielleicht erstaunen. Nicht nur spricht Catharina von „Jammer-Noht" und „Noht" (sogar zweimal), „Nöhten-fall", „Unglück" und „Angst", was für eine allgemeine Behandlung des Themas vollauf genügt hätte, sondern sie fügt genauer bezeichnete Eigenschaften wie „Boßheit" (zweimal), „Neid" und „Streit" hinzu, um ihre eigene „Ehr" und „Keuschheit" zu betonen. Dies sind Gedanken und Ausdrücke, die wir nur allzugut kennen aus der Sammlung *Geistliche Sonnette, Lieder und Gedichte* von 1662 wie auch aus einigen sehr persönlich gehaltenen unveröffentlichten Gelegenheitsgedichten. Wir erinnern uns, daß diese drei zitierten Sonette Übungen sind, worin eine „lustwehlende Schäferinn" ihre Gedanken über die Liebe nur „aus Schertz" ausspricht. Aber was mag die „lustwehlende Schäferinn" bewegen, von ernsthaften und unglücklichen Dingen zu reden? Vielleicht sollten wir die *Tugend-Übung* in ähnlicher Weise wie die unveröffentlichten Gelegenheitsgedichte lesen,[10] nämlich vom Allgemeinen zum Besonderen und Persönlichen; in unserem Fall würde das heißen, das emblematisch Allgemeine als Spiegel zu betrachten, der die persönliche Erfahrung dunkel reflektiert. Aus dieser Perspektive gesehen, erscheinen die Übungen der Schäferinnen als typisch barocke Spiele von Maske und Identität.[11]

Der Versuch, die *Tugend-Übung* als persönliches Emblembuch zu lesen, erfordert zunächst die genaue Datierung und die Feststellung der Bezüge zwischen Werk und Leben der Dichterin. Eine Datierung dieses, in verschiedener Hinsicht mysteriösen kleinen Werkes, ist in der Tat recht schwierig, denn um es an den richtigen Platz im Leben und Werk der Autorin zu stellen, haben wir nur zwei Angaben: das

10 Vgl. Black und Daly.
11 Vgl. Blake Lee Spahr, „Gryphius and the Crisis of Identity", *German Life and Letters,* XX (1969), 358—364. Vgl. auch oben, S. 76 f.

74

Publikationsdatum 1675 und Catharinas Kommentar im Vorwort zu der *Sieges-Seule*, welcher dahin geht, daß die *Tugend-Übung* in einer Gruppe von Werken steht, welche sie „die ersten Früchte meiner blühenden Jugend" nennt. Offensichtlicher Anlaß dieser Bemerkung sind die *Sieges-Seule* und der *Glaubens-Triumf*. Catharina ihrerseits schreibt, „daß sie [*Sieges-Seule* und *Glaubens-Triumf*] / neben den angehängten Sonneten / die ersten Früchte meiner blühenden Jugend heissen mögen." Die *Tugend-Übung* ist ein ausgesprochener Anhang; die Publikation scheint ein nachträglicher Einfall gewesen zu sein. Catharina spricht in der Vorrede nicht weiter davon, und in ihrer erhaltenen Korrespondenz ist die *Tugend-Übung* nicht einmal erwähnt; Catharina kümmert sich lediglich um die Aufnahme und Rechtfertigung der zwei längeren und offensichtlich ernsthaft religiösen und politischen Werke. Der beiläufige Hinweis auf die „angehängten Sonneten" (die sie nicht einmal mit abgekürztem Titel nennt) sagt wenig über die Entstehung des Werkes oder seine zeitliche Zusammengehörigkeit mit den beiden längeren Texten aus. Da die recht umfangreiche *Sieges-Seule* zwischen 1663–1664 verfaßt wurde, glaubt man, daß die *Tugend-Übung* vorher entstanden sein mußte. Als früheste Proben von Catharinas dichterischem Schaffen dürfen zwei anonyme im Jahr 1654 veröffentlichte Widmungsgedichte zu Stubenbergs Übersetzungen von Bacons *Getreue Reden* und von Loredanos *Andachten über die Sieben Buß-Psalm* gelten.[12] Mit Sicherheit wissen wir, daß sie 1658 Figurengedichte zu den habsburgischen und kaiserlichen Emblemen, „eine Krone, Reichsstab, Schwert, Apfel u. Adler fast lebensgroß von lauter Versen gemacht" hat, die heute verloren sind.[13] Die *Sonnette, Lieder und Gedichte*, 1662 veröffentlicht, waren wahrscheinlich schon im März 1660 vollendet, denn Birken erwähnt diese Gedichte in seinem Tagebuch;[14] am 12. September notierte Birken, daß er sie gelesen habe.[15]

Als die *Tugend-Übung* 1675 erschien, konnte Catharina auf eine beachtliche Schaffensperiode zurückschauen. Ihre Versdichtungen aus den 50er Jahren waren im Band *Sonnette, Lieder und Gedichte* des Jahres 1662 veröffentlicht; ihre Übersetzung von du Bartas' *Glaubens-Triumf*, ein Werk von 648 Verszeilen, gehört in das Jahr 1660, obwohl erst 1675 gedruckt; die *Sieges-Seule*, ein Werk mit der stattlichen Zahl von 7.000 Alexandrinern wurde 1663–4 geschrieben, erschien aber ebenfalls erst 1675; und schließlich ihr erstes Andachtsbuch *Des Allerheiligst= und Allerheilsamsten Leidens und Sterbens JESU CHRISTI / zwölf andächtige Betrachtungen . . .*, eine etwa tausendseitige Ausgabe von Prosa und Gedichten, wurde 1672 veröffentlicht. Die Tatsache, daß der *Glaubens-Triumf*, die *Sieges-Seule* und das *Leiden und Sterben JESU CHRISTI* alle in die 1660er Jahre gehören, bestärkt Leo Villingers Ansicht, daß die *Tugend-Übung* „später als die Sonete oder gleichzeitig mit ihnen, aber früher als die

12 Siehe oben, S. 1–25.
13 Vgl. Frank, S. 31.
14 Vgl. *Tagebuch*, I, S. 1.
15 Ebd. S. 40.

„*Sieges-Seule* " entstanden sind;[16] mit anderen Worten wahrscheinlich zwischen 1659 und 1663.[17]

Wie dem auch sei, wir haben leider keine Möglichkeit herauszufinden, inwieweit die gedruckte Version der *Tugend-Übung* von 1675 derjenigen von 1659–1663 entspricht. Ob das Original geändert oder bearbeitet wurde, läßt sich nicht feststellen. Wir wissen auch nicht, ob Birken, der für die Veröffentlichung der meisten Werke Catharinas die Verantwortung übernahm, irgendwelche Veränderungen vollzog, bevor er das Manuskript an Johann Hofmann zur Publikation übergab. Eigenartigerweise enthalten Catharinas Briefe an Birken über die Veröffentlichung der *Sieges-Seule*, welche sie das „Türken-Gedicht" nennt, keinerlei Hinweise auf die *Tugend-Übung*[18]. Birkens Tagebücher erwähnen das Werk auch nicht, trotz Birkens gelegentlicher Hinweise auf die *Sieges-Seule*.[18A]

Obwohl uns also eine genaue Datierung der *Tugend-Übung* nicht möglich ist, wissen wir doch, daß sie in der Zeit der größten seelischen Belastung dieser feinfühligen und intelligenten Frau entstanden ist. Da die biographischen Einzelheiten bekannt sind, soll hier nur ganz kurz daran erinnert werden. 1659 erklärte ihr Hans Rudolph von Greiffenberg, der Onkel und gewissermaßen zweite Vater der Dichterin, seine Liebe und bat um ihre Hand. Sie wies ihn ab mit Grauen, wie ein Zeitgenosse sagt.[19] Catharina handelte offensichtlich aus zwei Überlegungen heraus: erstens vertrug sich ihre Absicht, ihr Leben in den Dienst Gottes zu stellen, nachdem sie in einer Preßburger Kirche eine religiöse Erweckung erlebt hatte,[20] schlecht mit dem Gedanken an eine Heirat, und zweitens empfand sie Ekel vor dem Gedanken einer ehelichen Verbindung mit ihrem Onkel, der nicht nur dreißig Jahre älter war, sondern für sie auch eine Vaterfigur verkörperte. Hans Rudolph wurde krank, und zwar ernsthaft. Auf dem Krankenbett erwog er sogar einen Übertritt zur römisch-katholischen Kirche in der Hoffnung einen Dispens für diese Heirat von Blutsverwandten zu bekommen, da er überzeugt war, daß dies der Grund für Catharinas Weigerung sei. Doch allein der Gedanke einer Konversion zum Katholizismus war für Catharina, die überzeugte und sendungsbewußte Protestantin, ein Spiel mit dem Feuer, ja geradezu mit dem Höllenfeuer. Für Catharina war konvertieren gleichbedeutend mit verdammt werden. Aber gleichzeitig machte sie sich solche Sorgen um das geistige und leibliche Wohl des Onkels, daß sie endlich in die Heirat einwilligte, um ihn, wie es in einem privaten Gedicht an Birken heißt, „zuretten Von Einem Doppeltod."[21] Sie wollte ihn heiraten, wenn sich die Zeremonie mit ihrem protestantischen Glauben vereinbaren ließ. Nach

---

16 Leo Villiger, *Catharina Regina von Greiffenberg (1633–1694). Zu Sprache und Welt der barocken Dichterin.*, Diss. (Zürich, 1952), S. 25.
17 In einer Tabelle zur Zeitgeschichte nennt Frank das Jahr 1658 als Datum der Niederschrift ohne aber Unterlagen für eine so genaue Zeitbestimmung vorzulegen.
18 Es wird hier auf die Briefe vom 7. 7. 1672, 1. 8. 1672 und 3. 2. 1673 verwiesen.
18A Vgl. Birkens *Tagebücher*, II, S. 149, 187, 176, 366.
19 Vgl. Frank, S. 41.
20 Vgl. Frank, S. 19–21, 41.
21 Vgl. Black und Daly, S. 33, 36.

langen Besprechungen mit protestantischen Theologen und mit der ausdrücklichen Erlaubnis der Staatsobrigkeit, in diesem Falle des Markgrafen von Brandenburg-Bayreuth, wurden Catharina und ihr Onkel 1664 getraut. Glück war ihnen leider nicht viel beschieden, denn die Rechtmäßigkeit ihrer Ehe wurde im katholischen Österreich oft in Frage gestellt. 1665 wurde Hans Rudolph auf Befehl des Kaisers sogar verhaftet wegen dieser Heirat. Er wurde erst Monate später, nachdem wiederholte Versuche Catharinas und einiger Gutgesinnter alle gescheitert waren, dank der Intervention des mächtigen Kurfürsten von Sachsen, aus der Haft entlassen.

Die Briefe und Gedichte der nächsten fünfzehn Jahre enthalten wiederholte Klagen über die von allen Seiten stammenden Anfechtungen von Catharinas Ehre, Ruf und Heirat. 1674, ein Jahr vor dem Erscheinen der *Tugend-Übung*, fühlte sich Catharina sogar gezwungen, einem besonderen unbenannten Feind einen Brief zu schreiben, worin sie die Gesetzlichkeit ihrer Ehe mit einem Zitat aus Luthers Schriften beweist.[22] Sie legte diesem Brief ein 44 Zeilen langes Gedicht mit dem bedeutsamen Titel „Die Betrübte unschuld" bei. In diesem Gedicht verteidigt sie sich gegen den Vorwurf der „ÿppigkeit", was aus dem Zusammenhang verstanden, sexuelle Ausschweifung bedeutet; sie beklagt sich über die „Lippen Lügenschmerzen," „der verleumdung Schwer" und die „Üble nachred," welcher sie so ungerechtfertigt ausgesetzt war. Am Schluß beteuert sie ihre „Ehre," „Unschuld" (fünfmal genannt), ihre „Tugend" (zweimal). Es wird sich zeigen, daß die *Tugend-Übung* Stellen enthält, die den obengenannten Themen und Begriffen sehr nahe stehen.

Obschon eine genaue Datierung der *Tugend-Übung* nicht möglich ist, glauben wir doch, daß sie in dieser schmerzvollen Zeit von 1659–1663 entstanden ist. Erst 1663 konnte sich Catharina entschließen, Hans Rudolph zu heiraten, und die Trauung fand im Oktober 1664 statt. Wie wir gesehen haben, hatte Catharina keine Veranlassung, die Grundthemen der *Tugend-Übung* zu ändern oder die Ausdrucksweise zu modifizieren als das Werk 1674 in Druck ging, wie sie es im Falle des düsteren Gelegenheitsgedichtes „Trauer Liedlein in Unglükk und Wiederwerttigkeit", entstanden kurz vor 1660, also ungefähr zur Zeit der *Tugend-Übung*, getan hat. Das „Trauer Liedlein" taucht über dreißig Jahre später in veränderter Form in Catharinas letztem Band von „Andächtigen Betrachtungen" wieder auf. Die persönliche Dimension wurde hier weggelassen und es entstand aus dem privaten Gelegenheitsgedicht eine überpersönliche Meditationsübung.[23]

Der Versuch, die *Tugend-Übung* und die darin enthaltenen emblematischen Verallgemeinerungen mit dem Leben der Dichterin in Verbindung zu bringen, is zugegebenermaßen indirekt und beruht auf vielen Folgerungen, die allerdings de soliden Grundlagen nicht entbehren. Die traumatische Erfahrung der Liebe ihre Onkels und die Schwierigkeiten — persönlicher, religiöser, sozialer, politischer un finanzieller Art —, die das Paar vom Tag Hans Rudolphs unerwarteter Eröffnung bis z

22 Vgl. Black und Daly, S. 37.
23 Vgl. oben, S. 26–37.

seinem Tod 1677 verfolgten, bilden die wesentlichen biographischen und historischen Quellen. Die Interpretation irgendeines so objektiv scheinenden Buches wie die *Tugend-Übung* basiert auf gewissen Annahmen, die in der Barockforschung von heute immer mehr anerkannt werden. Negativ ausgedrückt könnte man sagen, daß das Fehlen einer persönlichen, lyrischen oder sonstwie eigenen Ausdrucksform (verstanden im Sinne des späteren 18. Jahrhunderts) nicht mehr gleichgesetzt wird mit dem Fehlen einer persönlichen Erfahrung oder eines persönlichen Engagements. Formelle und intellektuelle Konventionen wie Emblem, Gesprächspiel, Petrarkismus und Stoizismus — um nur die wichtigsten der *Tugend-Übung* zu nennen — können neben ihrer allgemeinen und unpersönlichen Bedeutung auch Träger werden für verschleierte persönliche Aussagen. Sie können die Maske sein, hinter der sich das wirkliche Drama um Leben und Tod abspielt. Leonard Forster sagte vom petrarkistischen Stil: „Petrarch had forged for posterity a poetic idiom of great flexibility, which could be non-committal or serious, as desired; which could be used to parade fictitious emotions or to conceal real ones, . . ."[24] Die einzelnen Wörter und Wendungen, die Formeln dieser großen kulturellen „Systeme" sind keineswegs Klischees. Wie Richard Newald schreibt, war „die *Formel* mit stärkstem Gehalt gefüllt . . . Auf *ihr* lag die Schwere des Sinnes und nicht in den Wortschöpfungen, einmaligen Verbindungen oder persönlicher Formgebung. Die Formel ist kein konventionelles Bild, sondern ein mit geistigem Gehalt gefülltes Gefäß . . . ."[25]

Die emblematische Interpretation eines gegebenen Motivs war — das liegt in der Natur des Motivs an sich — allgemein und hauptsächlich objektiv. Selten, wenn überhaupt, beschreibt ein Dichter beispielsweise eine besondere Schlangenart, vielmehr benützt er einen Aspekt der Gattung Schlange für seine Interpretation. Die Verwendung der allgemeinen Bedeutung, im Falle der Schlange etwa Weisheit, Freiheit oder Bosheit, konnte durchaus persönlich sein, das heißt, sie konnte auf das Individuum als Individuum bezogen sein. Um aber eine solche persönliche Interpretation zu wagen, müssen wir über die Begleitumstände des gegebenen Werkes genau im Bilde sein. Ohne solche Kenntnisse ist ein Versuch, durch das Allgemeine hindurch zum Besonderen und Persönlichen vordringen zu wollen, genau so subjektiv und unzulässig wie die oft geübte Kritik an der Barockliteratur — auch heute noch zu hören — hinsichtlich des Fehlens von „Echtheit", „Gefühl" und „Originalität".[26] Im Licht der bekannten biographischen Tatsachen gewinnen gewisse Embleme der *Tugend-Übung* erst eine neue Bedeutsamkeit.

24 Vgl. Leonard Forster, *The Icy Fire:* Five Studies in European Petrarchism (Cambridge, 1969), S. 8.

25 Vgl. Richard Newald, *Die deutsche Literatur vom Späthumanismus zur Empfindsamkeit. 1570—1750* (München, 1963⁴), S. 185.

26 Vgl. Roy Pascal, *German Literature of the Sixteenth and Seventeenth Centuries* (London, 1968), S. 90f. In einem an sich wertvollen Aufsatz gestattet sich Charles Hayes einen unvertretbaren Angriff auf das Emblem: „That allegory in fact readily submits to every sort of self-degradation and humiliation is shown by two of its bastard children in the pictorial arts: the baroque emblem and the political cartoon." Vgl. „Symbol und Allegory", *Germanic Review,* XLIV (1969), 283.

DIE GEISTLICHEN EMBLEME

Das wichtigste Thema der geistlichen Embleme ist der Glaube. Er bildet den Hauptinhalt von vier Emblemen, und das Thema, sich Gottes Willen zu unterwerfen, gehört in Catharinas Denken auch zum Glauben. Diese vielleicht unerwartete Konzentration auf den Glauben läßt sich am besten durch Hinweise auf Catharinas Luthertum und die näheren Umstände ihres geistig-religiösen Lebens erklären. Man weiß, daß die religiöse und politische Situation des protestantischen Landadels in Niederösterreich in der Mitte und gegen Ende des 17. Jahrhunderts schwierig war. Der Versuch, die Gegenreformation hier durchzusetzen, führte zu einer Unterdrückung der protestantischen Religion, und Catharina reagierte besonders empfindlich darauf, stützte sich auf ihren eigenen Glauben, auf eine kleine Gruppe von gleichgesinnten, frommen Freunden wie die „Ister Nymphen" und ihren engen Freund Sigmund von Birken.

Der Glaube gehört zu den zentralen Themen im Leben und Werk der Catharina Regina von Greiffenberg. Das Sonett der ersten Schäferin spiegelt in gedrängter Form die Rolle des Glaubens wie ihn die Dichterin sieht. Der Glaube wird einerseits in bezug auf das Böse und andererseits in bezug auf Macht und Gnade Gottes dargestellt. Welch besseres alttestamentarisches Emblem könnte gefunden werden als das von Noah und der Arche, um den Glauben angesichts des Bösen und der Not zu zeigen, der durch Gott gnadenvoll belohnt wird. Das Oktett beschreibt Noahs Arche, welche im ersten Terzett allgemein interpretiert wird, dann aber im zweiten eine persönliche Bedeutung erhält. Ganz nach der Tradition der *impresa*, einer persönlichen Maxime, eines sich Verpflichtens zu gewissen Grundsätzen, ist das dritte Terzett eine Ich-Aussage, welche als allgemeingültig und objektiv verstanden werden könnte, wäre nicht ein Wort in seiner Intensität fehl am Platz und nicht zur *pictura* gehörend: „Jammernoth."

> Drum glaub' ich immerfort getrost / versichre mich
> aus aller Jammer-noth mit Freuden zu entrinnen:
> weil Gott noch stäts beweist im Glauben seine Stärk.

Mir scheint doch, daß in diesem „Jammer-noth" die persönlichen Beschwerlichkeiten der frühen 1660er Jahre zum Ausdruck kommen.

Unter den andern Glaubensemblemen ist zunächst einmal Aarons Stab zu nennen. Das Motto:

> Unverhofft
> grünet offt (S. 334)

ist ein beliebtes Thema bei Emblematikern wie Camerarius, Paradin und Rollenhagen, oft mit einer ganz ähnlichen *inscriptio* wie die Catharinas, z. B. „unverhofft blühte er."[27] Wir finden auch Elias, der seinen Diener sieben Mal ausschickt, um zu sehen, ob Regen im Anzug sei, mit dem Motto

> Den Frommen endlich kommt
> was freut und ihnen frommt. (S. 340)

Das letzte Emblem zeigt Jonas und den Wal mit dem „Gedenk-spruch"

> Ich hoffte doch /
> wärs' übler noch. (S. 343)

Ferner gehört auch das Emblem, welches das Opfer Abrahams darstellt, der, dem Willen Gottes gehorchend, seinen Sohn auf den Altar legt, auch zum Thema „Glauben."[28] In *Sonnette, Lieder und Gedichte* wird Abraham „großgläubig" genannt, und Catharina widmet dem Opfer Abrahams zwei Sonette (Son. 19 und 20). Das Motto des Emblems ist sehr bezeichnend:

> Wem Gottes Will sein Ziel /
> dem thut Gott was er will. (S. 337)[29]

Das Sonett beginnt wie eine traditionelle Meditation *in medias res* mit einer dramatischen Darstellung des Ortes. Wir hören Abraham am Altar, auf welchem sein Sohn liegt, um dessen Befreiung beten, aber bereit, sich dem Willen Gottes zu fügen, was immer dieser auch sei. Durch das ganze Gedicht hindurch wird Abrahams Liebe zu seinem Sohn „ mit dem eigenen Willen" gleichgesetzt, welcher in diesem Opfer als „Selbstverläugnung" im Feuer der Liebe brennt:

> Ich bin auch ganz und gar / mit Gottes Hülf / gesinnet
> zu opfern meinem GOtt / der Seele liebstes Kind
> den eignen Willen / auf: den ich mit Demut bind' /
> und leg' ihm auf das Feur der Liebe / daß er brinnet
> und mir das Gnaden-lob der Selbst-verläugnung g'winnet. (S. 337)

Abraham ist bereit, alles zu opfern:

> all' Hoffnung / Gier und Wunsch / Verlangen / Lieb und Lust /
> Ehr / Reichtum / Glück und Freud / alls was mir nur bewust. (S. 338)

Obschon er um das Leben seines Sohnes betet, ist er bereit, sich dem göttlichen Willen zu unterwerfen:

---

27 Vgl. Arthur Henkel und Albrecht Schöne, *Emblemata. Handbuch zur Sinnbildkunst des XVI und XVII Jahrhunderts* (Stuttgart, 1967), Spalte 313, im folgenden mit E zitiert. Der Hinweis auf Emblembücher soll nicht als Abhängigkeit oder Beeinflussung verstanden werden, es geht lediglich darum, auf parallel laufende Erscheinungen zu verweisen.
28 Vgl. Cesare Ripa, *Iconologia*, in der Hertelausgabe (Augsburg, 1704), Emblem LXXXIV „Glaube".
29 Vgl. SLG, S. 20, 67, 126, 204, 245, wo der Glaube Gott sogar in den Arm fallen kann: „ . . . wer überwindet Gott? Der Glaube thut's allein" (Son. 126). Vgl. auch Daly, *Metaphorik*, S. 88ff.

... bin ich bereit /
mich unter deine Hand gehorsamist zu neigen. (S. 338)

Das Sonett endet nicht mit der erlösenden Intervention Gottes als Belohnung für Abrahams Glauben, obschon dies der Inhalt der *pictura* ist und im Motto erwähnt wird. Wie im Falle des heroischen Emblems von Cloelia und Porsenna betont die Dichterin die Gefahr und Unsicherheit der Situation, welche Mut und Glauben verlangt, Eigenschaften, welche Catharina in den frühen 1660er Jahren auch selbst sehr nötig brauchte.

Obwohl man ohne Schwierigkeiten zeigen könnte, daß die geistlichen Embleme der *Tugend-Übung* den Hauptgedanken von Catharinas religiöser Auffassung entsprechen, ist doch der Zusammenhang mit Einzelheiten aus Catharinas Leben zwischen 1659 und 1675 bei den heroischen und Liebes-Emblemen viel offensichtlicher. Es ist vor allem bei diesen letzteren Emblemen, wo wir Beweise für die These der *Tugend-Übung* als persönliches Emblembuch suchen müssen.

PERSÖNLICHE HEROISCHE EMBLEME

Die Begriffe, die in den heroischen Emblemen versinnbildlicht werden, sind Tugend- oder vielmehr Keuschheit (zweimal), Freiheit (auch im Zusammenhang mit Keuschheit), Kindespflicht, Vaterlandsliebe, stoische Durchhaltekraft, und Friede oder „Gemüths-Freyheit" (S. 347).

Drei der Schäferinnen besingen die Keuschheit mit einer Ausdauer, die sich verstehen läßt, wenn man von der Liebe Hans Rudolphs zu seiner Nichte ausgeht. Die erste Schäferin wählt als ihr Emblem „die vom Apollo geliebte und wegen ihrer Ehr' in einen Lorbeer-Baum verwandelte Dafne" dem sie das Motto hinzufügt:

Die Sieges-kron
ist Tugend-lohn. (S. 330)[30]

Sowohl die *pictura* als auch die *inscriptio* verweisen in allgemeinen Ausdrücken auf „Ehre" und „Tugend," das Sonett hingegen läßt im Leser keinen Zweifel aufkommen, daß damit eine ganz bestimmte Eigenschaft Daphnes illustriert wird, nämlich die Keuschheit, welche die Sprecherin „meinen Schatz" nennt. Diese Tugend ist „unüberwindlich," ja geradezu „ein' Allbeherrscherin":

Unüberwindlich ist nicht nur allein zu nennen
die Tugend / sondern gar ein' Allbeherrscherin. (S. 330)

Dies wird vollends deutlich bei Daphnes Tod, wo die Tugend auch im Unglück triumphiert:

---

30 Vgl. E 203 „Conscientia integra laura" (Sambucus) und E. 1742f., wo das Motiv anders ausgelegt wird.

Der Sieg ist auch im Tod der Tugend Preis-Gewinn /
als die man allermeist in Noht pflegt zu erkennen. (S. 331)

In den vier Schlußzeilen setzt sich Catharina persönlich für die am Beispiel von Daphne
und Apollo paradigmatisch dargestellte Tugend ein:

Darum ich diese Nymph' / als Schildes-bild / stäts führe /
und bin / wie sie / bereit / zu lassen Leib und Blut /
vor Keuschheit / meinen Schatz; vor Ehr / das höchste Gut:
auf daß der Sieg mein Haubt stäts-grünend löblich ziere. (S. 331)

Wenn man bedenkt, was alles zu Ungunsten von Apollo gesagt werden könnte, ist es
doch erstaunlich, daß der liebeshungrige Gott, der seinen sexuellen Trieben freien Lauf
läßt, von Catharina nicht getadelt wird. Catharina hat in anderen Sonetten ein ganzes
Oktett verwendet, um ein vollständigeres Bild des Motivs zu entwerfen, das über dem
Motto kurz erwähnt wird, doch hier genügt eine Zeile, um Daphnes Situation zu
beschreiben:

Die Dafne hat mit Lieb Apollens harten Sinn
entzündet . . .

Weit davon entfernt, mit dem räuberischen Gott ins Gericht zu gehen, scheint
Catharina ihn eher zu entschuldigen und Daphne als schuldig Unschuldige, als
tragisches Opfer ihrer eigenen Schönheit hinzustellen.

Ich glaube, daß diese Betonung der Keuschheit und die Einstellung zu Apollo und
Daphne im Sonett am besten verstanden werden können, wenn wir an Hans Rudolphs
Liebe und Catharinas schroffe Abweisung des Heiratsantrages denken. Aus dieser
Perspektive gesehen, werden Apollo und Daphne zur klassischen Maske, hinter der sich
eine persönliche Erfahrung Catharinas verbirgt. Zur Zeit, in der diese Gedichte
höchstwahrscheinlich entstanden sind, mußte die Dichterin noch ganz von der
Unmöglichkeit einer Ehe mit ihrem Onkel, welche mit ihrer Absicht, ihr Leben und
ihre Keuschheit Gott zu widmen, unvereinbar war, überzeugt gewesen sein. Dieser
Wunsch hatte seine tiefen Gründe: kurz bevor Catharina geboren wurde, gelobte ihre
damals schwerkranke Mutter, das ungeborene Kind Gott zu weihen. Catharina selbst
wiederholte dieses Gelübde nach einem besonders eindrucksvollen Erlebnis während
eines Gottesdienstes im Jahre 1651 in Preßburg. Jahre nach dieser Begebenheit schrieb
sie, daß an jenem Tag „der Deoglorj Licht erstlich in mir . . . Angeglimmet und
Aufgegangen [war]."[31] „Deoglorj" ist Catharinas Ausdruck für ihren Dienst an Gott in
Wort und Tat. Eine Heirat hätte dieses Ziel verunmöglicht. Frank schreibt:

Die Erinnerung an das Gelübde ihrer Mutter, durch das sie Christo zum „Dienst und
Ehre aufgeopfert und verlobet" worden sei, verband sich in ihr mit der aus der tra-

---

31 Brief an Birken, 1. 8. 1672.

ditionellen Frauenmystik übernommenen Vorstellung vom himmlischen Brautstand mit Jesus zu einem asketischen Lebensideal, das sich mit dem Gedanken an eine eheliche Verbindung nicht vertrug. (S. 41 f.)

Gerade im Zeitpunkt in dem die *Tugend-Übung* entstand, hoffte Catharina also immer noch, daß Hans Rudolph den Wunsch auf eine Verbindung mit ihr aufgeben würde. Frank schreibt: „Und so hat sie — wie Birken berichtet — ‚danhero diese Liebe, der Zeit zu verzehren überlassen, und Gott, den allmächtigen Herzreger und Regirer, um vermittelung eifrigst angeflehet'" (S. 42). So blieb ihr keine andere Wahl als standhaft zu bleiben wie Daphne, die allerdings in unmittelbarerer Not war. Welch bessere *impresa* könnte sie auswählen, um ihre „persönliche Zielsetzung," wie Schöne es nennt,[32] darzustellen. Am 15. Mai 1669, also zehn Jahre später, schrieb Catharina ein persönliches Gelegenheitssonett an Birken, um ihn in einer Zeit persönlicher Schwierigkeiten zu trösten und ihn zu ermutigen, sich auf die Hoffnung zu verlassen, denn, wie sie sagt: „mit diesem hatt Mich die Hoffnung Eben auch in grösten Sturm just vor Zehen Jahren getröstet . . . ."[33] Das Jahr, auf das sie sich hier bezieht, ist natürlich 1659 und der „gröste Sturm" kann nur die Verwirrung der Gefühle und der religiösen Zweifel sein, welche durch Hans Rudolphs öffentlich bekannte Liebe zu seiner Nichte verursacht wurden, und was so viel eitles Gerede und Verleumdungen hervorrief. Andere Gedichte, entstanden ungefähr zur selben Zeit und enthalten in *Sonnette, Lieder und Gedichte*, zeigen Ähnlichkeiten in Gedanken und Formulierung. Über die unbesiegbare Tugend schreibt sie:

Es ist die gröste Ehr' / unüberwindlich seyn

. . .

Der Lorbeer widersteht dem Feur und Donnerstein.
Die Tugend lässet sich von Boßheit nicht verletzen. (Son. 83)

Der Titel des Sonetts, dem diese Zeilen entnommen sind, ist bedeutsam: „Auf die verfolgte doch ununterdruckliche Tugend," ein Thema, das nicht etwa wegen eines Hauptmotivs gewählt wurde, sondern eher haben wir es zu tun mit einer Reihung von Motiven, die gemeinsam das im Titel sorgfältig genannte Problem erläutern. Ferner heißt es in einem späteren Gedicht der gleichen Sammlung betitelt „Die unglückliche Tugend":

Neid und Boßheit acht ich nicht /
ob sie schon die Tugend hassen. (S. 310)

Die Tugend hat viele Feinde, die oft mit allgemeinen Namen genannt sind, aber von besonderer Wichtigkeit sind „Neid" (S. 309), „Boßheit" (S. 309), „Misvergunst" (S. 311) und dann gibt es die Wendungen „Wort entzünden / Wort erhizen" (S. 307)

32 Albrecht Schöne, *Emblematik und Drama im Zeitalter des Barock* (München, 1968[2]), S. 45.
33 Vgl. Black und Daly, S. 17.

und „Laß dich schmähen / laß dich schelten" (S. 307), die alle darauf hinweisen, daß Catharina Klatsch und Verleumdung zu den Feinden der Tugend zählt. Und das entspricht nur zu genau den Lebenserfahrungen unserer Dichterin.

Ihr stoischer Entschluß, lieber zu sterben als in Unehre zu fallen, „bereit zu lassen Leib und Blut," mag vielleicht eine melodramatische Übertreibung sein, aber es ist nicht bloß leere Phrase. Wir wissen von ihrem gewagten Versuch, den katholischen Kaiser Leopold I. zum Luthertum zu bekehren, und den daraus entstandenen Schwierigkeiten; eine solche Absicht und Handlung entspringen nur aus echter Überzeugung. Entschlossenheit und Engagement galten nicht bloß Schreibtisch und Gesprächspiel.

Catharinas Bearbeitung einer Episode aus der römischen Geschichte, Porsenna Lars und Cloelia[34] betreffend, kann wie die Daphne-Apollo Szene als objektive Spiegelung persönlicher Ereignisse gelesen werden. Emblem, *inscriptio* und Sonett seien zunächst zitiert:

Diese führt im Schild / die dapfere Römerin Clölia / welche / als sie samt andern Jungfrauen dem König *Porsena* zur Geisel gegeben / aus Verlangen / ihre Ehre zu retten / von gedachtem König entflohe / und samt ihren Gespielen über die Tyber sezte; war die Beyschrifft:

Nur keck versucht!
Gefahr bringt Frucht.

Wann nur der Schlang' ihr Haubt bleibt ganz und unversehret /
ob schon der Leib zerstückt / so ist sie schon vergnügt:
weil in dem Haubt das Heil des ganzen Leibes ligt.
So Keuschheit / unser Haubt / uns todt und lebend ehret /
uns in Gefahr den Muht / im Tod den Ruhm vermehret
In aller Angst und Noht ganz ritterlich sie kriegt /
wie Alexander auch zu lezt die Welt besiegt /
nicht nur die Freund' erhält / ja gar die Feind bekehret /
wie Cloelia Porsen zu Ehr' und Höflichkeit.
Die Tugend ich erwehl zu üben jederzeit.
Soll ich den Tyber-fluß / viel Angst / auch übersetzen:
will ich mein Pferd / das Herz / ganz freudig treiben an.
Nichts liebers / als ich rett' / ich hier verlieren kan;
will mich in ihren Dienst auch sterbend seelig schätzen. (S. 344)

---

34 1660 überredeten die Ister Nymphen Stubenberg dazu, den *Clelia*-Roman von Scudéry zu übersetzen, deren fünf Teile in Nürnberg 1664 erschienen (vgl. Bircher, *Stubenberg*, S. 216ff.). Catharina verfaßte ein bedeutendes Widmungsgedicht für den ersten Band; das Gedicht ist im ersten Kapitel dieser Arbeit wiedergegeben. Bircher nennt es „das eindrucksvolle Zeugnis ihrer großen Verehrung für ihren Lehrmeister und Freund und zugleich die wohl schönste Würdigung des Menschen und Schriftstellers Stubenberg" (S. 285). Catharina muß also ihr Widmungsgedicht ungefähr zur selben Zeit beigesteuert haben, als sie die *Tugend-Übung* schrieb. Das Cloelia-Motiv kommt weder in den *Geistlichen Sonnetten, Liedern und Gedichten*, noch im *Glaubens-Triumf* vor.

Das Thema ist wiederum der Sieg standhafter Keuschheit. Diesmal entflieht die erfolgreiche Jungfrau dem Tod und „einem Schicksal schlimmer als der Tod," indem sie die Bedrohung durch einen Mann in „Ehr' und Höflichkeit" umwandelt. Nachdem der Etruskerkönig, Porsenna Lars, Rom besiegt hatte, forderte er vornehme Jungfrauen als Geiseln. Auch Cloelia war unter ihnen. Aber sie weigerte sich, ihr Schicksal anzunehmen, floh von Porsennas Lager und ritt durch den reißenden Tiber nach dem sicheren Rom. Porsenna war nicht gewillt, auf seinen Preis zu verzichten und verlangte die Rückgabe Cloelias. Dann aber, beeindruckt von ihrem Mut, ließ er sie frei und erlaubte ihr sogar, einige der übrigen Geiseln nach Rom zurückzuführen. Darum heißt es im Gedicht:

> . . . ja gar die Feind bekehret /
> wie Cloelia Porsen zu Ehr' und Höflichkeit. (S. 344)

Das Sonett, welches die Keuschheit besingt, beginnt mit dem emblematischen Argument von der Schlange, die um jeden Preis ihren Kopf schützt, denn der Kopf ist verantwortlich für das Wohl des ganzen Körpers. Dieses „Naturgesetz" wird im Hinblick auf die Keuschheit wie folgt interpretiert:

> Wann nur der Schlang' ihr Haubt bleibt ganz und unversehret /
> ob schon der Leib zerstückt / so ist sie schon vergnügt:
> weil in dem Haubt das Heil des ganzen Leibes ligt.
> So Keuschheit / unser Haubt / uns todt und lebend ehret /
> uns in Gefahr den Muht / im Tod den Ruhm vermehret. (S. 344)

Diese abstrakte Aussage wird schließlich in Bildern wiederholt, die auf Cloelias heroische Tat verweisen:

> Soll ich den Tyber-fluß / viel Angst / auch übersetzen:
> will ich mein Pferd / das Herz / ganz freudig treiben an.
> Nichts liebers / als ich rett' / ich hier verlieren kan;
> will ich mich in ihren Dienst auch sterbend seelig schätzen. (S. 344)

Wiederum ist eine gewisse Übereinstimmung zwischen dem Cloelia-Porsenna Motiv und der Catharina-Rudolph Situation nicht zu übersehen. Wie im Falle von Daphne-Apollo ist es auch hier das Setzen von Akzenten, was die persönliche Lage am deutlichsten ausdrückt. Die Schäferin betont in diesem Oktett den Kampf zwischen Keuschheit und Gefahr, fest auf den Sieg vertrauend, doch nur eine einzige Zeile ist dann Cloelias Erfolg in der Auseinandersetzung mit Porsenna gewidmet. Das Sextett zeigt die entschlossene Sprecherin auf der Seite von Tugend und Keuschheit in einer Situation, die immer noch voller Gefahr ist.[35] Cloelias heroische Flucht über den Tiber und nicht die Lösung ihres Dilemmas dominiert das Ende des Gedichtes. Ferner betont die Schäferin den ungewissen Ausgang der Episode; die Heldin ist bereit, für die

---

35 Vgl. Son. 83 „Auf die verfolgte doch ununterdruckliche Tugend."

Tugend zu sterben. Für Catharina waren die Jahre 1659 bis 1663 eine Zeit der Besorgnis und Ungewißheit, denn Hans Rudolph wollte von seinen Heiratsplänen nicht absehen. Die ersehnte Befreiung war weit entfernt.

Ein drittes Liebesemblem stellt eine weitere Version des Tugend-Keuschheit-Freiheit Themas dar, und auch hier kann der Leser das Emblem als Ausdruck eines verschleierten Geständnisses betrachten. Die dritte Schäferin wählt als ihr heroisches Emblem „die viel ehe zu sterben / als ihre Freyheit zu lassen / entschlossene Königin Cleopatra / wie sie / um Octavianen nicht zur Beute zu werden / die Schlang an den Arm warffe / mit der Beyschrifft:

Diß alles liebt /
was Freyheit giebt." (S. 335)[36]

Das Motiv wird wie folgt interpretiert:

Die Freyheit ist viel mehr / als Gut und Blut / zu lieben.
in Inden ist kein Schatz / der sie genug bezahlt.
von ihrem wehrten Lob die Fama stätig schallt.
Fast alle dapfre Leut in ihrem Dienst sich üben.
Sie stürzet diesen bald / der sie droht zu betrüben.
Und wann das Unglück auch gar auf sie Donner-strahlt /
so endt das Leben sich / eh als die Freyheit fallt.
Sie ist Cleopatren auch unverletzt geblieben.
Das Leben schlägt sie eh / als diese / in die Schanz.
Ein frey Gemüt liebt mehr des Marmor-grabsteins Glanz /
als Ketten von Rubin / die seine Freyheit binden.
Ich liebe sie auch hoch / wie diese Königin:
führ drum ihr Bild im Schild / und ihren Sinn im Sinn /
will lieber Schlangen-biß / als Freyheit-Raub entfinden. (S. 336)

Catharina ist nicht an den amourösen und politischen Qualitäten Kleopatras interessiert, sondern befaßt sich mit ihrem heldenhaften Tod. Offensichtlich folgt sie genau der Darstellung des Plinius, welcher Kleopatras Bemühungen, sich und ihren Kindern trotz ihrer militärischen Niederlage möglichst viel Unabhängigkeit zu bewahren, hervorhebt. Aus Oktavius wird ein Ausbeuter: Kleopatra wählt den Tod, „um Octavianen nicht zur Beute zu fallen." Indem sie des „Marmor-grabsteins Glanz" den „Ketten von Rubin" vorzieht, scheint Catharina ein kostbares Liebesandenken und nicht nur Reichtum abzulehnen, denn der Rubin war ein Edelstein, mit dem die petrarkistischen Dichter die körperliche Schönheit ihrer Geliebten verglichen; es soll auch daran erinnert werden, daß der Rubin die „Feuer brennende Liebe" darstellt.[37]

36 Vgl. Emblematische Gemüths-Vergnügung ... (Augspurg, 1693), S. 13, pictura 15, „Ein Weibsbild / das sich selbst entleibt" mit der inscriptio „Ein guter Nam geht über alles."
37 Vgl. Harsdörffer, Trichter, II, 379.

Die Idee der Freiheit ist ein wichtiges Leitmotiv in der *Tugend-Übung*; wenn wir die verschiedenen Formen des Wortes „Freiheit" zählen, finden wir zwölf Stellen, das heißt, es ist eines der meistgenannten abstrakten Begriffe des Emblembuches.[38] Hans Rudolphs Liebe war nicht nur eine Bedrohung der Tugend und Keuschheit Catharinas, sondern in mancher Hinsicht auch ihrer Freiheit.

Wer sich versucht fühlt, das Übertriebene dieser Situation, in der Schäferinnen stoisch den Tod der Unehre vorziehen, zu belächeln, sollte daran denken, daß ein Dichter wie Lessing ein ähnliches Thema mit gleichem Ernst in *Emilia Galotti* dramatisiert hat, wo uns Emilia mehr oder weniger glaubwürdig vorkommt. Von der Keuschheit weiß auch Harsdörffer zu sagen: „Eine keusche Jungfrau soll lieber sterben wollen / wie Susanna / als in die Befleckung willigen."[39]

Die von der dritten Schäferin so hochgepriesene geistige Freiheit ist auch das Thema des heroischen Emblems der siebten Sprecherin. Es heißt:

Zur Entdeckung ihrer Tugend-neigung / führet sie im Schild eine mit Ketten gebundene *Fortuna* oder Heidnische Glücks-Göttin / welche ein vom Himmel herabfliegendes Frauen-Bild / die Gemüths-Freyheit / mit Füssen tratte; bey dieser Schrifft:

Wer selber sich besiegt /
lebt ohne dich vergnügt.[40]

Des blinden Glückes Gunst / die Blitz-verflischend Ehre /
Der Kronen Hoheit-glanz / des Reichtums schnöder Schein /
der Freuden eitler Wahn / die kalten Edel=Stein /
Die Flücht= und Nichtigkeit: der keines ich begehre:
nur zu des Herzens-wonn und süssen Ruh mich kehre.
Es muß die ganze Welt dem unterworffen seyn /
der selber sich beherrscht. Die Ruh' es ist allein /
um welcher willen ich die Schätz der Welt entbähre.
Es ist ja / wie der Mund des Höchst-Weltweisen spricht /
wer seines Muthes Herr / mehr / als der Städt gewinnet.
Von jenen wird gar bald der Lüste Heer vernicht.
Ich lieb' auch diesen Sieg / und bin also gesinnet /
daß ich mich seelig schätz' / ob mir schon alls gebricht.
Die Ruh' ist solch ein gut / das nimmermehr zerrinnet. (S. 347)

---

38 Abgesehen von Strukturwörtern erscheinen lediglich Wortformen um „Liebe" (32 mal) „Gott" — einschließlich „Höchster" und „Ewiger" — (18 mal) „Tugend" (16 mal) und „Herz, manchmal auch stoisch gefärbt, (14 mal) in der Wortzählung häufiger als „Freiheit."

39 Vgl. Harsdörffer, *Nathan und Jotham,* Jotham, Tugenden II, LVIII „Die Keuschheit Spruch XIV. Siehe auch das Gedicht „Die Betrübte unschuld!" Strophe 5, zit. unten, S. 151.

40 Kirchner reproduziert verschiedene Embleme, in denen die Fortuna auf ihrem eigenen R; gebunden erscheint, in seiner Studie *Fortuna in Dichtung und Emblematik des Barock* (Stuttgar 1970), Abbildungen Nr. 21–23.

Die *pictura* erinnert an Lied II der *Sonnette, Lieder und Gedichte* mit dem Titel „Lob=Lied / Der Schönen Euthymia oder Gemüts=Ruhe." Die geistige Freiheit und die Gemütsruhe, die im heroischen Emblem hervorgehoben sind, resultieren aus dem Ablehnen von Welt und *Fortuna* und durch stoische Selbstbeherrschung, ausgedrückt in Zeilen wie den folgenden:

Es muß die ganze Welt dem unterworffen seyn /
der selber sich beherrscht ... (S. 347)

und

Es ist ja / wie der Mund des Höchst-Weltweisen spricht /
wer seines Muhtes Herr / mehr / als der Städt gewinnet. (S. 347)

In ähnlicher Weise lobt das Gedicht über Euthymia die „Gemüts-Ruhe" als „Spiegel ja rechts selbständiges Wesen" (S. 256). Die Schäferin hebt ferner hervor, daß die Person, welche über sich selbst Herr ist, nicht nur die Welt und *Fortuna* überwindet, sondern gleichzeitig ein Heer von Begierden:

Von jenen wird gar bald der Lüste Heer vernicht. (S. 347)

Der Plural „Lüste" erlaubt es, das Wort negativ zu deuten als Begierde, ein Vorwurf, den sich wahrscheinlich weder die Schäferinnen noch Catharina machen würden. Würde es wohl zu weit führen, hinter diesem Wort einen leisen Vorwurf an Hans Rudolph hören zu wollen? Schließlich hat ihr Onkel der Nichte einen Platz in seinem Ehebett angeboten.

Die verbleibenden heroischen Embleme handeln von Vaterlandsliebe und Heldentum. Die vierte Schäferin erwählt als ihr Emblem die Figur des Römers Marcus Curtius,[41] „wie er mit dem Pferd / dem Vatterland zu gut / in die vergiffte Grube gesprungen; die Beyschrift ist:

Zum Vatterlands-genieß /
wird Gifft und Galle süß.

Es solt ein tapfers Herz das Leben so nicht lieben
daß es dasselbe nicht / nächst GOtt / dem Vatterland
zu schenken sey bereit in seinem Unglücks-stand.

---

41 „Marco-Curzens-grube" wird auch genannt in Catharinas Andachtsbuch über die *Leiden und Sterben CHRISTI*, S. 257. Vgl. auch Fabianus Athyrus (=Harsdörffer), *Lehr= und sinnreiche Hertzens=Spiegel* (Nürnberg, undatiert), Emblem LXV „das Patriotische Herz." Der Held wird hier M. Curtius genannt, aber der Vorfall ist der gleiche. Die *inscriptio* kommt der Formulierung Catharinas sehr nahe:

Der lebet nach dem Todt der mit Mannvester Hand,
sein junges Leben lässt, Zu dienst dem Vatterland.

Harsdörffer erwähnt den römischen Helden wieder in seinem *Trichter* II, 245 und III, X, 100. Siehe ferner auch Ripa, *Iconologie* in der Hertel Ausgabe (Augsburg, 1704), Emblem XXXV, wo Marcus Curtius „Künheit" wie folgt illustriert: „Adispice quid valeant, que tendant ardor amorque."

Der eigene Verlust soll keineswegs betrüben /
wann man nur Anlaß hat ein Tugend-that zu üben.
   Es ist viel besser/ todt durch Großmut seyn bekandt /
   als leben ohne Nutz auf Erden voller Schand.
Man soll die tödtlich' Hülff' auf andre nicht verschieben /
   vielmehr ganz eilend selbst dazu entschlossen seyn /
   und sich / das Vatterland zu setzen auser Pein /
bald stürzen in die Grub: die uns zwar kan verschlingen
   den sterblich-schwachen Leib / doch wächst ein schöne Blum
   aus dieser Erden auf ein ewig-hoher Ruhm /
der unsrem Leben kan ein neues Leben bringen. (S. 338f.)

Die Legende berichtet, daß sich im Jahre 362 v. C. im römischen Forum ein großer
Abgrund auftat, der nicht aufzufüllen war. Das Orakel weissagte, er könne nur gefüllt
werden, wenn man das, worauf die Größe Roms beruhe, hineinwerfe. Dann würde
auch der Staat gedeihen. Marcus Curtius erklärte, daß ein römischer Bürger mit Mut
und Waffe Roms größter Schatz sei, und ritt darauf, in voller Rüstung auf seinem Pferd
in den Abgrund, der sich über ihm schloß. Für Catharina bedeutet Selbstaufopferung
für das Vaterland einen Akt der „Großmut," eine „Tugendthat," die unvergängliche
Ehre bringt. So ist Marcus Curtius eine geeignete *impresa* für Catharina Regina von
Greiffenberg in ihrer Rolle als österreichische Patriotin. Ihre religiöse Überzeugung
hindert sie nicht daran, das Haus Habsburg zu unterstützen wie ihre *Sieges-Seule* und
eine Anzahl von Widmungsgedichten zeigt. Catharina befand sich unter den vielen
Österreichern, die anläßlich der Krönung Leopolds I anno 1658 Gratulationsgedichte
schrieben. Obwohl sie heute verloren sind, wissen wir, daß Catharina Figurengedichte
in der Form verschiedener kaiserlicher Insignien verfaßt hat. In einem Brief an Birken
erwähnt Johann Wilhelm von Stubenberg, Catharinas Mentor, „eine Krone, Reichsstab
Schwert, Apfel u. Adler."[42] Zudem ist ihre *Sieges-Seule der Buße und Glaubens* ein
Aufruf an ihre Landsleute, im Namen des Christentums und Österreichs den Türken bis
zur Selbstaufopferung Widerstand zu leisten. In der Vorrede zu diesem Werk schreibt
Catharina: „die Liebe des Vatterlandes / ist der Kern aller Tugenden / der Mittelpunct
der Erbarkeit / und eine unumgängliche Schuldigkeit aller Menschen / sonderlich der
Tugendlichen."

Das Lob der fünften Schäferin gehört dem Mut und der Durchhaltekraft, die am
Beispiel von Herkules im Kampf mit der Hydra gezeigt werden. Das Motto verspricht
einen siegreichen Ausgang:

Wer nur fort sezt /
gewinnt zu lezt. (S. 341)[43]

---

42 Siehe oben, S. 11.
43 Vgl. SLG, S. 401 und auch E. 2646.

Die im Motto ausgedrückte Zuversicht finden wir auch wieder in der letzten Zeile des Sonetts:

Der Unnachläßlichkeit muß endlich als gelingen (S. 341).

Eines der heroischen Embleme wurde hier nicht besprochen und soll im Zusammenhang mit den Liebesemblemen zur Sprache kommen, weil es einen anderen und neuen Aspekt in der Frage der Übereinstimmung zwischen den objektiv scheinenden Emblemen und dem privaten Leben der Autorin beleuchtet.

DIE PERSÖNLICHEN LIEBESEMBLEME

Die geistlichen und heroischen Embleme sind, wie zu erwarten war, ernsthafter Natur. Von den Liebesemblemen hingegen, die von den sieben „lustwehlenden Schäferinnen" aus „Schertz" in die *Übungen* eingeschlossen werden, dürfte man einen leichteren Ton erwarten. Zu unserem Erstaunen finden wir aber auch hier verhältnismäßig wenig spielerischen Petrarkismus, und trotz der pastoralen Einkleidung der *Tugend-Übung* fehlen schäferische oder idyllische Elemente fast ganz. Eine Schäferin, (die erste) singt von der Liebe, die auch im Unglück fortbesteht, eine andere (die fünfte) redet von Liebe als „lauter Geist"; nicht weniger als drei (die zweite, dritte und sechste) loben die Beständigkeit der „Tugend-Lieb," während die übrigen zwei (die vierte und siebente) Kupido als „das blinde Kind" und einen „ungewissen Schützen" ablehnen. Nur in zwei Sonetten hören wir leichtere, petrarkistische Anklänge, aber auch in diesen Gedichten wird die weltliche und sinnliche Liebe abgelehnt.

Die vierte Schäferin wählt „ein silbernes Sprützlein"[44] als ihr „lieb-geschenke" mit dem Motto :

Diß ist gut
für die glut. (S. 339)

Das Sonett ist ein gelungenes Stück heiteren Antipetrarkismus', zumindest im Oktett und Terzett:

Amor! ich rath' dir's nicht / daß du mich schiest: ich spritze
und lesche deine Hitz mit Lethens Wasser aus.
Erkühne dich nur nicht / zu kommen in mein Haus /

---

44 Lohenstein gelingt es, in einem dramatischen Text eine emblematische Spritze mit vollem Ernst zu verwenden, was mit Catharinas antipetrarkistischem Sonett viel gemeinsam hat. In *Ibrahim Bassa* führen Vernunft und Begierde ein Streitgespräch über ihre Kraft und Macht in bezug auf die Menschen. Eine Rede der Begierde beginnt mit: „Dis ist der Pfeil . . ." worauf die Vernunft antwortet:

Dis ist der Zaum / die ist die Spritze
der wider deine Pfeile kämpfft
. . . .   (II, 259 ff.)

viel minder in mein Herz / du ungewisser Schütze!
ich spritz Kaltsinnigheit in deine Feuer-blitze /
und plage dich so lang / bis du nach grossem Straus /
mich noch Sieg-prachten lässt und must mit Schand hinaus.
Gelt / gelt! mein Sprützlein lescht des goldnen Pfeiles Hitze!
Du weinst / verzagtes Kind! des bin ich erst recht froh.
Die Thränen fang' ich auf / mein Sprützlein mit zu füllen.
Verdriest's dich / so versuch dein Heil nur anderswo. (S. 339)

Das Schlußterzett, welches wie eine *impresa* die Einstellung der Dichterin zeigt, hat allerdings einen ganz andern Ton; die spielerische Neckerei ist verschwunden, Catharina bekennt sich zur „Freyheit":

Ich aber bleibe stät bey dem beglückten Willen /
daß ich dein Macht verlach' / und Freyheit lieb' also /
daß sie mich nur allein vergnügen kan und stillen. (S. 339)

Auch die siebente Schäferin will nichts von „dem blinden Knaben" wissen, der von alters her die blinde, sinnliche Liebe verkörpert.[45] Als Liebeszeichen wählt sie „ein mit Demanten verseztes Herzlein / mit einer geschmelzten Lorbeer-Kron," mit dem Motto:

unverlezlich /
höchst ergetzlich. (S. 348)

An ihrem diamantharten Herzen prallen Kupidos Pfeile ab, obschon er seine ganze Kunst darauf verwendet, sie ihrer Freiheit zu berauben:

Er mag mit tausend-list auf meine Freyheit zielen. (S. 348)

Ihre Ablehnung der weltlichen Liebe faßt sie in den folgenden Bildern zusammen

. . . . Der Lorbeer soll mich zieren /
nicht deine Dornen-Ros' und Myrten-Sträuchelein. (S. 348)

In diesem Textzusammenhang steht der Lorbeer nicht nur für des Siegers Krone sondern hat auch Assoziationen mit Keuschheit (er ist doch die geheiligte Pflanze de Vestalinnen); ferner wird auch noch Daphnes besonderer Sieg, der Sieg der Tugen über die Lust, in Erinnerung gerufen. Indem sie Kupidos „Dornen-Ros" ablehnt wendet sich die Dichterin von einer Freude ab, die stets mit Kummer und Schmer: verbunden ist. Auch die Myrte ist nicht nur der Venus und damit der sinnliche Liebe,[46] zugehörig; sie war ebensosehr mit der Heirat verbunden. Im ganzen gesehen is der Ton in diesem Sonett weniger spielerisch als in dem vorher besprochenen. Ir Schlußterzett macht die Dichterin dann vollends klar, daß sie weder zum Scherze aufgelegt ist, noch die Rolle der hartherzigen petrarkistischen Dame spielt:

45 Vgl. Erich Jacobsen, *Die Metamorphose der Liebe in Spees ‚Trutznachtigall'* (Kopenhagen 1954), und C. D. Gilbert, „Blind Cupid", *Journal of the Warburg and Courtauld Institutes* XXXIV (1970), 304f.
46 Vgl. Guy de Tervarent, *Attributs et Symboles dans l'Art Profane, 1450—1600* (Genèv [Suisse], 1964), Spalte 281f.

Du meinst es sey nur Scherz / ich wolle mich vexiren.
Nein! nein! ...   (S. 348)

Die beiden letzten Zeilen verbinden die Themen der heroischen Embleme und der Liebesembleme, indem sie noch einmal mit Entschiedenheit wiederholen, daß die Dichterin ihr mutiges Herz der „Ruhe" und „Freyheit" widmet:

Nein! nein! die süße Ruh soll mir das Liebste seyn /
mein dapfers Herz soll nichts als Ruh und Freyheit spüren. (S. 348)

Diese zwei Liebessonette sind also leichtere Variationen der Themen und Überzeugungen, die in den klassisch-heroischen Emblemen Ausdruck fanden, wo Daphne, Kleopatra und Cloelia Catharinas eigene Haltung in der durch Hans Rudolph verursachten Krise sowohl verschleiern als auch enthüllen.

Diese beiden sind die unbeschwerteren der Liebessonette, alle Scherze gehen auf Kosten der weltlichen und sinnlichen Liebe. Doch wie wenig Spielerei und wie viel Ernst in diesen Liebesemblemen, als Gruppe gesehen steckt, zeigt mit aller Deutlichkeit die zweite Schäferin. Ihr Liebeszeichen ist „eine Stählern Nadel in der Form eines Degens / mit dem Sinn-spruch:

Beständigkeit-Degen
kan alles erlegen!" (S. 334)[47]

Das Sonett beschreibt nicht so sehr die Liebe, obschon von „Tugend-Lieb" die Rede ist, sondern preist vielmehr den stoischen Durchhaltewillen, den die Liebe in Zeiten der Anfechtung zeigen muß.

Diß ist das starke Schwerd / die Liebe zu bewahren
es heisst Beständigkeit / die sie allein beschuzt /
und alle ihre Feind mit fästem Stachel truzt.
Der Liebe Sieg' und End / bestehet im Beharren.
Pracht / Höflichkeit und Dienst / nimmt Endschafft in Gefahren.
Aus Treu / wird auch offt Reu / wann Neid sie hoch aufmuzt.
Der all-entschloßne Will vor viel Begegnung stuzt.
Beständigkeit nur pflegt mit Ewigkeit zu paaren.
Die löblich Tugend-lieb die scheut kein Ungelück.
Dis Edle stählern Schwerd schlägt alle Feind zu rück.
Kein Neid / kein falsche Zung / kein Zeit noch Leid kan machen /
kein Gott noch Göttin selbst / daß dieses Schwerd zubricht:
es gleichet Cephals Spieß / kein Marmor schadt ihm nicht.
Kurz: die Beständigkeit / beherrschet alle Sachen.

Das Schlüsselwort „Beständigkeit" hat einen dominierenden Platz am Anfang, in der Mitte und am Ende des Gedichts; es erklingt auch in Variationen wie „Beharren"

47 Vgl. E. 1500.

und „Der all-entschloßne Will." Die Widersacher dieser „Tugend-lieb" sind „Ungelück," „Neid" (zweimal genannt), „falsche Zung" und „Leid," genau die Feinde, von
denen Catharina in sehr privaten Briefen und Gelegenheitsgedichten an Birken spricht.
Es sind dies die Verleumdungen und Angriffe gegen ihre Ehre und Religion und später
auch gegen ihre Ehe, zu Lebzeiten ihres Gatten und sogar nach dessen Tod. Catharina
gesteht in diesem Sonett sogar, daß Treue zum Geliebten oder auch Liebenden
angesichts von Neid und Verleumdung oft Reue bringt:

> Aus Treu / wird auch offt Reu / wann Neid sie hoch aufmuzt.

Die erste Schäferin erläutert in ähnlichem Sinn das Wesen der Liebe unter widrigen
Umständen: „Zu ihrer Liebes-anzeigung / schenket sie / einen aus dem Meer genommenen erötenden Corallen / mit dem Sinn-spruch:

> Lieb / ohne Noht /
> ist gleichsam todt. (S.331)[48]

Das Oktett beschreibt wie die Koralle ihre Schönheit und Farbe erhält, wenn sie dem
schützenden Meeresboden entrissen und „Unfried / Pein / und Qwal" ausgesetzt wird.
Die Interpretation erinnert an die bereits zitierte, von der zweiten Schäferin
geschilderte Lage:

> So / heisse Lieb sich auch nur zeigt im Nöhten-fall
> wann Boßheit / Neid / und Streit / wie Donner / einer blitzet. (S. 331)

Von der dritten Schäferin erfahren wir Näheres über die besondere Art Liebe, wie
Catharina sie sich vorstellt. Diese Schäferin stellt den Begriff der Liebe in einem
äußerst sinnreichen Zeichen dar: „ein uneingehängtes Kettlein / welches wechselweis
ein Messinges (in welchem zu beyden Seiten ein kunst-gefasster Magnet war) und
Eisernes Glied hatte / da vor sich selbst die Glieder durch des Magneten Krafft
zusammen gezogen und gehalten wurden / ohn einige Einhängung / mit dem
Sinn-spruch:

> Der Tugend Krafft
> was sonders schafft." (S. 336)[49]

Die im erläuternden Sonett beschriebene Liebe ist weder die körperliche Liebe
zwischen Mann und Frau noch die geistige Liebe zwischen Mensch und Gott, sondern
die „Tugend-lieb."

> Gebundne Freyheit ist die Tugend-lieb zu nennen /
> ein williger Verhafft / ein freye Dienstbarkeit /
> ein ungezwungner Zwang / ein Herrschung voller Freud.

---

48 Vgl. E. 361f.
49 Siehe E. 83 für Embleme über die Kraft des Magneten.

Ihr' Eigenschafft man kan an diesen Kettlein kennen.
Die Glieder sind ganz frey / doch gleichwol nicht zu trennen.
Der Tugend Liebes-krafft in Freyheit hält allzeit.
Von Ziehstein sind die Werk der Tugenden bereit /
die auch die Eisnen Sinn nach ihnen machen rennen.
Die Tugend ist so stark / daß alles ihr anhängt:
doch so bescheiden auch / daß nichts mit Macht sie fängt.
Zwar sie bedörft es nicht: weil man sich gnug kan freuen /
wann man gewürdigt wird mit ihrer Edlen Gunst.
es wird recht in das Herz gepflanzet ihre Brunst /
die pflegt je mehr u. mehr sich lieblich zu verneuen. (S. 337)

Aber was bedeutet „Tugend-lieb" eigentlich? Wie wir diese Wortzusammensetzung
erstehen, hängt von der grammatischen Interpretation in bezug auf die beiden Teile
b; ein zusammengesetztes Hauptwort kann mehrere Funktionen erfüllen, die in etwa
mit den Funktionen des Genitiv-Falles vergleichbar sind: genitivus objectivus, genitivus
partitivus und genitivus definitivus oder explicativus. „Tugend-lieb" kann also „die
Liebe zu der Tugend" (Objekt) oder „die tugendhafte Liebe" (Identität) bedeuten,
wobei im letzteren Falle „Liebe" und „Tugend" einander gleichgesetzt werden
können. Das Motto „Der Tugend Krafft / was sonders schafft" deutet, daß die Tugend
der Ursprung und nicht das Objekt des moralischen Handelns ist; dieser Eindruck wird
im Sonett bekräftigt durch Aussagen wie: „Der Tugend Liebes-krafft in Freyheit hält
allzeit" (S. 337). Diese „Tugend-lieb," als „tugendhafte Liebe" verstanden, kommt
zweimal vor und ist auch in einer Anzahl von bekannten petrarkistischen Antithesen
umschrieben:

Gebundne Freyheit ist die Tugend-lieb zu nennen /
ein williger Verhafft / ein freye Dienstbarkeit /
ein ungezwungner Zwang / ein Herrschung voller Freud.
Ihr' Eigenschafft man kan an diesen Kettlein kennen. (S. 336)

Wenn sich die „Glieder" dieses „Kettleins" auf zwei Personen beziehen — auch
tugendhafte Liebe braucht einen Partner — dann scheint Catharina zu sagen, daß Liebe
zwei Menschen zusammenbringt, die insofern frei bleiben, als keines dem anderen
Zwang antut, und doch sind sie unzertrennbar verbunden:

Die Glieder sind ganz frey / doch gleichwol nicht zu trennen. (S. 337)

Liebe dieser Art kann ohne Freiheit nicht bestehen:

Der Tugend Liebes-krafft in Freyheit hält allzeit. (S. 337)

Die einer solchen Liebe innewohnenden Tugenden wirken wie Magnete auf die
fernen Sinne und ziehen sie an:

Von Ziehstein sind die Werk der Tugenden bereit /
die auch die Eisnen Sinn nach ihnen machen rennen. (S. 337)[50]

Diese „Eisnen Sinn" kann man als die bereits in Kupido dargestellten niederen
Instinkte und Begierden verstehen, die hier von der tugendhaften Liebe gezügelt und
geleitet werden. Ist dies nicht die charakteristische Idealisierung der Macht der Frau,
wie man sie in gewissen petrarkistischen Stimmungsbildern findet?

Wenn wir die Einzelheiten in Catharinas Emblem genau betrachten, können wir die
Teile des Kettleins, Messing und Eisen, zusammengehalten durch die Kraft des
Magnets, als Frau und Mann deuten, die durch „Tugend-lieb" oder „Der Tugend
Liebes-krafft" vereint sind. Es muß ferner beachtet werden, daß die Beschreibung die
Magnete mit dem Messing verbunden haben will und nicht etwa als unabhängig
darstellt, was dann als Kraft von außen auf Messing und Eisen, also auf Frau und Mann
einwirkend, zu verstehen wäre. Harsdörffer berichtet von einer solchen letzteren
Möglichkeit in den *Gesprächspielen:*

. . . eine Geistliche Genoßenschafft (der Jungfrauen Maria zu Ehren vermeint) [hat]
zu einem Sinn-Bild erküset eine eiserne Ketten / welcher Gelieder / nicht wie
sonsten ineinander geschlossen / sondern mit Magnet bestrichen fäst aneinander
hangen / mit dieser Umbschrifft: Auff unbekannte Weiß Verstehend / das Band der
Gottesfurcht / halte sie durch unsichtbare Wirkung zusammen. (F. G. II. 7 f.)[51]

50 Vgl. Philotheus,*Christliche Sinne-Bilder auß dem Lateinischen* (Heidelberg, 1674), S. 276,
wo ein Emblem des Kompasses und des Nordsterns „te solam quaerit" bedeutet oder: „Diesen
Schein / such ich allein." Der Kommentar deutet das Emblem auf die Beziehung von Tugend und
Begierde aus: „Und fürwahr kein Ding hat solche Krafft / das Gemüth von den jrdischen Begierden
abzuziehen / oder die Leibliche Wollüsten zu bezwingen / als die göttliche Lieb / welche wann sie
(S. 277) einmahl deß Menschen Hertz eingenommen / und sein Verlangen und Begierden allein
darin richtet; Von dem Magnetstein weiß man / daß er sich allezeit nach dem Norden wende . . ."
(S. 278). Für Harsdörffer bedeutet Magnetismus „Standhaftigkeit," vgl. *Trichter* II, S. 334.

51 Harsdörffer machte verschiedentlich Anspielungen auf das Emblem der Magnetkette. So
erfand er ein Emblem für die Fruchtbringende Gesellschaft, eine Kette mit einem Magnetstein in
der Mitte, welcher die Glieder zusammenhält; das Ganze getragen von einem Adler. Das Motto
lautet: „Allen zu Nutzen" und wird von Harsdörffer anhand einer wortspielerischen Anspielung auf
den Namen des Gründers der Gesellschaft erklärt, „deren Mitglieder durch besagte Anhaltende
Tugend aneinander hangen" (F. G. IV, 226). Im erklärenden Gedicht wird die Idee wie folgt
ausgeführt:

. . .
Von Anhaltischer Tugend löblichem Stammen /
Die Fruchtbringenden ihre Wurzelkraft finden!
unsre herrliche Teutsche Zunge beschutzen /
und mit Fürstlichen Gnaden halten zusammen /
bringt vielfältige Frücht' uns allen zu Nutzen.

Und nur sechs Jahre später verweist Harsdörffer wiederum auf die Magnetkette; diesmal in einem
Lehrgedicht über die Fruchtbringende Gesellschaft, welches in *Jotham . . .* Erster Theil (1650)
veröffentlicht wurde: „Der Christlöbliche und Teuschliebende Fürst / Ludwig von Anhalt / hat mit
Magnetischer Tugend alle Sprachliebende angehalten / einen Kunstgarten anzupflanzen . . ."
(*Jotham* LV). Natürlich blieb ein solches Emblem von einem so bedeutenden Mitglied der
Gesellschaft nicht unbeachtet. Harsdörffers Emblem wird abgebildet und die Erklärung zitiert in
Caspar von Hilles *Teutschen Palmbaum* (Nürnberg, 1647), S. 65f. Georg Neumark ließ in *Der
Neusprossende Teutsche Palmbaum* (1668) Harsdörffers Emblem und Gedicht neu drucken und
fügte eine neue Abwandlung des Themas von Caspar von Hille und eine längere eigene hinzu.
Neumarks Gedicht lautet:

Da in Catharinas Liebesemblem ausdrücklich auf Messing hingewiesen wird, welches Metall eine sanftere und wärmere Farbe hat, und da die magnetische Kraft des Kettleins von ihm ausströmt, versinnbildlicht es die Anziehungskraft der fraulichen „Tugend-lieb" auf den Mann, wobei Eisen oft Kraft, Arbeit und Kriegertum verkörpert.[52] Diese Analogie ist im Werk der geistreichen Dichterin, die sich sehr bewußt und deutlich auszudrücken weiß, nicht zu weit gesucht. Eine solche Lesart würde also bedeuten, daß Catharina die Tatsache akzeptiert, daß sie unbefragt und ungewollt die Ursache und der Gegenstand der Liebe ihres Onkels ist, welche sie nun versucht, in annehmbare und sichere Bahnen zu lenken. Die „Eisnen Sinn" könnten sich also nicht zuletzt auf Hans Rudolphs sinnliche Begehren beziehen. In einem Brief an Caspar von Lilien schreibt Birken, daß sich Catharina ihrer Verantwortung für Hans Rudolphs Liebe und seinen sich verschlechternden körperlichen und seelischen Zustand bewußt sei, „als (zwar unschuldige) Ursächerinn" (zit. Frank, S. 43). Eine sorgfältige Interpretation von Catharinas Verwendung des Daphne-Mythos und des magnetischen Kettleins weist ähnliche Bezüge auf.

In diesen Sonetten sind die Wörter „Tugend" und „Liebe" als praktisch gleichbedeutend zu verstehen; sie sind zwar so allgemein in ihrer Verwendung, daß sie sich einer näheren Definition entziehen, aber es wird doch deutlich, daß eine Liebe gemeint ist, die vor Gott und den höchsten moralischen Anforderungen bestehen kann. Obwohl Catharina ihren gebildeten Zeitgenossen als wahres Wunder der Gelehrsamkeit erschien, haben wir keinen Grund, in ihr deswegen eine logische Philosophin mit einem hochdifferenzierten Tugend-Wertsystem zu sehen.

Die fünfte Schäferin erlaubt uns weitere Einsicht in den Begriff der Liebe in der *Tugend-Übung.* „Zum Liebesgeschenke / gab sie ein kleines Kunst-Uhrwerk / welches eine ewige oder stäte Bewegung hatte / mit dem Spruch:

Ich pfleg zu stehn
im nie-vergehn." (S. 342)

Liebe ist „lauter Geist", dessen Ursprung und Ziel die Ewigkeit ist:

er flieget / eilet / laufft nach seinem ersten Ziel.
Das ist die Ewigkeit / die nimmermehr aufhöret. (S. 342)

Wie der Stahl= und Eisenstein / den man dort im Norden findet /
Welchen die Natur gepflanzet ins Magneser=Klippenfeld
Die bestrichne Kettenglieder wunderlich zusammen hält /
Und sie durch verborgne Kraft gleichsam an einander bindet:
So auch bindet sich ein Freund / der nicht bloß auf Gut und Geld/
Oder auf den schöden |sic| Nutzen / die verfälschte Sinnen stellt.
Denn getreuer Freundschafts Pflicht wird durch Tugend nur entzündet.
Diß ist von der teutschen Zunft / von dem ädlen Palmenorden /
Welcher aller Sprachverderbung / und den Lastern hertzlich feind /
Der es / ohne persönlichs Ansehn mit einander redlich meint /
(Hoher Stand bleibt doch beehrt) auch in acht genommen worden.
Drum der Adler teutsches Reiches liebt selbst solch Gesellschaftsband /
Und wird es noch endlich fügen / in noch größern Ehrenstand. (S. 75)

52 Vgl. Harsdörffer, *Trichter* II, 93.

Wir finden mehr als nur eine Anspielung auf die neuplatonische Auffassung der Liebe als kosmische Kraft in den folgenden Zeilen:

> Dann von dem Ewigen die Lieb' ist ausgegangen:
> die würkt ohn' Unterlaß / und hat doch ewig Ruh. (S. 342)

Catharina denkt hier — wir kennen das von Silesius — an die Nebenbedeutung von „Unruh" als bewegender Teil des Uhrwerks.[53] Auf ihrem Lauf zur Ewigkeit muß die Liebe viele Hindernisse überwinden, die sie aber eher fördern als hindern:

> Wann auch die Liebe hat der Hindernüssen viel:
> so müssen sie doch selbst ihr dienen / wo sie wil; (S. 342)

Die Erwähnung von „Hinternüssen" verbindet dieses Sonett mit den beiden früheren über die Koralle und die Schwertnadel wie auch mit einem weiteren Emblem, von dem noch die Rede sein wird. Die sechste Schäferin befaßt sich mit dem Zusammenhang von „Liebe," „Tugend" und „Unglück," dargestellt an einem wohlriechenden „Rauchzeltlein"[54] mit dem Motto:

> Es riechet nicht /
> ohn Glut und Liecht. (S. 345)

So wie die Hitze bewirkt, daß das Kügelchen Duft absondert, muß die Glut der Liebe die Tugend entfachen, wenn diese ihre Bestimmung erfüllen soll:

> Der Tugend Rauch-gewürz muß Liebs-glut rauchbar machen:
> ohn solche / bleibt es thum. Die Lieb' erweckt die Krafft.
> Durch sie / wird ihm die Weis zu würken erst verschafft.
> Ohn Lieb die Tugenden sind ungeübten Sachen. (S. 345)

Das zweite Quartett erweitert das Argument, indem Unglück das Wort Liebe als Ursprung dieser Hitze ersetzt und somit kehren wir zurück zur Situation des Korallenemblems:

> Die Lieb' ist auch ein Rauch: wann sie beginnt zu krachen
> auf mancher Unglücks-glut / so gibt der spritzend Safft
> so lieblichen Geruch mit Stärkungs-krafft behafft.
> Der Liebe Geister-werk in dieser Hitz ausbrachen. (S. 345)

Die letzte Zeile bestärkt den Wert der Treue in der Liebe, welche das bittere Unglück versüßen kann:

---

53 Vgl. Silesius, *Cherubinischer Wandersmann*, I, 189.
54 Mit „Rauchzeltlein" ist wohl eine aromatische Substanz in Form einer Tablette oder eines Kügelchens gemeint, wahrscheinlich ein Weihrauchkorn. Der Ausdruck „Zeltlein" ist von Zelt oder „Zelten" abgeleitet und bedeutet „Gebäck" (Grimm, *Deutsches Wörterbuch*, XV, 626, 1) „Konfekt" (Grimm, XV, 626, 1b), „Heilmittel" (Grimm, XV, 626, 1c), „Pastillen" und „Pillen" (Grimm, XV, 626, 1c). Das einzige Beispiel für „Rauchzelt" in Grimm ist die nicht unbedingt appetitliche Feststellung „auf dem roszmist, da hast du schon rauchzeltle genug, so dich nicht kosten" (Grimm, XV, 626, 1b).

Ihr kan die hohe Treu die Bitterkeit versüssen. (S. 345)

Es ist ganz klar, daß die fünf eben besprochenen Liebesembleme verschieden sind von den beiden leichtherzigeren Ablehnungen der weltlichen Liebe, welche zusammen mit gewissen heroischen Emblemen Catharinas Abweisung der Liebe und des Heiratsantrages ihres Onkels wiederzuspiegeln scheinen. Diese fünf Liebesembleme zeigen die Bejahung der „Tugend-lieb" im Unglück, was, im Zusammenhang mit dem Problem um Hans Rudolphs Liebe gesehen, eine ganz andere Einstellung der Dichterin, ja eine eigentliche Kehrtwendung bedeutet. Es ist kaum anzunehmen, daß Catharina gleichzeitig zwei so entgegengesetzte Standpunkte vertreten konnte. Denn sie ist keine kapriziöse, petrarkistische Dame.

Die Themen dieser fünf ernsthaften Liebesembleme sind auch in persönlichen Gelegenheitsgedichten zu finden, und sie machen einen großen Teil vieler Briefe an Birken aus, die wahrscheinlich ganz kurz nach der Niederschrift der *Tugend-Übung* entstanden sind. Könnte es sein, daß Catharina in diesen Gedichten dem verleumderischen Gerede gegen die Familie der Greiffenberg begegnen wollte, indem sie so etwas wie Hans Rudolphs eigene Beweggründe zur Diskussion stellt und seine Liebe leicht idealisiert?

Oder ist es so, daß diese Sonette später entstanden sind, also zwischen 1663 und 1664 oder sogar noch später und demzufolge zeigen würden, daß Catharina sich mit der Tatsache der Liebe ihres Onkels und den daraus sich ergebenden Folgen abgefunden hat? Der einzige Beweis, den ich zur Unterstützung dieser Annahme anführen kann, ist im Sonett zum Korallenemblem enthalten. Unter Berücksichtigung der Rolle der Übersteigerung in der Barocklyrik scheinen die folgenden Zeilen den Ursprung von Catharinas Liebe im Sinne von „Tugend-lieb" zu beschreiben:

So / heisse Lieb sich auch nur zeigt im Nöhten-fall
wann Boßheit / Neid / und Streit / wie Donner einher blitzet.

In diesem Sinne wäre es Hans Rudolphs Liebe gewesen, welche den „Nöhten-fall" verursacht hätte, aus dem heraus dann Catharina Rudolphs Liebe später akzeptiert und schließlich in die Heirat eingewilligt hätte. Da in Catharinas Dichtung „Liebe" und „Tugend" nahezu gleichbedeutend und „Liebe" und „Tugend" axiomatisch verbunden sind, können auch die folgenden Zeilen einen Beweis für die neue Haltung ihrem Onkel gegenüber erbringen:

Dann wird die Lieb' erhitzt / und glümmt wie eine Glut:
weil nichts der Lieb so sehr / als Unglück / stärkt den Muht. (S. 332)

Der deutlichste Hinweis ist aber die Aussage:

Die Noht veranlasst sie zu tausend wunder-werk / (S. 332),

ein Satz, der sich mit großer Sicherheit auf ihren aufopfernden Entschluß bezieht, ihren Onkel zu heiraten. 1674 sollte Catharina, wie eingangs erwähnt worden ist, an einen ungenannten „hungarischen widersacher" ein Gedicht mit dem Titel „Die

Betrübte unschuld" schreiben, in welchem sie ihre Heirat mit Hans Rudolph mit einer Anzahl Auszügen aus Luthers Schriften rechtfertigt. In der sechsten Strophe des Gedichts beschreibt sie ihren Entscheid zum Ehebund:

Gott Weiß so Gutt Alß Jch, daß Meinen Freund Zuretten
Von Einem Doppel-Tod Jch in die Grub getretten,
im Glauben, Gottes-Forcht, mit Ehren, Raht und Treu.
Darum unfehig auch die Tugend Einer Reu! (zit. Black und Daly, S. 33)

Der Ausdruck „in die Grube treten" spielt wahrscheinlich auf Daniel in der Löwengrube an, eine Situation, die im vierten Sonett der Geistlichen Sonnette, Lieder und Gedichte sowie im Brief vom 1. Mai 1659 an Birken dargestellt ist. Die zitierte Strophe erzählt von einem „wunder-werk" der Liebe zu einer Zeit der größten „Noht." Birkens Bericht an Lilien zeigt dann ganz deutlich, daß Catharina ihren Widerstand gegen Hans Rudolph schließlich aufgab und diese Ehe als „göttliche Schickung" auf sich nahm (zit. Frank, S. 43).

Aus dieser Sicht wird das heroische Emblem von Äneas,[55] der Anchises aus dem brennenden Troja trägt, leichter verständlich. Falls dieses Emblem wirklich zwischen 1659 und 1663 aus Catharinas Feder entstanden ist und nicht einer anderen „Ister nymphe" zuzuschreiben ist, muß das Emblem als seltsam erscheinen, weil darin die kindliche Liebe des Äneas hervorgehoben wird. Catharina verlor ihren Vater Johann Gottfried, als sie erst acht Jahre alt war; seit 1641 war Hans Rudolph ihr zweiter Vater, der nun, 18 Jahre später, sie zu seiner Frau haben möchte. Es könnte zwar angenommen werden, daß dadurch Catharinas eigene Gefühle als „Tochter" und als Frau durcheinandergebracht worden seien. Doch eine zutreffendere Übereinstimmung mit ihrem Privatleben könnte gefunden werden, wenn es sich zeigen ließe, daß das Gedicht später entstanden war, zu einer Zeit, da sie sich schon zur Heirat entschlossen hatte oder sogar schon verheiratet war. Die Dichterin ist ihrem Mann durch alle Schwierigkeiten hindurch stets zur Seite gestanden, aber er muß ihr doch noch sehr lange eine Vaterfigur bedeutet haben.

DIE STOIZISTISCHE HALTUNG IN DER TUGEND-ÜBUNG

Dem Leser der Tugend-Übung kann auch bei einem flüchtigen Durchlesen der Übungen „lustwehlender Schäferinnen" das Vorhandensein einer neo-stoischen Geisteshaltung nicht entgehen. Dies ist vielleicht nicht weiter erstaunlich, wenn man bedenkt, daß sogar der deutsche Schäferroman des 17. Jhs. Stellen aufweist, die entschieden anti-petrarkistisch sind und gelegentlich neo-stoische Ethik als Prüfstein

---

55 Vgl. Sieges-Seule, S. 2f. Ferner auch Alciatus (Paris, 1542), Emblem LXIX mit de inscriptio „Pietas filiorum in parentes"; Jacob de Zetter, Speculum Virtutum et Vituorum .. (Frankfurt, 1619), S. 24f.

der Kritik aufweisen.[56] Wie allgemein bekannt ist, fand der Barock die neo-stoische Ethik und die christliche Religion durchaus vereinbar. Der Humanist folgte darin einer Tradition, die auf das frühe Christentum zurückgeht. Hieronymus hat Seneca nicht nur hochgeachtet, sondern vertrat sogar die Ansicht, daß die stoische Philosophie mit dem Christentum gut vereinbar sei: „Stoici nostro dogmati in plerisque concordant."[57] Der einflußreiche niederländische Philosoph Lipsius und Schriftsteller wie Kaspar Schoppe und Petrus Geesteranus bemühten sich alle, aus Stoa und Christentum eine einheitliche Lehre zu formen.[58] Dabei war ihnen kein Philosoph von so großer Bedeutung wie Seneca, dessen *De Providentia* sowohl Inspiration wie auch Quelle für Lipsius' *De Constantia* war.

Die alte Stoa gewann eine neue Relevanz für das Leben in einem absolutistisch regierten Staat, der durch politische und religiöse Zwiste zerrissen war. Ähnliche Umstände haben ja zur Zeit der römischen Kaiser das Wachstum der stoischen Lehre wesentlich gefördert, wie dies aus den Worten von Kurt Weis ersichtlich ist:

Eine Periode staatlicher Unruhe, politischer Bedrückung, rechtlicher Unsicherheit, sozialer Not hat hier wie dort die Wertlosigkeit äußerer Güter gezeigt und den Blick auf das innere Gut gelenkt, eine Auffassung, der sicherlich der Begriff und die Wertschätzung des Individuums, wie sie die Renaissance schuf, zugute kam. Es ist beachtenswert, daß die Stoa gerade in dem damals durch Spanien hart bedrängten Holland eine Pflegestätte fand, daß sie anderseits gerade in der Zeit des dreißigjährigen Krieges nach Deutschland übergriff.[59]

Das unsichere Leben, erschwert durch den Dreißigjährigen Krieg, die Pest, und der Tod in so viel unerwarteten Formen führten den denkenden Menschen zu einer Philosophie, die Mut und Selbstvertrauen verlangte.

Über die Rolle, welche der Stoizismus in Catharinas Erziehung gespielt haben dürfte, sagt Frank:

Die traditionelle Philosophie stellte sich der Lernbeflissenen — wie ihrer Zeit überhaupt — vornehmlich in zwei Richtungen dar: im Platonismus und Stoizismus . . . Der Stoizismus war ihr bereits durch die Übungslektüre Ciceros vertraut. Die Tragödien und Prosaschriften Senecas mögen diese Lehre vertieft haben. Neben der originalen römischen Stoa wirkte aber stärker noch deren humanistische Rezeption. Die Werke des Niederländers Justus Lipsius und die seines Popularisators Guillaume du Var fanden sich in allen Schloßbibliotheken Österreichs (S. 28).

56 Über das Verhältnis des Autobiographischen zur schäferlichen Literatur siehe Gerhart Hoffmeister, „Antipetrarkismus im deutschen Schäferroman des 17. Jahrhunderts," *Daphnis*, I (1972), 135.

57 Zit. Werner Welzig, „Constantia und barocke Beständigkeit," DVjS, XXXV (1961), 421.

58 Vgl. Hans-Jürgen Schings, *Die Patristische und Stoische Tradition bei Andreas Gryphius* (Köln, 1966), S. 288; Welzig, 427.

59 Kurt Wels, „Opitz und die stoische Philosophie", *Euphorion* (1914), 89.

Catharina von Greiffenberg übernahm jene Elemente der neo-stoischen[60] Ethik, die sich mit ihrem Luthertum vertrugen, Elemente, die auch in ihrem vom Unglück verfolgten Leben bedeutsam wurden. Darin eingeschlossen sind auch Tugend und Vernunft, Willenskraft und die Ablehnung irdischer Güter und Werte, der Begriff des Widerwärtigen, die Verpflichtung zu solchen neo-stoischen Tugenden wie Beständigkeit und Selbstbeherrschung, Theodizee und schließlich jener Seelen- und Gemütsfrieden, das Ziel des Weisen wofür Catharina gelegentlich sogar den stoischen Begriff „Euthymia"[61] verwendete.

Selbstverständlich können wir nur mit größter Vorsicht das Ausmaß, in welchem eine große philosophische oder kulturelle Tradition sich in einem literarischen Werk niederschlägt, bemessen. Die bloße Tatsache, daß stoische oder stoa-artige Ausdrücke verwendet werden, bedeutet noch nicht, daß auch stoische Denkformen und eine entsprechende Lebenshaltung dahinter stehen. Die abstrakten Begriffe, und die begleitenden Bildkonnotationen müssen, insofern sie stoischen Auffassungen entsprechen, im Textzusammenhang untersucht werden, nicht zuletzt auch, weil Catharina sie auf verschiedene Arten verwendet. So bedeutet beispielsweise „Vernunft" nicht immer die „recta ratio" eines Zenon, denn diese kann im Zusammenhang mit Glaubensfragen sogar auf Irrwege führen.[62] Ferner basiert der Stoizismus teilweise auf Platons vier Kardinaltugenden *prudentia, temperantia, fortitudo* und *justitia*, die dann auch vom Christentum übernommen wurden, und es wird oft schwierig sein, zu entscheiden, welchem der beiden Systeme der Barockdichter verpflichtet ist. Die Kritiker mögen daher über Fragen der Herkunft und Beeinflussung des geistig-philosophischen Hintergrundes nicht immer einig gehen, doch handelt es sich dabei eher um Akzentverschiebungen als um eigentliche Meinungsverschiedenheiten. Begriffe aus verschiedenen Philosophien vermischen oder überlagern sich gern, und es ist wenig sinnvoll, besonders in der Dichtung, ein einzelnes, klar definiertes ethisches System finden zu wollen. In seiner Studie *Lateinische Dichtungstradition und deutsche Lyrik des 17. Jahrhunderts* (Bonn, 1962), drückt sich Karl Otto Conrady folgendermaßen aus: „Die Tugenden werden, wie in der Dichtung kaum anders zu erwarten, nicht in

60 Wie man von einem sendungsbewußten christlichen Dichter wie Catharina vielleicht erwarten würde, fühlt sich Catharina den alten „heidnischen" Philosophen nicht unmittelbar verpflichtet. Sie nennt wenige stoische Philosophen; in ihrer Übersetzung von du Bartas *Glaubens Triumf* erklärt sie in Anmerkungen Hinweise auf Cleantes, Chrysippos, Diogenes, Leucipus, Zenon (vgl. S. 281) und Marcus Aurelius (S. 266); Diogenes wird auch in der *Sieges-Seule* (S. 88) erwähnt. Nur Cicero wird verschiedentlich genannt und gelobt: für seine „Sprachen" (SLG, S. 18), als „der Heiden Redner blum" (SLG, S. 26), in dem Widmungs-bez. Trauergedicht für Stubenbergs *Clelia*-Übersetzung nennt Catharina Stubenberg: „Du Teutscher Cicero! Ein Kunst-Geist weiser Zungen /"; die Dichterin erwähnt Cicero auch in einem Brief an Birken Jan. 1. 1669.

61 Obwohl nicht durch die Stoiker geprägt, wurde der durch die Stoa differenzierter ausgelegte Begriff der „Euthymie" zu einem zentralen Denkmotiv in der stoischen Ethik. Vgl. *Wörterbuch der philosophischen Begriffe*, hrsg. Rudolf Eisler (Berlin, 1927⁴), Bd. I, S. 418 und *Enciclopedia filosofica*, hrsg. v. Centro di Studi filosofici di Gallarate (Venezia / Roma, 1957), Bd. 2, Sp. 218f. welche in den Erläuterungen zum Begriff „Euthymie" fast ausschließlich stoische Philosopher zitieren.

62 Vgl. SLG, S. 28.

begrifflicher Schärfe und Klarheit ausformuliert; ein ‚Tugendsystem' darf man bei Betrachtung dieser Dinge nicht zu finden erwarten" (S. 268). Es waren eher die humanistischen Philosophen und Philologen, die versuchten, ein solches System der ethischen Werte aufzustellen.[63]

Die alten Stoiker waren der Überzeugung, der Mensch könne und solle sich auf die Zukunft vorbereiten, indem er sich aller möglichen Veränderungen seines Schicksals bewußt sei. Barth-Goedeckemeyer schreiben über die Stoiker:

> Um aber auch für die Zukunft gerüstet zu sein, empfahl er [Chrysippos] besonders das Denken an alle Wechselfälle des Lebens, wodurch man sich vor allen Dingen dem Auftreten von Affekten besonders begünstigenden Momenten des Unerwarteten schützen könne. Aber auch auf die dauernde Übung in der Tugend . . . wies er hin. (Paul Barth, *Die Stoa*, 5. Aufl., völlig neu bearbeitet von Albert Goedeckemeyer [Stuttgart, 1941], S. 105).

Von diesem Standpunkt aus ist auch die scheinbare Sophisterei der stoischen Logik zu verstehen, die sich gerne Fragen wie die folgende stellt: Wer sollte im Falle eines Schiffbruchs zuerst gerettet werden? Eine Mutter, eine Ehefrau, ein Kind, ein Handwerker usw? Weit davon entfernt eine etwas unglückliche Mischung von so etwas wie Gesellschaftsspiel und Varieté-Witz zu sein, bedeuteten solche Fragen ernsthafte Übungen in der Kunst der Entschlußfassung; die Vernunft und nicht die Gefühle mußten in solchen theoretischen Situationen, die sowohl Tugend als auch Weisheit verlangten, den Ausschlag geben.

Die *Tugend-Übung* selbst ist in einem gewissen Sinne eine neo-stoische Übung im tugendhaften Handeln in verschiedenen Lebenssituationen, insofern als gewisse biblische oder klassische Dilemmas als Paradigmen für Entscheidungen dienen, die der einzelne Mensch vielleicht einmal unter ähnlichen Umständen treffen muß. Die Schäferinnen verpflichten sich den Tugenden, welche durch die ausgesuchten Personen oder Gegenstände versinnbildlicht werden.

Wenn man bedenkt, was für ein schmales Bändchen die *Tugend-Übung* ist, dann erstaunt es doch, daß es so viele christlich-neo-stoische Gedanken enthält, daß sie sogar den religiösen Inhalt übertönen.[64] „Tugend" ist dabei das oberste Gesetz, begleitet von Einzelaspekten wie „Tapferkeit," „Pflicht," „Beständigkeit" und „Tugend-Lieb," der Ablehnung irdischer Güter und Werte, dem Hinnehmen von „Unglück" als Prüfstein und Schulung, der Rolle der „Freiheit" und „Selbstbeherrschung" und schließlich das

---

63 Etwa Lipsius (vgl. Wels, 89) Schoppe (vgl. Welzig, 427) und Geesteranus (vgl. Schings, S. 228).

64 Die folgenden Wörter und Motive und ihre Flektionsformen können alle im Zusammenhang mit stoizistischem Gedankengut in der *Tugend-Übung* gefunden werden: beharren, beherrschen, Beständigkeit, bestehen, bewähren, Geduld, nicht wanken, nicht weichen, Demand Herz, Standhaftigkeit (= *constantia-probatio*); Großmut, Muht, Mut, beherztes Herz, beherzte Liebe, freyes Gemüt (= *magnanimitas*); besiegen, bespornen, beugen, bewahren, dringen, fällen, Feind, Gefahr, gewinnen, Herkules-Hydra, Herr, Held, kriegen, Kühnheit, ritterlich, schlagen, Schwerd, Sieg, Spieß Tapferkeit, dapfers Herz, Widerstand, Wille, wollen, Unnachläßlichkeit (= *fortitudo-perseverantia*).

höchste Ziel, die „Gemüths-Ruhe"; alle diese Themen und Begriffe finden ihren Niederschlag in der *Tugend-Übung*. Sie alle haben ihren Ursprung im Neo-Stoizismus. Mehr als die Hälfte der Sonette befassen sich mit neo-stoischen Gedanken, ferner sind auch Themen wie Glaube und Ablehnung weltlicher Liebe der stoischen *constantia* eng verwandt. Obschon es übertrieben wäre, die *Tugend-Übung* ein stoisches Emblembuch zu nennen, erinnert es doch in mancher Hinsicht an Vaenius' Q. *HoratI FlaccI Emblemata* (Antwerpen 1607), ein eigentlich stoisches Emblem-Handbuch.[65] Vaenius war bekanntlich mit Justus Lipsius befreundet, und nennt ihn sogar als Gewährsmann in der Vorrede zu seiner Sammlung Emblemata. Der Herausgeber der Faksimile-Ausgabe der *Moralia Horatiana*, Walter Brauer, stellt fest: „Ideologisch gesehen, stehen also Veens ‚Emblemata Horatiana' genau und, bei der gesamteuropäischen Verbreitung des Werkes, an bezeichnender Stelle in der wichtigen, seit langem erkannten Vorbereitung der Rezeption des Stoizismus in die barocke Geisteshaltung" (S. 80). Bekanntlich enthält die *Moralia Horatiana* mehr Zitate von Seneca als von irgend einem anderen Philosophen (mit Ausnahme von Horaz). Es ist auch kein Zufall, daß die französische Ausgabe von 1646 *La Doctrine des Moeurs tiree de la Philosophie des Stoiques* betitelt ist. Die vielen Ausgaben und Übersetzungen (einschließlich der Zesens ins Deutsche) bezeugen die Beliebtheit des Werkes, sowohl als Emblembuch wie auch als Vermittler stoischen Gedankengutes. Überdies kennen wir Vaenius' *Amorum Emblemata* (Antwerpen, 1608), worin Seneca ebenfalls häufiger als irgend ein Klassiker nach Ovid zitiert wird. Wie sein Landsmann Vaenius bezieht sich auch Cats oft auf die Stoiker: in seinem *Silenvs Alcibiadis* zitiert er Seneca, Epictetus, Strobaeus und Chrysost.

Das Fehlen von *recta ratio* und *sapientia* und einigen anderen stoischen Tugenden – die wir aber in anderen Werken Catharinas vorfinden – läßt sich vielleicht durch die persönlichen Lebensumstände der Dichterin zur Zeit der mutmaßlichen Entstehung der *Tugend-Übung* erklären. Um dem von Hans Rudolph ausgeübten Druck zu widerstehen, bedurfte Catharina vor allem der Tugend und Beständigkeit; „Freiheit" und „Ruhe" wurden ihr zu um so wichtigeren Idealen, seit sie sie bedroht sah.

Es ist bezeichnend, daß das erste heroische Emblem der *Tugend-Übung* die Tugend selbst darstellt, die auch in den *Moralia Horatiana* zuerst eingeführt wird.[66] Für den Stoiker wie für den Christen ist die Tugend die zentrale Kraft und das Ziel des Lebens der Stoiker glaubt, daß der Mensch erst durch die Tugend moralische Werte überhaupt erkennen könne. Wie die alten Stoiker und die christlichen Neostoiker des 17. Jh. is auch Catharina davon überzeugt, daß die Tugend unbesiegbar ist. Ein tugendhafte Mensch kann innerlich oder äußerlich angegriffen, ja sogar getötet werden, aber di Tugend wird auch im Tod triumphieren, denn der Tod ist nur ein augenblicklicher Sie des Bösen und des Zufalls:

---

65 In der Erstausgabe von 1607 wurde Senaca 41 mal zitiert, dagegen Ovid 18 mal und Cicer 11 mal.

66 Die ersten fünf Embleme der Erstausgabe sind hauptsächlich der Tugend gewidmet; ihr *inscriptiones* lauten: „Virtvs inconvssa," „Virtvtis gloria," „Natvram minerva perficit," „Virtv immortalis" und „Virtvti sapientia comes."

Unüberwindlich ist nicht nur allein zu nennen
die Tugend / sondern gar ein' Allbeherrscherin. (S. 330)

In diesem Sonett über Daphne kommen die Wörter „Tugend" und „Ehre" sechsmal vor. Im Falle von Daphne ist die Tugend eine Kraft, welche die Keuschheit bis über den Tod hinaus erhält. Wie die *constantia* kann auch die Tugend aktiv oder passiv sein. Diese Janus-Eigenschaft der Tugend kommt in den beiden zitierten Zeilen unmißverständlich zum Ausdruck. Der Satz beginnt mit dem Schlüsselwort „Unüberwindlich," welches auf einen passiven Widerstand gegen widrige Umstände hindeutet, und was zu dem Subjekt „Tugend" hinführt, das gleich nach dem Enjambement der ersten zur zweiten Zeile an zentraler Stelle steht. Die Aussage endet auf „Allbeherrscherin," und dieses das Gleichgewicht herstellende letzte Wort betont die aktive und erfolgreiche Rolle der Tugend im Unglück. Der stoische Weise war beständig in der Ausübung der Tugend, denn für ihn waren Wahrheit und Ethik keine Variablen, sondern konstante Werte. Sowohl Daphne als auch Cloelia zeigen diese autonome Macht der Tugend, die der stoischen Tradition des auf sich selbst vertrauenden Helden verpflichtet scheint. Die Wahl von griechischen und römischen Heldinnen ist vielleicht der Grund dafür, daß Catharina nicht versucht, diese Tugenden mit einer göttlichen Macht in Verbindung zu bringen — was sie anderswo tut, und dies läßt die allem die Stirn bietende Tugend umsomehr stoisch erscheinen. Erkenntnis im moralischen Sinne ist für den Stoiker eine Funktion der Vernunft und keine göttliche Offenbarung — überhaupt lehnt sich der Stoiker recht wenig an die Götter an. An einer anderen Stelle aber sagt Catharina ganz deutlich, daß „Weisheit" und „Tugend" Gaben Gottes sind.[67]

Wo Liebe „Tugend-lieb" ist, dann ist auch sie unbesiegbar, wie es das „Beständigheit-Degen" Sonett zeigt:

Der Liebe Sieg' und End / bestehet im Beharren. (S. 334)

Beständigkeit beschützt die Liebe, „die löblich Tugend-lieb" (S. 334, Z. 9) vor aller Anfeindung:

Diß ist das starke Schwerd / die Liebe zu bewahren
es heisst Beständigkeit / die sie allein beschuzt
und alle ihre Feind mit fästem Stachel truzt. (S. 334)

Am magnetischen Kettlein sehen wir die Macht und das Wesen der „Tugendlieb":

Die Tugend ist so stark / daß alles ihr anhängt:
doch so bescheiden auch / daß nichts mit Macht sie fängt. (S. 337)

Die übrigen eigens erwähnten Tugenden sind „Tapferkeit" und „Pflicht", dargestellt an Äneas und Marcus Curtius, deren selbstloses Heldentum eine „Tugend-that"

---

67 Vgl. SLG, S. 4, 5, 8.

104

(S. 338) ist, die ihrerseits von der „Tugendlieb" (S. 333) angeregt wird. Diese Art Mut nennt Catharina „Großmut", eine allgemein übliche Übersetzung des stoischen Begriffs *magnanimitas.*

Die wichtigste Einzeltugend aber ist die Beständigkeit,[68] welche allen anderen Tugenden die Kraft und die Fähigkeit gibt, sich in der Versuchung und in den Wechselfällen des Lebens zu behaupten. Welzig hat bereits auf die Doppelgesichtigkeit der *constantia* hingewiesen: „Von leidenschaftsloser Gelassenheit bis zu kühnem draufgängerischem Mut spannt sich der Bogen dessen, was das 17. Jahrhundert als Beständigkeit bezeichnet" (S. 418). Dieser Janus-Aspekt, den wir schon in Catharinas Beschreibung der „Tugend" aufgezeigt haben, wird wiederum deutlich im Emblem von Herkules' Kampf mit der Hydra. Das Motto lautet:

Wer nur fort sezt /
gewinnt zu lezt. (S. 341)

Die ersten Zeilen des Sonetts preisen den passiven Widerstand der Beständigkeit gegen Unglück und Not:

Wann tausend Widerstand vor einen sich erzeigen /
soll das beherzte Herz nicht weichen vor dem Zweck . (S. 341)

Bald aber geht die Dichterin zur Beschreibung des aktiven Widerstandes über:

Gefahr hat hundert Häls: die must du alle beugen /
und stäts gewärtig seyn daß noch mehr sich ereigen:
biß du / mit Hercules / sie alle raumest weck. (S. 341)

Der glückliche Ausgang steht für Catharina niemals in Zweifel, „weil der Standhaften End nie anderst ist als gut" (S. 341). Das Sonett schließt mit zwei emblematischen Argumenten. In einem überwindet der Adler einen Edelhirsch, im zweiten fällt ein Biber einen Baum; die Schlußfolgerung lautet:

„Der Unnachläßlichkeit muß endlich alls gelingen" (S. 341).

Ihrem aktiven Temperament entsprechend betont Catharina den mutigen Widerstand, welchen die stoische *constantia* den Feinden der „Tugend" bietet. Das Sonett über den „Beständigkeit-Degen" (S. 334) ist ein Musterbeispiel dieser Haltung.[69] Die Gedankenassoziation von *virtus* und *invidia*, die in diesem Gedicht besonders hervorgehoben wird, ist für den Stoiker nichts Ungewohntes.[70] Diese traditionelle Verbindung hatte aber für Catharina eine tiefe persönliche Bedeutung in den Jahren

---

68 Die Bedeutsamkeit der Beständigkeit wird durch das Erscheinen von Begriffen wie „Beständigkeit," „beharren," „bewähren," „standhaft," „Unnachläßlichkeit," „unüberwindlich," „nicht wanken," „nicht weichen," noch unterstrichen.
69 Das Gedicht ist oben. S. 91 zitiert.
70 Vgl. Vaenius, *Moralia Horatiana*, S. 9, 17; Jakob Boissard, *Emblemata* (Frankfurt a. M., 1596), Nr. XVII, XIX, auch E. 1572ff, 1549. Vgl. ferner Harsdörffer, *Trichter*, II, 234.

nach Hans Rudolphs Liebeserklärung. Vielleicht deshalb nennt Catharina „Neid" und „falsche Zunge" viermal in den frühen Tugendsonetten.

Wie die Stoiker sieht auch Catharina einen Sinn im Unglück, das im Leben des Menschen seinen Platz hat als Prüfstein der Tugend und auch dazu beiträgt, daß bestimmte Tugenden gefördert werden. Daphnes Schicksal soll als Beispiel dienen:

> Es steht hierinn die Prob / wann sie [Daphne] die Ehr vorzieht
> dem Leben / und den Tod / um Tugend / gar nicht flieht. (S. 331)

Andererseits betont Catharina immer und überall die erzieherische Funktion des Unglücks in allen seinen Formen, denn sie ist überzeugt, daß der Kampf gegen dieses Negative die Tugend anspornt und wachsen läßt. Chrysippos vertrat die Ansicht, daß das Unglück den Menschen erziehe, und er verwies als Beispiel auf wilde Tiere wie Löwen und Panther, deren Funktion es sei, den Menschen Mut zu lehren (vgl. Barth-Goedeckemeyer, S. 93). Diese Idee ist zu einem Hauptsatz in der Philosophie Senecas geworden. Nach Seneca setzt Gott den Menschen „einem auswählenden Erziehungs-prozess der Übung, Bewährung und Abhärtung aus ... Denn die Tugend erschlafft ohne die unaufhörliche Erprobung im Kampf mit dem widrigen Geschick. zudem tritt sie erst durch die Härte des Unheils in die Erscheinung und vor die Augen der Welt" (Schings, S. 227)[71]. In der *Tugend-Übung* wird diese Wahrheit durch die Koralle dargestellt. Sie bekommt ihre Schönheit und Farbe erst, wenn sie dem sicheren Meeresboden entrissen und, ans Land gebracht, der Sonne und dem Licht ausgesetzt ist. Dasselbe gilt auch von der Liebe, die erst im Unglück in voller Kraft und Schönheit erstrahlt.

> So / heisse Lieb sich auch nur zeigt im Nöhten-fall
> wann Boßheit / Neid / und Streit / wie Donner einher blitzet.
> . . .
> Die Noht veranlasst sie zu tausend wunder-werk /
> sie gibt ihr Schön' und Zier / erklärt ihr Macht und Stärk.
> Daher dann niemand kan ohn' Angst rechtschaffen lieben. (S. 331f.)

Schings bemerkt dazu: „Das Bewährungsmotiv bildet von jeher eine der Kontaktstellen zwischen stoischer und christlicher Ethik" (S. 229). Die Entwicklungslinie führt von Seneca und seinen Vorläufern über die patristischen Schriften zu Lipsius und den Dichtern des Barock. Die *topoi* dieses *constantia-probatio* Komplexes sind folgende: Gottvater, der den Sohn züchtigt; Gott als Arzt, der durch Schmerzen heilt; die Goldprobe; die Auffassung von Leiden und Sterben als „spectaculum" vor Gott; das Leben als Kampf, um die Tugend zu beweisen; und die Tugend unter ungewöhnlichen Umständen, etwa bei Hiob (vgl. Schings, S. 229f.).

---

71 Schings zeigt wie dieser Begriff, der in Senecas *De Providentia* von so großer Bedeutung ist, in Lipsius' *De Constantia*, wo ebenfalls „die heilpädagogische ‚Nützlichkeit' des Übels und des Leidens" betont wird, weitergeführt wird (vgl. Schings, S. 228).

Während es zweifellos stimmt, daß der Hauptunterschied zwischen der stoischen *constantia* und der christlichen Standhaftigkeit darin besteht, daß der Christ auf eine Belohnung im Jenseits hofft, auf die der Stoiker nicht zählen kann, so ist doch Welzigs Bemerkung, daß der Stoiker, im Gegensatz zum Christen, das Unglück verachte, recht einseitig: „Der Stoiker triumphiert über die eigene Verwundbarkeit, indem er die Prüfungen verachtet" (S. 422). Einen wichtigen Teil der stoischen Theodizee bildete die ethisch-pädagogische Auffassung des Unglücks als Übungsfeld der Tugend, eine Auffassung, die weiter geht, als im Unglück bloß eine Kraftprobe zu sehen.[72]

Für den Stoiker sind die Freuden und Güter des Lebens eine Illusion; sie haben keinen bleibenden Wert, und der Mensch muß sich von ihnen lösen können, wenn er über das Zeitgebundene und Unbeständige hinauswachsen und seinem eigentlichen Selbst treu sein will. Freuden und Besitztümer machen den Menschen blind; er erkennt weder das Wahre noch das Gute; seine Gefühle sind aufgewühlt und beeinflussen die Vernunft. *Opinio*, oder „Wahn" wie die Barockschriftsteller sagten, entsteht aus dem Wechselspiel zwischen den Leidenschaften und der trügerischen Erscheinung der Dinge. Geiz, zum Beispiel, entsteht, wenn ein Mensch zuviel Gewicht auf Besitztum legt, dies wiederum fördert den Trieb des An-sich-raffens — ein nicht leicht zu befriedigender Trieb — der seinerseits andere Leidenschaften hervorruft wie etwa Furcht oder Neid von denen der Mensch noch mehr jenem *summum bonum* der Stoiker, dem Seelenfrieden und der Gemütsruhe, entfremdet wird. In der *Tugend-Übung* ist Abraham zum Opfer bereit:

> all' Hoffnung / Gier und Wunsch / Verlangen / Lieb und Lust /
> Ehr / Reichtum / Glück und Freud / alls was mir nur bewust. (S. 338)

Dies, zusammen mit der Bereitschaft, Gott gehorsam seinen geliebten Sohn zu opfern, zeigt die Größe von Abrahams „Selbst-verläugnung" (S. 337).

Die Wichtigkeit gewisser Tugenden wird in Hinsicht auf ihre Überlegenheit gegenüber irdischen Gütern ausgedrückt:

> Die Freyheit ist vielmehr / als Gut und Blut / zu lieben.
> in Inden ist kein Schatz / der sie genug bezahlt. (S. 336)

„Ein frey Gemüt" liebt Ehre mehr als „Ketten von Rubin" (S. 336).

Hier ist die Ablehnung weltlicher Güter und Werte noch indirekt ausgedrückt; in Emblem, das die „Gemüts-Freyheit" darstellt — eine Frau, die mit dem Fuß auf „ein mit Ketten gebundene Fortuna" tritt — ist diese Ablehnung deutlich formuliert. In erklärenden Sonett heißt es:

> Des blinden Glückes Gunst / die Blitz-verflischend Ehre /
> Der Kronen Hoheit-glanz / des Reichtums schnöder Schein /
> der Freuden eitler Wahn / die kalten Edel-Stein /

---

72 Vgl. Barth-Goedeckemeyer, S. 93 und Schings, S. 227.

die Flücht= und Nichtigkeit: der keines ich begehre:
nur zu des Herzens-wonn und süssen Ruh mich kehre. (S. 347)

In ihrem Sonett über den „Beständigkeit-Degen" schreibt Catharina: „Der all-entschlossene Will vor viel Begegnung stutzt." Wie Daphne und Cloelia zeigt auch Kleopatra diese Freiheit des Handelns im höchsten Maß, wenn sie den Tod, oder vielmehr den Selbstmord wählt (obwohl Catharina das Wort Selbstmord sorgfältig vermeidet), statt Octavians „Beute" zu werden (S. 336):

Die Freyheit ist vielmehr / als Gut und Blut / zu lieben.
. . .
so endet das Leben sich / eh als die Freyheit fallt. (S. 337)

Freiheit ist eine Vorbedingung für Tugend: „Der Tugend Liebes-Kraft in Freyheit hält allezeit" (S. 337). Die Macht der jeweiligen Umstände und der Einfluß der Leidenschaft müssen ausgelöscht werden, wenn der Stoiker zu Erkenntnis und Tugend gelangen will; daher steht die Freiheit für ihn an zentraler Stelle.[73] Catharina drückt diese paradoxe Natur von Freiheit und Tugend in einer Reihe von petrarkistischen Antithesen aus, auf die wir bereits aufmerksam gemacht haben:

Gebundne Freiheit ist die Tugend-Lieb zu nennen /
ein williger Verhafft / ein freye Dienstbarkeit /
ein ungezwungner Zwang / ein Herrschung voller Freud. (S. 336)

Entsprechend der stoischen Tradition glaubt auch Catharina, daß die Tugend, sobald sie vom Menschen erkannt und anerkannt ist, auf die niedrigeren Instinkte einen guten Einfluß ausübt.

Von Ziehstein sind die Werk der Tugenden bereit /
die auch die Eisnen Sinn nach ihnen machen rennen. (S. 337)

Das stoische *summum bonum* der *euthymia* ist in den drei Sonetten beschrieben, welche die *Tugend-Übung* beschließen. Tatsächlich erreicht die *Tugend-Übung* also ihren Höhepunkt und ihr Ziel durch die Verherrlichung des Seelenfriedens und der Gemütsruhe. Diesen Zustand der „Ruhe des Gemüts" beschreibt Catharina wie folgt:

Des Glückes höchster Grad / das Ziel-ort der Verlangen /
des Thuns und Denkens Zweck / das irdisch Paradeis /
die Seel-ergetzerin / der Tugend Ehren-preis /
die Ruhe des Gemüts / laß mich /HErr! auch entfangen. (S. 346)

Dieser innere Friede ist das Ziel alles Handelns und Strebens, und er ist identisch mit dem Wesen Gottes, also wird der christliche Stoiker diese vollkommene Ruhe nur in Gott finden:

---

73 Zur Bedeutsamkeit des Begriffes „Freyheit" siehe oben S. 86.

Zu dir / wie jene Taub' / auch meine Seel begehret /
weil du ihr Ursprung bist. Ich schließ' / aus diesem Grund /
daß sie / so lang sie ist von dir / der Ruh' entbähret. (S. 346)

Das folgende Sonett, das in der ganzen Sammlung am meisten stoische Gedanken
aufweist, macht es dem Leser ganz deutlich, daß *euthymia* auch dem treuen Gläubigen
nicht einfach geschenkt wird, sondern daß er sich aktiv darum bemühen muß, und im
Gegensatz zur mystischen *unio* liegt es in seiner Kraft, sie zu erlangen. Selbstbeherrschung ist der Schlüssel dazu:

Es muß die ganze Welt dem unterworffen seyn /
der selber sich beherrscht. Die Ruh' ist es allein /
um welcher willen ich die Schätz der Welt entbähre.
Es ist ja / wie der Mund des Höchst-Weltweisen spricht /
wer seines Muhtes Herr / mehr / als der Städt gewinnet.
Von jenen wird gar bald der Lüste Heer vernicht. (S. 347)

Wiederum folgt Catharina ganz der stoischen Tradition, wenn sie irdische Güter und
menschliche Begehren die Feinde nennt, die auf dem Weg zum inneren Frieden mit
constantia und *moderatio* bekämpft werden müssen. Mit dem „Höchst-Weltweisen" ist
wahrscheinlich Cicero[74] oder Seneca gemeint, aber der Ausspruch, der von diesem
weltlichen Weisen stammen soll, ist einem Wort Salomons erstaunlich ähnlich, welches
bei Harsdörffer so zitiert wird: „Der seines Muhtes ein Herr ist / ist stärker / als der
Städte gewinnet."[75]

Die *Tugend-Übung* schließt mit einem Liebessonett, welches das weltliche Tun und
Treiben ablehnt und mit den Zeilen endet:

... die süße Ruh / soll mir das Liebste seyn /
mein dapfers Herz soll nichts als Ruh und Freyheit spüren. (S. 348)

Welch trefflicher Schluß für diese Übung in neo-stoischer und christlicher Tugend!

DIE *TUGEND-ÜBUNG* ALS EINE SAMMLUNG VON EMBLEMEN ODER *IMPRESA*

Wie eingangs dargestellt wurde, ist die *Tugend-Übung* ein Emblembuch. In gewisser
Hinsicht erfüllt es die Bedingungen einer *impresa*, wie sie von Giovio definiert und

---

74 Catharina nennt Cicero einmal „der Heiden Redner blum" (SLG, S. 26). In Sonett 18 der
SLG wird er in einem schönen Parallelismus mit Salomon und Vergil assoziiert, um die Kraft des
Wortes zu verherrlichen:

WAn iedes Körnlein Sand, hätt Weißheit / Kunst und Sprachen /
wie Salomon / Virgil / und Cicero gehabt;
...
noch köntens GOttes Lob nit gnug erklingen machen /

75 *Ars apophthegmatica* (Nürnberg, 1655), I, 5.

Catharinas Zeitgenossen durch den einflußreichen Harsdörffer in seinen *Gespräch-spielen* weitergegeben wurden. Sowohl laut Giovio wie auch laut Harsdörffer darf die *impresa* nicht mehr als drei Motive enthalten (vgl. F. F. I. 58), die einzige Ausnahme, welche in Harsdörffers Theorie erlaubt wurde, war das „geistliche Gemählde" (vgl. F. G. IV. 203f.). Hingegen folgt Harsdörffer der italienischen Theorie nicht, wenn sie verlangt, daß das Motto in einer Fremdsprache abgefaßt sein sollte (vgl. F. G. I. 58). Die Zusammengehörigkeit von Wort und Bild soll der Verbindung von Körper und Seele analog sein. Harsdörffer definiert diesen rätselvollen Zusammenhang wie folgt: „Diese Figuren und Schrifft sollen also miteinander verbunden seyn, daß keines ohne das ander könne verstanden werden" (F. G. I. 59).[76] Anders als Giovio macht der Nürnberger Kritiker keinen peinlich genauen Unterschied zwischen *impresa* und Emblem: „weil selbe Unterschied von keiner großen Wichtigkeit ist, und vielfältig nicht beobachtet wird" (F. G. I. 59).

Was ist nun die *Tugend-Übung*, von diesen Kriterien aus gesehen? Wie in einer strengen *impresa* enthält keines der Embleme mehr als drei Motive. Andererseits verweisen aber die meisten heroischen und geistlichen Embleme auf mythische, legendäre oder geschichtliche Figuren, was in der „zünftigen" *impresa* nicht erlaubt ist.

Was die Mottos anbelangt, so faßt Catharina sie kurz und verwendet den kurzen, sich reimenden Zweizeiler, der später in ihren Büchern von „Andächtigen Betrachtungen" ihre bevorzugte Versform werden sollte. Wie die *impresa*-Dichter der Giovio-Schule vermeidet auch sie es, im Motto den sichtbaren Gegenstand zu erwähnen, was eine Hauptregel für eine formvollendete *impresa* bedeutete. Die einzige Ausnahme bildet der „Beständigkeit-Degen" (S. 334). Und letztlich gilt es auch, darauf hinzuweisen, daß die *Tugend-Übung* die gleiche Funktion erfüllt wie die *impresa*: beide dienen dem „Individuationsprinzip,"[77] das von Schöne als „Ausdruck persönlicher Zielsetzung" (S. 45) definiert worden ist. Etwa die Hälfte der Sonette enden auf ein Terzett, das mit dem Wort „ich" beginnt, und in welchem Catharina sich selbst zu der im Emblem gezeigten Maxime bekennt, oder wo sie die religiöse Meditation in ein persönliches Gebet überleitet.

DIE *TUGEND-ÜBUNG* ALS EMBLEMATISCHER "FRAUEN-SPIEGEL"

Die *Tugend-Übung* ist bestimmt kein isoliertes emblematisches Phänomen. Sie reiht sich in die Tradition des „Frauen-Spiegels," der seinerseits zu der größeren Tradition von Werken gehört, die oft mit „Herzen-Spiegel" betitelt werden. Es ist durchaus denkbar, daß Catharina solche Werke las, besonders wenn sie von Freunden und Bekannten geschrieben wurden; man denkt etwa an Harsdörffers *Stechbüchlein* und

---

76 Catharina äußert sich in ähnlichem Sinne in einem Brief an Birken. Siehe oben, S. 39.
77 Dieter Sulzer, „Zu einer Geschichte der Emblemtheorien," *Euphorion*, LXIV (1970), 35.

Stubenbergs Übersetzung von Grenailles *Frauenzimmer Belustigung*, (Nürnberg,
1663) — die thematischen Übergänge zum Gesprächspiel sind oft fließend. Wir wissen
aber mit Sicherheit, daß die Dichterin im Jahr 1664 einen gewissen *Frauenzimmer
Geschichtsspiegel* zu lesen erhielt, denn in seinem Tagebuch vom 26. November 1664
notierte Birken „Uranien den Frauen-Zimmer Geschichtsp[iegel]." Der Herausgeber
von Birkens Tagebüchern, Joachim Kröll, sieht darin einen möglichen Hinweis auf
Hieronymus Oertels *Geistlicher Weiber=Spiegel, das ist: Der Erleuchteten, Gott-
fürchtigen Weiber Alten und Newen Testaments Bildnüsse in Kupfer gestochen . . .*
(Leipzig 1636). Dieses oft gedruckte Werk erschien auch 1612, 1652, 1665, 1666
und 1681. Uns interessiert aber primär die emblematische Gestaltung des „Frauen-
spiegels."

Unter dem Pseudonym Fabianus Athyrus veröffentlichte Harsdörffer ein *Stechbüchlein, Das ist Hertzen-Spiegel* (Nürnberg, 1645), eine Sammlung mit 50 Emblemen
in Herzform, welche die menschlichen Tugenden und Laster darstellen. 1654 wurde
das kleine Werk erweitert und neu aufgelegt; es erhielt den Titel *Das erneute Stamm-
und Stechbüchlein: hundert geistliche weltliche Hertzens Siegel, Spiegel . . .* und
wurde seinerseits von einem anderen Nürnberger Verleger (späteren, aber nicht
verifizierbaren Datums) als *Lehr- und Sinnreicher Hertzens-Spiegel in Hundert Geist
und Weltlichen Hertzens-Bewegungen zu Eigentlicher Abbildung der Tugenden und
Laster . . .* (undatiert). Dieses Buch ist in zwei Teile gegliedert. Der erste wendet sich
an die Frauen: „Für das Holdselige Frauenzimmer / deroselben Tugend und Laster
vorstellend!" Das vierte Emblem beispielsweise ist dem „keuschen Hertz" gewidmet
und beantwortet die Frage „Worinnen die Keuschheit bestehe?" Emblem 28 zeigt
die Abkehr von weltlicher Liebe, welche durch Amor verkörpert wird. Im Erklärungs-
sonett lesen wir:

IHr habt dem blinden Kind den scharffen Pfeil gegeben /
    und gebt ihm in die Hand / den hellen Flammen=Brand /
Ihr gantz verblendte Leut / wolt in Gefahre schweben:
Wer dieses Leben liebt / der hasst sein langes Leben /
    und stürzet sich in Schand / verlieret den Verstand /
und muß in steter Sorg / Unfall und Furchten beben.
Der Freyen Hertzens=Schrein / soll GOttes Tempel seyn.
Die Thür / der reine Mund / soll böse Liebe meiden.
    Die Flügel=schnelle Lieb / ist eitler Sünden=Trieb /
und wer sich selbsten hasst / der liebet solches Leyden.

Gloß

DIeses Sonnets Erfindung ist abgesehen aus dem gemeinen
Sprichtwort / welches saget: Man soll dem Kind / kein

spitziges Messer (wie hier den Pfeil) noch weniger Feuer
vertrauen / dann es solches zu seinem eignen / oder andrer
Schaden gebrauchen wird / und gehet es nach dem Sprichwort:
Wann ein Blinder / (wie dann die Lieb blind gemahlet wird)
den andern führet / werden sie beede in die Gruben fallen.

Emblem 47 zeigt ebenfalls Amor mit seinem Bogen; in der Mitte des Bildes steht ein
Herz, die Narrenkappe aufgesetzt; auch dieses Sonett wendet sich gegen „den kleinen
Bogen-schütz" mit seinen „vergifften Pfeilen." Das soll nun aber nicht heißen, daß
Catharinas *Tugend-Übung* direkt von Harsdörffers *Hertzens-Spiegel* abhängig sein
müßte, obschon in Thema und Haltung fraglos eine gewisse Ähnlichkeit besteht.

Der niederländische Dichter und Emblematiker Jacob Cats schrieb ein Emblembuch
mit dem Titel *Maechden-Plicht* (1618),[78] welches sowohl Dialoge wie auch Embleme
enthält, die sich auf Herzensfragen junger unverheirateter Töchter beziehen. Liebe,
Liebeswerben und Ehe wie auch ziemendes und ehrenhaftes Verhalten einer Jungfrau
in verschiedenen Situationen werden ausführlich diskutiert. Daß das kleine Werk in
vielen Ausgaben erschien[79] und ins Englische, Französische und Deutsche übersetzt
wurde,[80] mag als Zeichen seiner Beliebtheit gelten. Ein sorgfältiger Vergleich mit der
Tugend-Übung gibt aber keinen Aufschluß darüber, ob Catharina das Werk gekannt
hatte.

Ein anderes Emblembuch von Cats zeigt eine entfernte Ähnlichkeit mit der *Tugend-
Übung* so wohl in bezug auf die allgemeine Konzeption als auch auf innere Organisation. *Silenvs Alcibiadis, sive Proteus, Vitae humanae ideam, Emblemate trifariam
variatio, oculis subjiciens* (1618) enthält 51 Embleme, welche im ersten Teil als Liebesembleme, im zweiten als moralische und im dritten Teil als religiöse Embleme interpretiert werden. In der Ausgabe von 1627, welcher ein zusätzliches Emblem angeglie-
dert ist, folgt die erwähnte dreifache Interpretation jeder einzelnen *pictura*, so wie
jede von Catharinas Schäferinnen ihre Gedanken über Liebe, Heldentum und Religion
emblematisch ausdrückt. Es besteht aber auch hier ein grundsätzlicher Unterschied:
bei Cats dient eine und dieselbe *pictura* für alle drei Interpretationen, während Catharina für jede der drei Betrachtungsweisen ein besonderes Motiv vorlegt.

Die Nürnberger Schriftsteller in der Mitte des 17. Jahrhunderts waren mit der Lei-
stung der holländischen Emblematiker vertraut. In der *Ehre der Ehe* beispielsweise, erwähnt Dilherr den Dichter „Caz" und berichtet eine seltsame Liebesgeschichte, welche
er diesem „Holländischen Poeten" zuschreibt.[81] Harsdörffer spricht von Jacob Cats'
Trouringh in einer Diskussion der „Jungfräulichen Wundertugenden" in seinem *Geschichtsspiegel* (1654) (S. 733–740), wo er eine Übersetzung eines Cats' Gedichtes zu
Ehren von Anna Maria Schurmann liefert.[82]

78 Diesen Hinweis verdanke ich Leonard Forster.
79 Vgl. John Landwehr, *Dutch Emblem Books.* A Bibliography (Utrecht, 1962), S. 45.
80 Vgl. Praz, S. 301.
81 *Ehre der Ehe* (Nürnberg, 1662) S. 165.
82 *Geschichtspiegel* (Nürnberg, 1654), S. 736.

SCHLUSS

Eine genaue Analyse der *Tugend-Übung* bestätigt Villigers Urteil, daß es sich dabei um „ein entzückendes kleines Meisterstück barocker Poeterei" (S. 24) handle, obwohl das Beiwort „entzückend" der Bedeutung des Werkes Abbruch tut. Es scheint, daß Villiger das ernsthafte Anliegen der *Tugend-Übung* nicht erkannt hat, einesteils, weil ihm die biographischen Unterlagen fehlten, die erst durch die Publikation von Franks Dissertation an die Öffentlichkeit gekommen sind, und anderenteils, weil er den beinahe 200 in den Archiven des Pegnesischen Blumenordens aufbewahrten Briefen zu wenig Bedeutung zumaß.[83] Villiger geht zwar richtig, wenn er feststellt, daß die intellektuellen Sphären der *Tugend-Übung* — die der Liebe, Heroismus und Religion — „schematische Welten, ohne Unterschiede und Stufungen" sind (S. 25), aber gerade diese Tendenz zur Verallgemeinerung ist ein wesentlicher Zug der emblematischen Auffassungs- und Gestaltungsweise. Das visuelle Motiv, dem Reich der Natur oder des Menschen entnommen, sei es nun eine Koralle oder ein magnetisches Kettlein, kann nur in dem Maße bedeutungsvoll sein, als es zu einer Gruppe oder Art gehört, die ihrerseits durch gewisse besondere Formen und Funktionen allgemeine Bedeutung erlangt und die größtenteils von des Dichters Subjektivität unabhängig ist. Die Tendenz der *Tugend-Übung* zur Verallgemeinerung und zu objektiven Aussagen ist deshalb eine emblematische Qualität. Ich habe aber argumentiert, daß diese allgemeingültigen und objektiv-scheinenden Aussagen im Lichte der biographischen Anhaltspunkte sehr oft eine ganz bestimmte und persönliche Bedeutung erhalten, was bis jetzt noch nicht mit ausreichender Deutlichkeit erkannt wurde.

Meiner Ansicht nach ist die *Tugend-Übung* nicht nur eine Sammlung von „Spielbrett-Welten, die eben gerade für Schäferinnen taugen" (Villinger, S. 25); sie ist auch mehr als „die genau durchgeführte feinästige Gliederung des an und für sich unbeschwerten und spielerisch angefaßten Gegenstandes" (Villiger, S. 24). Das übergeworfene pastorale Kostüm des Werkes hat Villiger vielleicht die Ernsthaftigkeit der stoischen und christlichen Themata, die durch die Schäferinnen dargestellt werden, verdeckt. Tatsache ist, daß jedes einzelne oder sogar alle Sonette mit nur zwei Ausnahmen, in die Sammlung *Geistliche Sonnette, Lieder und Gedichte* hätte aufgenommen werden können, ohne daß dadurch eine unpassende, leichtfertige oder scherzhafte Note eingeführt worden wäre. Literarische Wertungen haben es in sich, unterzugehen, um nach einer gewissen Mutationszeit als immune Bazillen wieder aufzutauchen. In einer unveröffentlichten Dissertation über das religiöse Sonett des 17. Jahrhunderts erklärt John Sullivan,[84] daß die *Tugend-Übung* „a charming literary charade" (S. 201) sei. Sullivan meint ferner: „it is saved from sinking into religious ‚kitsch' by its playful spirit and the fact that the amusing love sonnets, which are really

---

83 Villiger nennt die Briefe „ein zwar nicht sehr bedeutendes, aber liebenswürdiges ... Zeugnis" (S. 17).
84 Siehe Kap. 3. Anm. 7.

poems on remedies against love are, included ‚aus Schertz' as the introductory paragraph puts it" (S. 212). Obschon es zutrifft, daß zwei der sieben Liebessonette auf heitere Art die petrarkistische oder weltliche Liebe ablehnen, so enden sie doch mit der ernsthaften Bejahung irgendeiner Kardinaltugend.

Über die neulateinische und deutsche Dichtung des 17. Jahrhunderts, die in einem Strom ohne Unterlaß die humanistischen Ideale der Zeit preist, hat Karl Otto Conrady geschrieben: „Die zahlreichen Gedichte, die hierher gehören, sind nur zu begreifen, wenn man den meditierend-deiktischen Charakter dieser Lyrik erkennt und ernst nimmt" (S. 268). Diese Feststellung bezieht sich auch auf eine Sammlung wie die *Tugend-Übung*.

Die *Tugend-Übung* ist nichts weniger als eine Kristallisation von Catharinas Weltanschauung; eine Sammlung von stoizistischen und religiösen Aussagen sorgfältig losgelöst vom offensichtlich Privaten, was im 17. Jahrhundert dem Wert des Werkes Abbruch getan hätte. Diese Aussagen scheinen aber durch die Verallgemeinerungen, die von der emblematischen Kunstform und der Gesellschaftsdichtung als solcher erwartet wurden. Es ist aber möglich, so scheint mir, hinter dem verallgemeinernden Emblem auch die persönlichen Erfahrungen zu sehen und aus dem emblematischen „Gesprächspielen", aus den „Tugend-Übungen" dieser „lustwehlenden Schäferinnen" viel Persönliches herauszulesen, was einem mit der Biographie der Dichterin nicht vertrauten Leser verschlossen bleibt.

KAPITEL V

EMBLEMATISCHE MEDITATION

Die Bedeutung der Meditationsübungen für das religiöse Leben Europas während des 16. und 17. Jahrhunderts ist längst erkannt worden; doch wissen wir erst seit Louis Martz[1] auch um das Ausmaß dieser Tradition; seine Forschungen haben gezeigt, wie sehr Form, Komposition und auch Thematik eines großen Teiles der englischen Dichtung zur Zeit Elisabeths I. und Jakobs I. durch meditative Übungen beeinflußt worden ist. Mit einigen Vorbehalten und Modifikationen lassen sich dabei die Feststellungen von Martz durchaus auch auf die deutsche Barockdichtung übertragen, da ja die Meditationsdichtung ein europäisches und kein lokal-nationales Phänomen ist.

Die jesuitischen Meditationsübungen bereicherten das Leben von zahllosen Gläubigen, ob katholisch oder nicht. England, die Niederlande und die deutschsprachigen Regionen waren für die neuen geistlichen Übungen besonders offen, wenn auch manchmal aus verschiedenen Gründen. Eine besondere Stellung nimmt dabei der protestantische Landadel Niederösterreichs in der zweiten Hälfte des 17. Jahrhunderts ein, als eine erfolgreiche Gegenreformation in diesem Land durchgeführt wurde. Praktisch bedeutete das, daß die Lutheraner ihrer Kirche beraubt wurden: es durften keine Pastoren bestellt werden, auch Privatlehrer und schließlich sogar protestantische Diener wurden verboten, und als einziges Zugeständnis war es gestattet, protestantischen Gottesdiensten außerhalb Österreichs beizuwohnen.[2] Unter solchen Umständen ist es ganz natürlich, daß diese bedrängten Kreise eine nach innen gewendete Gläubigkeit entwickelten und kleine religiöse Zirkel bildeten, um den Verlust einer öffentlichen religiösen Form zu kompensieren. Zu diesen Betroffenen gehörte auch Catharina von Greiffenberg; von aufrichtiger Frömmigkeit war sie von der religiösen Unterdrückung unmittelbar betroffen (es war ihr nur ein- oder zweimal im Jahr möglich, dem Abendmahl beizuwohnen), und so wandte sie sich bereitwillig meditativen Praktiken zu. Durch ihr dichterisches Feingefühl, ihre religiöse Gesinnung wie auch ihre Vorstellungs- und Geisteskraft erscheint sie für eine meditative, kontemplative und sogar mystische Lebenshaltung geradezu prädestiniert, und ihr dichterisches Werk besteht denn auch fast ausschließlich aus religiöser Dichtung und „andächtigen Betrachtungen." Dabei waren ihre Erbauungsschriften hinsichtlich Verbreitung und Wirken sehr erfolgreich und wurden nicht nur von protestantischen Glaubensgenossen, sondern auch von Katholiken und sogar Jesuiten gelesen.[3]

Teile dieses Kapitels erschienen schon in Aufsätzen in *Europäische Tradition und Deutscher Literaturbarock* und in *German Life and Letters*, XXV (1972), 126—139.

1 Louis Martz, *The Poetry of Meditation*, bearb. Aufl. (New Haven, 1962).
2 Vgl. Bircher, *Stubenberg*, S. 1—6; Frank, 13f.
3 Vgl. Briefe an Birken 4. 3. 1673 und 2. 6. 1673.

Hinsichtlich mindestens eines wichtigen Problems, dem der „Allgemeynen Andacht" fand sie ihre Ansichten in völliger Übereinstimmung mit denen des hervorragenden Jesuitenpaters Philipp Müller.[4]

Abhandlungen von spanischen und französischen Jesuiten wurden in alle europäischen Sprachen übersetzt, ihre Ideen und praktischen Ratschläge wurden von Schriftstellern jeder Konfession befolgt. Als ein Beispiel aus vielen sei dazu der anglikanische Bischof Joseph Hall genannt, dessen Werk in England sehr geschätzt war, und dessen *Occasional Meditations* (London, 1630) von Harsdörffer ins Deutsche übersetzt wurde. In seiner *Arte of Divine Meditation* (London, 1607) erkennt sich Hall dem Werk von Bernard von Clairvaux, Hugo von St. Victor, Bonaventura und Joannes Mauburnus verpflichtet. Dieselben Autoren beeinflußten auch den heiligen Ignatius und spätere jesuitische Schriftsteller, und ihre Werke wiederum wurden sowohl von Katholiken wie auch von Nichtkatholiken gelesen. So ist es wenig sinnvoll, die Abhängigkeit Catharinas oder anderer deutscher Dichter von Hall nachweisen zu wollen,[5] da Hall lediglich eine Tradition religiöser Übungen vermittelte, die zu seiner Zeit in Süddeutschland und Österreich bereits lebendig war.

Meditation, wie sie damals geübt wurde, war eine gezielt fortschreitende geistliche Betrachtung, die zu einem tieferen Verständnis und zu einer größeren Gottesliebe führte. Bischof Joseph Hall beschreibt diese Praxis so:

Our Meditation must *proceed* in due order, not troubledly, not preposterously: It begins in the understanding, endeth in the affection; It begins in the braine, descends to the heart; Begins on earth, ascends to Heaven; Not suddenly, but by certaine staires and degrees, till we come to the highest.[6]

In einer solchen Meditation konzentriert der Mensch seine Einbildungskraft, seine physischen Sinne und sein Denken auf ein religiöses Thema. Die Sinne spielen dabei eine wichtige, wenn auch lediglich einführende Rolle; denn der Mensch muß die volle Realität des Gegenstandes seiner Meditation — sei es eine Blume, die leidende Person Christi am Kreuz oder ein Bibelwort — mit allen Sinnen gewahr werden; er muß den Gegenstand seiner Meditation erleben, um ihn gefühlsmäßig nachzuvollziehen und zu verstehen. Erst danach folgt das Nachdenken über die volle Bedeutung. Der englische Jesuit Richard Gibbons definiert Meditation als „a diligent and forcible application of the understanding, to seeke, and knowe, and as it were tast some divine matter; from whence doth arise in our affectionate powers good motions, inclinations and purposes which stirre us up to the love and exercise of vertue, and the hatred and avoiding of sinne."[7] Die Meditationsübung besteht aus drei Teilen; Martz beschreibt sie als

---

4 Vgl. Frank, S. 79.
5 Wie Frank (S. 95f.) es vielleicht unabsichtlich tut. Vgl. ferner Bircher, „Unergründlichkeit . . ." S. 219, Anm. 40.
6 Zit. nach Martz, S. 25.
7 Zit. nach Martz, S. 14.

„composition," „analysis" und „colloquy," und diese sind wiederum als Funktionen der drei Seelenkräfte – Gedächtnis, Verstand und Wille – zu verstehen.[8] Es dürfte also kaum überraschen, wenn Harsdörffer das „Absehen" und den „Inhalt" seines meditativen Werks *Nathan und Jotham, Das ist Geistliche und Weltliche Lehrgedichte* (Nürnberg, 1650) so beschreibt, daß in diesem Werk: „. . . I. der Verstand / II. die Bildungskräffte (facultas imaginativa) III. die Gedächtniß und IV. unsre bald=ecklende Sinne zu vorträglicher Berlernung angehalten werden . . . ."[9] Und er fügt hinzu: „Dieses alles würcket die Kunstrichtige Gleichniß." Wir wissen, daß Harsdörffer das Gleichnis als Kern des Emblems betrachtete.[10]

Verschiedene Kritiker haben darauf hingewiesen, daß die religiöse Dichtung des Barock in mancher Hinsicht der Tradition der Meditation verpflichtet ist. Aber selbst Jöns scheint den Begriff „Meditation" in einem eher allgemeinen Sinn zu verwenden.[11] Meines Wissens aber war Louis Martz der erste, der das Verhältnis der Lyrik zur Meditation im engeren Sinn der festgelegten jesuitischen Übungen aufgezeigt hat. Wie wir schon früher bemerkt haben,[12] lassen sich manche Ergebnisse von Martz' Untersuchung auf die deutsche Barocklyrik übertragen. Zu demselben Resultat kommt auch Marvin Schindler in seinem Buch über Gryphius.[13] Schindler widmet ein Kapitel dem Thema „Gryphius as a Meditative Poet." Über das erste Quartett des Sonetts „An den am Kreuz aufgehenkten Heyland" meint Schindler:

> The suddenness with which the poem begins, as well as the intensity of imagery and tone, which lend the unmistakable impression of a deep and direct personal involvement, are strongly reminiscent of the effect obtained by John Donne from using the method of composition by „placing oneself at the spot." The poem is, in fact, Gryphius' translation of a sonnet by the Jesuit Sarbiewski. (S. 144 f.)

Das Sonett „Die Hölle" legt Schindler nach dem dreifachen Schema der Meditation aus. Im Oktave findet er „the application of the senses as an aid to the method of composition by ‚seeing the spot' or ‚placing oneself at the spot' " (S. 146); im Sextett haben wir es mit einem „act of analysis" (S. 147) zu tun; das Gedicht schließt mit der dritten Seelenkraft, dem Willen, und einer „colloquy in the form of an exhortation directed to the self and to every sinner . . ." (S. 147). Als Ergebnis einer Reihe solcher Interpretationen bietet Schindler folgende Zusammenfassung:

> In conclusion, the abrupt question; the bold, provocative directness and vivid detail of opening phrases that place the reader immediately at the heart of the matter; the rational analysis of the graphic scenes depicted; and the emotional reaction to what

---

8 Ebenda, S. 34f.
9 S. 1 der nicht paginierten „Vorrede."
10 Vgl. ferner Harsdörffers *Nathan*, „Die Sinne," CXI; *Jotham*, „Betrachtung," XIV, LXV.
11 Vgl. Jöns, S. 180ff.
12 Vgl. Daly, „Emblematic Poetry of Occasional Meditation", *German Life and Letters*, XXV (1972), 126–139.
13 Marvin Schindler, *The Sonnets of Andreas Gryphius. Use of the Poetic Word in the Seventeenth Century*, U. of Florida Press, (Gainesville, 1971), S. 144.

the mind has interpreted or comprehended are no less characteristic of Gryphius than they are of Donne, Herbert, or Southwell. (S. 166)

Die Verwandtschaft der Emblematik mit der Meditation, sei es in der Form einer zufälligen Andacht oder einer biblischen Betrachtung, sollte klar sein.[14] Voraussetzung der ernsten Emblematik sowie der Meditation ist die Annahme einer sinnvollen Welt, in der Geschöpfe und Dinge alle auf Gott und die Heilsgeschichte hindeuten. Christian Scriver spricht selbst wie ein Emblematiker, wenn er behauptet, daß „ein Liebhaber GOttes / in allen Geschöpffen / das Zeichen / den Namen / das Wapen seines milden und liebreichen GOttes findet … Das Buch der Natur hat viel tausend Blätter / darauff der Finger GOttes seine Liebe beschrieben / …"[15] Er betont ferner: „aller Geschöpff Gestalt und Bewegung / welche dem menschlichen Gemüth zu betrachten vorkommen / sind zu dessen Erbauung angesehen / ihre mancherley Verrichtungen und Eigenschaften sind mancherley Zungen / damit sie uns anschreyen / und ernstlich anmahnen / ihren Schöpfer zu erkennen."[16]   In seinem „Ander Vorbericht" zu den *Zufälligen Andachten* wiederholt Scriver dieselbe Ansicht: „Denn was sind die theils benamte Wercke der Kunst und Natur anders als lebendige Sinnbilder? Was sind die Schickungen Gottes/ die mancherley Fälle / die vielfältigen Geschäffte im menschlichen Leben anders / als, / wie der H. Augustinus (a) redet / Verba visibilia, sichtbare Reden …."[17] Er behauptet, daß er es lediglich „um der Unkosten willen" nicht ratsam befunden habe, das Werk mit „Kupfer-Bildern" zu verstehen.[18]

Das Emblem wurde dem Geistlichen und dem religiösen Dichter zu einem willkommenen Mittel für die Gestaltung der Meditation. Ähnlich wie die Meditation vermag das Emblem sich auf einen einfachen Gegenstand zu konzentrieren, welcher als eine Art Sprungbrett den Betrachtenden zu Gedanken und religiösen Erlebnissen führen kann, die den einfachen Ausgangspunkt weit hinter sich lassen. Dies ist eine Aufgabe des Emblems, welche Harsdörffer wiederholt betont: „Sinnbilder … mehr weisen / als gemahlet oder geschrieben ist / in dem selbe zu fernerem Nachdenken füglich Anlaß geben" (F. G. IV, 173).[19] Er fährt weiter, indem er erklärt wie und warum Embleme mehr besagen als sie darstellen: „Indem nemlich die Gleichheit des Bildes mit dem Verglichenen / in unterschiedlichen Stucken besteht / deren das vornemste bedeutet / die anderen darunter verstanden werden" *(F.G.IV, 174). Das* Emblem kann die Richtung eines Gedankens vorgeben, den der Leser selbständig zu verfolgen vermag, und diese dem Emblem innewohnende Eigenschaft macht es dem meditativen Dichter zum willkommenen Ausdrucksmittel. Ganz allgemein kann die „Sinnbildkunst … eine nachdenkliche Ausdrückung sonderlicher Gedanken" sein

---

14 Vgl. Daly, „Southwell's ‚Burning Babe' and the Emblematic Practise", *Wascana Review*, III, Nr. 2 (1968), 41ff.
15 *Gottholds zufällige Andachten vier hundert, bey Betrachtung mancherley Dinge der Kunst und Natur* (Leipzig, 1686[7]), S. 2f. der nicht paginierten „Ersten Vorrede."
16 Scriver, „Erste Vorrede," S. 4.
17 Ebenda, S. 6 des nicht paginierten „Vorberichts."
18 Ebenda, S. 9 des „Vorberichts."
19 Vgl. Jöns, S. 18.

(F. G. IV, 176, vgl. auch F. G. IV, 170). In der Vorrede zum 2. Teil der *Hertzbeweglichen Sonntagsandachten* (Nürnberg, 1652) will Harsdörffer sogar den dritten geistlichen Sinn des Wortes, den *sensus anagogicus et mysticus,* für das Emblem in Anspruch nehmen: ,,Solche Beschaffenheit [dreifache Auslegung der heiligen Schrift] hat es auch mit den Bildern und Gemählen . . . III. Gleicheten dem verblümten und gesuchten heimlichen Verstand / die Sinnbilder (Emblemata) welche die Gleichnuß zu Außbildung der Gedancken etwas weiteres herholen / . . .''[20]

Harsdörffer war sich der religiösen Anwendung des Emblems wohl bewußt. Seine *Gesprächspiele* enthalten eine Anzahl von religiösen Interpretationen der Sonne (IV, 173); er erwähnt die religiösen Emblembücher von van Haeften, Cramer und Stengel und reproduziert drei Embleme aus Hugos *Pia Desideria* (IV, 202f., 213f.), wobei er diese Auswahl auch diskutiert. Harsdörffer beschließt den dritten Teil seines *Trichter* mit einer Sammlung von zehn religiösen Emblemen, er verwendet Embleme in seinen geistlichen Schriften, und seine *Hertzbeweglichen Sonntagsandachten* (Nürnberg, 1649, zweiter Teil, 1652) enthält im Vorwort seine Theorien über Embleme und ihre Verwendung in geistlicher Literatur.[21]

---

20 Harsdörffer, ,,Vorrede,'' Abschnitt 15.
21 Nur mit Schwierigkeit folgt man Peter Vodosek, wenn er in bezug auf die religiöse Anwendung des Emblems feststellt:
. . . Religiöse Sinnbilder zu stellen widerspricht nämlich irgendwie der emblematischen Theorie Harsdörffer ist so ehrlich, das auch zuzugeben. Es seien nicht ,,vollständige Sinnbilder'', sagte er einmal an einer Stelle. Er versucht jedoch, sie aus ihrer Absicht zu rechtfertigen: Durch ihre Klarheit und Anschaulichkeit sollen sie sich ins Gedächtnis graben und zu bedeutsamen Nachsinnen und nachhaltiger Andacht Anlaß geben. Sie gehen daher weniger auf spitzfindige Gleichnisse aus als die Emblembilder im eigentlichen Sinn. Auf der anderen Seite nähren sich diese ,,Andachtsgemälde'' bereits bedenklich der Allegorik. (,,Das Emblem in der deutschen Literatur der Renaissance und des Barock,'' *Jahrbuch des Wiener Goethe-Vereins* [Wien, 1964] S. 36.)
Dieser Abschnitt ist, gelinde gesagt, problematisch. Die Annahme, daß Embleme ,,im eigentlichen Sinne'' ,,spitzfindig'' seien, ist unhaltbar und allgemeine Floskeln bezüglich Allegorie sind fragwürdig, da Vodosek nur sieben Zeilen zur Definierung des Gemeinten vorlegt. Die Grenzen wichtiger Unterscheidungsmerkmale werden verwischt, indem Vodosek vom Emblem auf An dachtsgemälde übergeht und impliziert, daß religiöse Sinnbilder und Andachtsgemälde ein und dasselbe seien, obwohl Harsdörffer klarere Linien gezogen hat. Es ist zu bedauern, daß Vodosek als Quelle für Harsdörffers Kommentar, daß religiöse Embleme keine ,,vollständige Sinnbilder'' seie verschweigt. Meinerseits ist mir nur eine Stelle bekannt, in der Harsdörffer den Ausdruck verwendet, und das in einer Bemerkung zum Terminus ,,AndachtsGemähl,'' und nicht, wie Vodo sek impliziert, in einer Diskussion über das ,,Sinnbild.'' Harsdörffer schreibt:
Weil sie [AndachtsGemähle] nicht alle die Eigenschaften haben / welche zu vollständigen Sinn bildern erfordert werden / darvon in den Gesprächspielen umständig zu lesen ist. Etliche welche in einer richtigen Gleichniß bestehen / könnten mit Fug geistliche Sinnbilder heisen wann man etwan eine halbe Reimzeil / aus dem Text / darzu setzen wolte: Wir haben es aber dieses Orts / lieber bey den Sprüchen der Schrift / auf welche sie gerichtet sind / verbleibe lassen (F. G. VI, XII Andachtsgemähle, S. 52).
Aus dieser Notiz wie auch aus seinen anderen Erläuterungen zum Thema (vgl. *Vorreden* zu den *Sonntagsandachten* [1697 und 1652]) geht hervor, daß Harsdörffer die Existenz und Daseinsbe rechtigung religiöser Embleme anerkennt, sie aber nicht als Andachtsgemälde verkennt. Sie verweist auf gewisse Unterschiede der Komposition, vor allem die Verwendung der *subscriptio* und des interpretierenden Gedichts. In der *Vorrede* zu den *Sonntagsandachten* vertritt er die Ansicht, daß der Hauptunterschied darin liege, daß sich im Emblem Wort und Bild ergänzen, während der Text im ,,Gemähl'' auch ohne Bild verständlich ist und letzteres bloße Illustration wird. In Har dörffers eigener Praxis allerdings treten die Unterschiede nicht immer so deutlich zutage wie

Die unmittelbarste Form der emblematischen Meditation finden wir in Catharinas „Andächtigen Betrachtungen," wo jeder Meditation ein emblematisches Bild vorausgesetzt ist, eine Verbindung von *inscriptio* und *pictura* nebst einem erläuternden Gedicht. Das Emblem ist sowohl Einführung wie auch Brennpunkt der Meditation, indem es den Kern der Wahrheit enthält, über die meditiert wird. Diese Verbindung vom Emblem und Meditation ist nicht etwa eine Neuerung. Catharina folgt einer Tradition, die mit Namen wie Arndt, Hugo, van Haeften, Saubert und Dilherr verbunden ist.

Catharinas vier Bände mit Meditationen enthalten vierzig emblematische Stiche, wenn wir jeweils das Titelblatt mit einschließen. Überblicken wir aber sämtliche Kupfer und Erklärungen, dann stehen wir vor einer etwas problematischen Situation hinsichtlich der Autorschaft. Obwohl die emblematischen *picturae* und deren Erklärungsgedichte unter dem Namen der Catharina Regina von Greiffenberg erscheinen, hatte Birken die meisten verfaßt. Bis zu seinem Tod im Jahre 1681 hatte Birken die Drucklegung aller Werke Catharinas überwacht und die begleitenden Kupfer entworfen. Lediglich für die letzten zwei Bände Betrachtungen mit ihren vierzehn Emblemen und Erklärungen war Catharina allein verantwortlich. Es spricht für die ungewöhnliche Einfühlungsgabe Birkens, daß er die ergänzenden Embleme und Erklärungen ganz im Geiste unserer Dichterin verfassen konnte. Sicherlich wäre es pedantisch diese Kupfer außer acht zu lassen, weil sie nicht von der Feder der Greiffenberg stammen, denn sie gehören unmittelbar in den Bereich der Meditationen.

Das Titelbild des ersten Bandes mit dem Thema „Leiden und Sterben Christi" ist charakteristisch: es stellt eine Frau dar, die vor einer Staffelei steht, mit einem Tuch wischt sie verschiedene Figuren von der Leinwand, so daß nur noch das Bild des leuchtenden Christus am Kreuz, im oberen Teil der Leinwand, erhalten bleibt; die *inscriptio* lautet „Nichts als Jesus." Ob das Titelblatt direkt von Sauberts Sammlung *Geistliche Gemälde* beeinflußt war, wissen wir nicht, es besteht aber eine verblüffende Ähnlichkeit zwischen dem Titelbild von Sauberts Werk und dem vom *Leiden und Sterben CHRISTI*. Sauberts Titelbild zeigt einen Prediger, der vor einer Staffelei steht und Christus als den guten Hirten malt; hinter dem Malenden stehen drei weibliche Figuren, Glauben, Hoffnung und Liebe darstellend.[22]

Catharinas Titelbild ist das einfachste und anspruchsloseste Bild der zwölf Meditationen umfassenden Sammlung. Sein Wesen und seine Funktion entsprechen eigentlich weit eher Harsdörffers Beschreibung des „Andachtsgemähl" als einem Emblem. Wir erinnern hier an einen Brief an Birken, in dem Catharina die Eigenschaften der Embleme umreißt, die sie für *Leiden und Sterben CHRISTI* entwerfen will: „Sie sollen *Zu gleich klar und dunkel seyn, Verständlich und*

---

seiner Theorie. Einige Illustrationen der „Gemähle" könnten ohne weiteres als Embleme fungieren und verschiedentlich findet sich kaum ein formaler Unterschied zwischen den Bildern der Andachtsgemälde und denen der *emblemata sacra* seines *Trichters*.

22 Vgl. Dietrich Jöns, „Die emblematische Predigtweise Johann Sauberts," *Rezeption und Produktion zwischen 1570 und 1730. Festschrift für Günther Weyd zum 65. Geburtstag.* hrsg. v. W. Rasch, H. Geuden und K. Haberkamm (Bern und München, 1972), S. 137—158.

unverständig, nach deren Erfüllung sollen Sie teütlich seyn, davor nicht Ein Mahl Eine Andeüttung geben."[23] Vielleicht mit Ausnahme der ersten und zwölften sind alle Embleme in *Leiden und Sterben CHRISTI* „klaar und dunkel," „Verständlich und unverständig." Ich lege Catharinas Worte folgendermaßen aus: die Einzelteile des emblematischen Bildes, die *inscriptio* und *pictura*, sollen als solche klar und verständlich sein, als Verbindung aber sollen sie dunkel und rätselhaft werden; das erläuternde Gedichte (vgl. „Erfüllung"), welches die Funktion der *subscriptio* hat, erhellt zum ersten Mal die Bedeutung des Ganzen. Das hat anfänglich ganz den Anschein, als ob es sich um eine esoterische Emblematikerin handle, die mit hieroglyphischen Motiven eine rätselhafte Wirkung erzielen will. Bei näherer Betrachtung finden wir aber keine esoterischen, hieroglyphischen oder rätselhaften Motive: die *picturae* zeigen Gegenstände aus der Welt des Menschen oder aus der Natur, oder dann entstammen sie der biblischen oder klassischen Tradition. Des weiteren wird das Anliegen der Dichterin deutlich in ihrer „Voransprache," wo sie im allgemeinen über ihre Meditationen spricht und die Art und Weise in der sie gelesen werden sollten: „Der klugsinnige Leser verschmähe nicht / diese ihm aufgetragene Blut=Perlen / wegen der schlechten Baum=Rinden=schalen / und lasse Ihm belieben / die süsse Früchte der Jesus=Liebe / ob sie Ihm schon auf einem schlechten Kraut=Blatt meiner Worte vorgesetzet werden." Dieser Satz steht im Zusammenhang mit der mittelalterlichen Tradition der typologischen Exegese. Hubert Gersch[24] hat kürzlich darauf hingewiesen in welchem Ausmaß Grimmelshausen die Deutbilder einer aus dem Mittelalter überlieferten Texttheorie benützt, indem er solche Bilder wie „Nuß und Kern," „Hülse und Kern," „Hülse und Frucht" und „Rinde und Mark" gebraucht, um in seinem *Simplizissimus*-Roman auf eine tiefer liegende moralische und geistige Ebene hinzuweisen, die dem flüchtigen Abenteuerromanleser verborgen bleibt.[25] Wie ihre Kommentare zu dem *Aramena*-Roman zeigen, war Catharina mit dieser aus dem Mittelalter stammenden typologischen Tradition in weltlichen Barockschriften vertraut. In einem Brief an Birken vom 2. Mai 1670 — ungefähr zur Zeit als sie ihr *Leiden und Sterben CHRISTI* vollendete und sich mit dem schwierigen Problem der passenden Embleme auseinandersetzte — macht sie folgende Bemerkungen zu *Aramena*: „siehe Also in diesem Edelsten Buch, was Jch sonst Nirgend Alß in Meinem Verlangen finde, die Beförderung der Seel. Ewigkeit in der Zeit-Vertreibung! die Bekehrungs-Pillulen in der Ergezungs-Erdbeeren, und die Lust-lilien mit Andacht-Safiren versezet!" Eine deutlichere Aussage über die Verbindung von *prodesse* und *delectare* mit der spirituellen Allegorese gibt es wohl kaum.

Die einführenden Äußerungen zu *Leiden und Sterben CHRISTI*, „Blut=Perlen . . Baum=Rinden=schalen", und „die süsse Früchte der innigen Jesus-Liebe . . . Kraut=blatt meiner Worte" weisen auf eine Abwandlung des überlieferten Deutbildes hin, da

---

23 Die Betonung ist von der Dichterin selbst.
24 Hubert Gersch, *Geheimpoetik*. Die „Continuatio des abentheurlichen Simplicissimi" interpretiert als Grimmelshausens verschlüsselter Kommentar zu seinem Roman (Tübingen, 1973).
25 Vgl. Gersch, S. 75ff.

kein Widerspruch zwischen dem oberflächigen und tieferen Sinn ihrer Worte besteht. Sie ändert aber den mittelalterlichen texttheoretischen *topos* leicht ab, indem sie sich bescheiden und unterwürfig gibt und damit andeutet, daß die Wahrheit („Blut=Perlen" und „süsse Früchte der innigen Jesus-Liebe") größer ist, als sie es auszudrücken vermag.

Vielleicht deuten Catharinas Theorien über das Emblem („klaar und dunkel," „Verständlich und unverständig"), zusammen mit ihrer apologetischen Abänderung der mittelalterlichen Texttheorie, nicht auf eine esoterische sondern eher eine pädagogisch-didaktische Absicht hin. Das intellektuell anspruchsvolle Emblem soll die Wahrheit dergestalt enthalten, daß der Geist angeregt wird. Die Anstrengung, die nötig ist, um die Zusammenhänge herauszufinden, wird die Wahrheit stärker im Gedächtnis einprägen. Das zweite Emblem (s. Anhang, S. 170) zum Beispiel zeigt eine einzelne Rebe, die an einer hölzernen Stange hinaufklettert, darüber hängt in der Luft eine Weintraube. Die *inscriptio* lautet „Eher als er." Es ist anzunehmen, daß der damalige Leser in der mystischen Weintraube ein Symbol für Christus erkannt hat, aber er war wahrscheinlich ratlos, wie er die beiden voneinander zeitlich und räumlich verschiedenen Motive verbinden sollte (die Rebe hat weder Früchte noch Blumen); dem Leser dürften wohl Motto und *pictura* „dunkel" erscheinen. Die ersten Zeilen des Erklärungsgedichts beschreiben die *pictura*:

O Wunder! seht die frucht / gewachsen von dem Stammen /
eh zeitig / als die Zeit / so diesen aufgeführt.
. . .
Der Saft ist noch im stamm / der in die frucht soll schießen /
und sprizt doch schon in mund / dem der sie nimmt und isst.

In Zeile sieben beginnt sie die *pictura* auf Christus zu beziehen:
So muste JESU Gut / in Kelch und Wein / zufliessen /
eh noch der leib verwundt . . .

Das Thema der Meditation ist der verratene Christus. Schon der erste Satz ist auf die beinahe paradoxe Natur des Verrats ausgerichtet: „JESUS! der allertreuste Seelen= Freund / muß die gröste untreue eines falschen Freundes erfahren" (S. 42). Nach ein paar antithetischen Variationen zu diesem Thema verweilt die Meditation beim letzten Abendmahl, und diesem Kontext ist das Motiv von der Rebe mit der darüberhängenden Weintraube entnommen, worauf sich die *pictura* bezieht. Catharina legt Christus die folgenden Worte in den Mund: „Erkennet meine Gottheit / welche die verlangen / vor dem Werke / ins werk setzen kan; weil sie das blut hergibt / ehe die Wunden gema- chet sind; den Wein / ehe das Träublein gekältert; den saft / ehe der Fels geschlagen; und das Pelican=blut / ehe ihm die brust eröffnet worden!" (S. 42)

Die meditative und emblematische Absicht ist besonders gut ersichtlich im sechsten Emblem (s. Anhang, S. 178), welches eine Strahlensonne und darunter eine Mond- scheibe mit einer Krone zeigt. Im Erklärungsgedicht sagt die Stimme des Sprechenden, daß sie in einer meditativen Stimmung den Mond beobachtet habe und dabei eingeschlafen sei und geträumt habe:

. . . Mich dünkt' im Traum zu sehn
den Mond / als eine Kron / dort vor der Sonne stehn /
doch Erdwarts nicht mit liecht die dunkle Scheibe fanken.

Als Antwort auf die rhetorische Frage „was diß bedeutet?", wird der Mond als Symbol
des leidenden Christus interpretiert, den teilweise verfinsterten „Himmel-König," zur
Zeit der Erniedrigung und Qual, dessen Gottheit von vielen unerkannt blieb:

. . . Diß Bild dein Leiden ist /
mein höchster Schatz! der du ein Himmel-König bist /
in höchsten Glanz und Schein / doch nicht erkennt von allen.
Du sihst den Glauben an / der deine helle Sonne.
Man sihet deine Kron und Königlichen Pracht:
der / bey der Eitelkeit ganz dunkel und veracht /
unsichtbar wird gesehn nur von der Glaubens-wonne.

Dieses Bild wird dann mit der historischen Situation Christi assoziiert, der als „ein
König" vor seinem weltlichen Richter („jenem Richter") steht:

Du bist ein König ja der Klarheit / in der Warheit:
wann schon gebunden du vor jenem Richter stehst.

Die Meditation beschäftigt sich mit dem Verhör Christi durch Pontius Pilatus, einer
Situation, die Catharina paradox findet: „Der Richter der lebendigen und todten /
wurde dem sterblichen ungerechten Richter übergeben . . ." (S. 299). Das Erklärungsgedicht klingt in Bildern und Formulierungen an die Meditation an: „Uns von der
Obrigkeit der Finsterniß loß zu machen / ergabe sich die ewige Sonne / der Obrigkeit /
bey der die Gerechtigkeit verfinstert ist" (S. 299). Die Juden stellen Christus zur Rede,
weil er sich Christus und König nennt. Catharina antwortet:

Er spricht / und ist es auch: der / dessen Worte werke sind; der der spricht / so
geschieht es. Er wird zwar hier nicht erst / was er spricht / sondern er ware es von
aller Ewigkeit . . . O unachtsame boßheit-blinde Leute! die die erfüllung vor augen
sehen / und die bestätigung als unwarheit anklagen. (S. 323)

Das Erklärungsgedicht bezieht sich wieder auf das ursprüngliche emblematische Motiv
von Sonne und Mond, Darstellung und Deutung vereinend:

Dein Elend dreht sich üm / wann du vorüber gehst /
und in den Vollmond kommst: dann zeigt sich deine Klarheit /
Die Himmel Königs-Kron. Jndeß muß sie im glauben
seyn ungesehn beschaut. Unsichtbar aber wahr
ist deine Herrlichkeit. Das jenig ist ja klar:
was bey der Sonne ist: wer wil den Glanz ihr rauben?

Im Falle dieses besonderen Emblems hat der Verfasser als *pictura* kein Motiv aus der
Meditation gewählt, wie er es sonst oft tut. Wir rufen die Tatsache in Erinnerung, daß

die Meditationen beendet waren, bevor die emblematischen Einführungen hinzugefügt wurden. Obwohl die *pictura* von Sonne, Mond und Erde nicht direkt aus der Meditation stammt, bestehen viele Verbindungen zwischen *pictura* und Meditation. Christus als Wahrheit ist die Sonne: „Sie [Wahrheit] ist die Sonne; ohn ihr erleuchtung / bleibt alles dunkel und unsichtbar . . ." (S. 352). Anderswo bekennt Christus, daß er zwar ein König ist, sein Reich aber nicht von dieser Welt sei.

Die bewußt emblematisch auslegende Intention der einleitenden Sinnbilder begegnet uns wieder im ersten Emblem (S. Anhang, S. 196) zu den *BETRACHTUN-GEN Von Allerheiligster Menschwerdung / Geburt und Jugend / Wie auch von Leben / Lehre und Wunderwerken / Und dann vom Leiden und Sterben . . . JESUS Christi* (Nürnberg, 1693). Das pythagorische Gottheitsbild vom Kreis und Mittelpunkt erscheint in der *pictura* mit der *inscriptio* „klein doch unendlich". Die ersten sechs Verse des Erklärungsgedichtes beschreiben wie immer das abgebildete Motiv ausführlicher, dann aber folgt die bewußte Wendung zur Deutung. Die Dichterin stellt fest:

> . . . Mein Herze sich befleißet /
> zu denken diesem nach / was es doch in sich hält.

Dieses mathematische Bild der Ewigkeit, Unendlichkeit oder auch Gottheit wird aber für Christus als Kind angewandt. Diese Deutung wird aus dem Bild herausgelesen als verweise es auf diesen Sachverhalt:

> Das kleine JEsus-Kind disi Pünctlein uns anzeiget /
> des ew'ge Gottheit doch Welt-überweitend ist /
> Natur / und Zeit beschliest / sich in dem Abgrund neiget /
> der alles überhöht . . .

„Klaar und dunkel" ist auch das elfte Emblem (s. Anhang, S. 188), durch seine Vielschichtigkeit reich an Interpretationsmöglichkeiten. Den alttestamentarischen Motiven wird eine typologische christologische Bedeutung verliehen, welche dann mit der klassischen Tradition in Verbindung gebracht wird, die ihrerseits als Allegorie verwendet wird. Die *pictura* zeigt einen Fels mit einer Höhle, dahinter einen Turm von Schwalben umkreist, die auch in die Höhle fliegen. Die *inscriptio* „In Wunden gefunden"[26] verbindet die Höhle offensichtlich mit den Wunden Christi und läßt auf eine Deutung schließen, die mit der Erlösung zusammenhängt. Die ersten sechs Verse des Erklärungsgedichts verdeutlichen die alttestamentarische Topographie:

> Bey Salem dort / wo Sions Burg sich spitzet /
> ein holer Fels im Schoß der Täler sitzet /
>   trug einen Thurn / von Tauben zugenamt:

---

26 Das Motiv von Felsenhöhle und Taube sowie das Motto „In Wunden gefunden" ist vielleicht eine Erinnerung an Dilherrs Wahlspruch „In Foraminibus Petrae Quiesco," obwohl der Spruch selbst dem Hohen Lied entnommen ist. Vgl. Maria Fürstenwald, „Letztes Ehren=Gedächtnüß und Himmel=klingendes SCHAEFERSPIEL," *Daphnis,* II (1973), 51.

weil sie daselbst geheckt und sich besamt.
Unfern davon der Brunn Siloha floße
vom Sion=fels / ein klares Wasser gosse.

Die Szene aus dem alten Testament wird zu einem Typus für die Seitenwunden Christi
als „Wohnung" der Seele. Ein weiterer Aspekt wird herausgehoben für eine besondere
Interpretation: „der Fels . . . von sich gibt ein klares Nass . . .," und dieses „rohte
Heil" ist natürlich Erlösung. Christus der Fels wird zu Christus dem

Felsenbrunnen den Gott gesandt / die Seel zu waschen rein.

Zum Schluß, und eher unerwartet, wird Sions Burg zum Parnassus und Siloha zur
klassischen Hippocrene aus welchem der „Himmels=dichter" „Liebe/Feur und Geist"
trinkt:

Du Sions Burg / solst mein Parnassus seyn.
Hier find' ich recht den schönen Hippocrene.
Hier werdet naß / ihr Himmel Musen Söhne!
Hier man sich trinkt voll Liebe / Feur und Geist /
und seeliglich ein Himmels=dichter heist.

Die alttestamentarische Szene verwandelt sich in eine klassische, die dann wiederum
typologisch als christliche Interpretationslehre ausgelegt wird. Mit der Erwähnung von
„Feur und Geist" wird ein *Topos* der Inspirationslehre genannt, die den menschlichen
Dichter dem preisenden Engel gleichsetzt. Dieser Gedanke läßt sich durch die ganze
Greiffenbergsche Dichtung von den ersten anonym veröffentlichten Gedichten im Jahr
1654 bis zu den letzten Betrachtungen aus dem Jahre 1693 verfolgen[27].

Charakteristisch emblematisch ist auch das Titelkupfer (s. Anhang, S. 222), zu
Catharinas *JESU Christi . . . Lehren und Wunderwerken* (Nürnberg, 1693). Das
Titelkupfer zeigt eine nächtliche Szene in einem Garten mit einem Springbrunnen vor
einem sich im Hintergrund abspielenden Feuerwerk, das sorgfältig angeordnet ist. Die
auf die *pictura* bezogene *inscriptio* ist abbildend, nicht deutend und lautet: „Flut und
Flamen sind beÿsammen." Dieses Titelbild stellt die Vorstellungskraft des Lesers auf
eine harte Probe, auch wenn er aus dem Titel ersehen kann, daß es sich bei diesem
Band um eine Sammlung von Meditationen über die Lehre und Wunderwerke Christi
handelt. Die Erklärung spricht von des „Heiles=Wasserwerck" und „Geistes=Flamme
/Seiner feur'gen GOttes=Lehr." Das Gedicht schließt mit der Verbindung der beiden
Motive im Bild mit der *inscriptio* und zeigt worauf sich deren Bedeutung bezieht:

War ein ALlheit=Wunder=Springwerk / auch ein Geistes Feur Werck=Kunst /
Jn den Weißheit Predig=Worten / voller Geist= und GOttes=Brunst /
Sehet also wunder=voll diese GOttes=Fluth und Flammen
Jn den schönen JEsus=Leben Seiner Werk und Lehr beysammen.

---

27 Vgl. Kapitel 1, S. 25f. und Conrad Wiedemann, „Engel, Geist und Feuer. Zum Dichter
selbstverständnis bei Johann Klaj, Catharina von Greiffenberg und Quirinus Kuhlmann."

In diesem Bild finden wir eine gelungene Verbindung des antithetischen Wasser-Feuer-*Topos*, das letztere in der Form eines Feuerwerks, das Catharina wahrscheinlich selbst hatte beobachten können. Wie bekannt ist, begeisterte sich das siebzehnte Jahrhundert an Feuerwerken und gerade Nürnberg sah am 16. Juni 1650 eine prachtvolle Veranstaltung. Ursache dieser Festlichkeit war die Unterzeichnung des sogenannten Interimrezesses durch die feindlichen Parteien des Dreißigjährigen Krieges; die Verhandlungen hatten in Nürnberg stattgefunden. Was die Nürnberger in jener Juninacht zu sehen bekamen, war nicht einfach Feuerwerk, sondern allegorisches Lichttheater. Verschiedene Dichter waren daran beteiligt: Birken verfaßte das Sinnspiel, Harsdörffer war verantwortlich für die emblematischen Programme, und nachträglich veröffentlichte Klaj die Redeoratorien *Geburtstag des Friedens* und die *Irene*.[28] Wir wissen nicht, ob Catharina diesem bestimmten Fest beigewohnt hat, aber es ist anzunehmen, daß sie bei anderen Feuerwerken mit dabei war. Mit ziemlicher Sicherheit hat sie Birkens und Klajs dichterische Beiträge zu diesem Thema gelesen.

Emblematische Meditation in Gedichtform findet ihre höchste Vollendung im Figurengedicht, einem Gedicht dessen Verszeilen so angeordnet sind, daß sie gesamthaft die Umrisse des Gegenstandes einer Meditation wiedergeben. Ein großartiges Beispiel ist Catharinas Figurengedicht in der Form eines Kreuzes welches die Überschrift „Über den gekreuzigten JESUS" trägt:

※(403)※

XLVII.

Uber den gekreutzigten
JESUS.

Seht der König König hangen/
und uns all mit Blut besprengen.
Seine Wunden seyn die Brunen/
draus all unser Heil gerunnen.
Seht/Er strecket seine Händ aus / uns alle zu umfangen/
hat/an sein liebheisses Herz uns zu drucken/lustverlangen.
Ia er neigt sein liebstes Haubt/ uns begierig mit zu küssen.
Seine Essen und Gebärden/sind auf unser Heil geflossen.
Seiner Seiten offen = stehen /
macht sein gnädigs Herz uns seht:
wann wir schauen mit den Essen/
sehen wir uns selbst darinnen.
So viel Strieme/so viel Wund/
als an seinen Leib gefunden /
so viel Sieg-und Segens-Quellen
wolt Er unser Seel bestellen.
zwischen Himmel und der Erden
wolt Er aufgeopffert werden :
daß Er GOtt und uns vergliche.
uns zu stärken / Er verbliche:
Ja sein Sterben/ hat das Leben
mir und aller Welt gegeben.
Jesu Christ! dein Tod und Schmerzen
leb' und schweb mir stets im Herzen!

Spruch=

28 Vgl. Vereni Fässler, *Hell-Dunkel in der barocken Dichtung*. Studien zum Hell-Dunkel bei Johann Klaj, Andreas Gryphius und Catharina Regina von Greiffenberg (Bern, 1971). Über Feuerwerk im 17. Jh., s. Eberhard Fähler, *Feuerwerke des Barock,* Studien zum öffentlichen Fest und seiner literarischen Deutung vom 16. bis 18. Jahrhundert (Stuttgart, 1974).

Dieses Kreuzgedicht zeigt mit welcher Genauigkeit diese religiöse Dichterin sowohl über die emblematische Form wie auch den meditativen Gehalt herrscht. Von oben nach unten lesend folgen wir dem Gedankengang, der von „der König König" in Zeile eins zu „Tod und Schmerzen" in der zweitletzten Zeile führt. Indem wir die Kreuzform betrachten, sehen wir den gekreuzigten Christus vor uns hängen: in den Zeilen, welche den Querbalken des Kreuzes bilden, sehen wir seine ausgestreckten Arme; unmittelbar darunter sind seine Wunden und sein Herz beschrieben. Dieser visuelle Eindruck und die Aufmerksamkeit für visuelle Details ist in der handschriftlichen Version, welche von Birken für den Druck ediert wurde, noch deutlicher.

Seht der könig könig Hängen!
und uns all mitt blutt besprängen
auß der dörner wunden bronnen
ist All unßer heÿl geronnen
seine Augen schliest Er sacht!
und den Himmel uns aufmacht
Seht Er Streket Seine Hend auß uns freundlichst Zuentfangen!
Hatt an sein Liebheißes Herz uns zu drüken brünst Verlangen!
Ja Er neigt sein liebstes haubt uns begihrlichest zu küssen
All Sein Sinn gebärd und werk seyn zu unser Heÿl geflissen!
Seiner seitten offen stehen
Macht seÿn güttig Herze sehen!
Wann Wir schauen mitt den Sinnen
Sehen Wir uns selbst darinnen!
So Viel striemen so Viel Wunden
Alß an seinen leib gefunden
So Viel Sieg und Segen kwellen
Wolltt' er unser seel bestellen,
Zwischen Himel und der Erden
wolltt' Er auf geopfert werden
Daß Er gott und uns verglihen
uns Zu sterken Er Verblihen
Ja sein sterben hatt das Leben
Mir und Aller Welt gegeben!
Jesu' Christ dein Tod und schmerzen
Leb' und schweb' mir stett im Herzen![29]

---

29 P. B. O. 8/1, Blatt 17. Vgl. HS, S. 250

Während die gedruckte Fassung bloß generell auf „Wunden" verweist, nennt die Handschrift „der dörner wunden bronnen", wodurch die Aufmerksamkeit des Lesers auf die Dornenkrone Christi als „der König König" gelenkt wird. Zeilen 5 und 6 des Manuskripts sind gänzlich gestrichen worden.

Seine Augen schliest Er sacht!
und den Himmel uns aufmacht!

Indem sie die Augen Christi, die sich im Tode schließen, erwähnt, steigert Catharina den visuellen Eindruck und die körperliche Präsenz. Sie interpretiert denn auch gleich die Bedeutung dieses Geschehens mit traditionellen christlichen Begriffen: der Tod Christi öffnet den Himmel für die Menschheit. Dabei wird dieser Gedankengang mit dem unaufdringlich antithetischen Wortspiel „schliest" und „aufmacht" unterstützt. Das Gedichtmanuskript zeigt also eine Entwicklung von den Wunden auf Christi Haupt über die Augen zu den Händen. Birkens Edition ließ die ersten zwei visuellen Eindrücke fallen. Allgemein gesprochen entschärft Birkens Herausgeberschaft die Intensität des Gedichtes, nicht nur in der Auslassung der eben erwähnten bildlichen Details, sondern auch in der Abschwächung von superlativen Formulierungen. Dabei wird „uns freundlichst Zuentfangen" (Z. 7) zu „uns alle zu empfangen", „brünst Verlangen" (Z. 8) zu „Lustverlangen" und „uns begihrlichest zu küssen" (Z. 9) zu „uns begierig mit zu küssen."

Dieses Kreuzgedicht ist eminent meditativ, beinahe in Ignazischem Sinn. Es eröffnet graphisch, sogar dramatisch *in medias res*; der Leser wird zweimal aufgefordert, sich die Szene der Kreuzigung zu vergegenwärtigen:

Seht der König König hängen /
. . .
Seht / Er strecket seine Händ aus / uns alle zu empfangen.

Indem seine Sinne und seine Einbildungskraft angesprochen werden, nimmt der Leser an einem Erlebnis teil, welches die Dichterin interpretiert, während sie es entwickelt. So zeigen beispielsweise die ersten drei Zeilen den blutenden Christus am Kreuz, während die vierte Zeile die interpretative Erläuterung „draus all unser Heil gerunnen", dazufügt. In einem gewissen Sinn ist jede Meditation auch eine Übung „des Darstellens und Deutens" (so Schönes Bestimmung zur Funktion des Emblems). Tatsächlich sind die interpretativen Teile dieses Kreuzgedichts oft nicht abstrakt und begrifflich, sondern selbst visuell und abbildend. Ein schlagendes Beispiel für diesen Sachverhalt kann in der Beschreibung und Erläuterung der Seitenwunde und des Herzens Christi gefunden werden:

Seiner Seiten offen=stehen /
macht sein gnädigs Herz uns sehen:
wann wir schauen mit den Sinnen /
sehen wir uns selbst darinnen.

Das ist ein Beispiel jener Mischung von Mystik und Petrarkismus, welche wiederholt
in Barockgedichten gefunden wird. Allgemein besagen diese Zeilen, daß die Wunden
Christi ein Zufluchtsort für den Gläubigen sind oder genauer: die Seitenwunden
entdeckt Christi „gnädigs Herz" — ein Bildmotiv, das in der katholischen Tradition des
Barock weitverbreitet ist. Die abstrakte Auffassung hingegen, daß Christi Herz durch
seine Liebe für den Menschen bewegt ist, wird in dem petrarkistischen Motiv vom Bild
des Geliebten im Herzen ausgedrückt.. Es ist, als ob das Herz Christi ein Spiegel wäre
in welchem jeder Leser sich selbst sehen kann. Catharina schlägt hier einen persönlichen Ton an, indem sie das Pronomen „wir" verwendet. Allgemeinere Wendungen wie
zum Beispiel „der Mensch" würden vergleichsweise schwächer und unpersönlicher
klingen. Es ist offensichtlich, daß es hier um eine Übung der Vorstellungskraft geht
und daß eine solche Einsicht nur gewährt wird „wann wir schauen mit den Sinnen".

Dieser Hauch von Jesu-Minne und Blut-und-Wunden-Mystik wird voll ausgeführt in
einem 200-zeiligen Gedicht „Über die Geisel- und Dorn-Crönung meines allerliebsten
JESU" in Catharinas Andachtsbuch über das *Leiden und Sterben CHRISTI*. Im folgen
den einige charakteristische Auszüge daraus:

> Ach! daß ich in jedem Striem / ich hätte einen mund:
> daß ich sie allzugleich auf einmal küssen kunt!
> Hätt ich in jedem auch / ein herz / zum brünstig-lieben:
> ich wolt die flammen-kunst der Liebe hitzigst üben.
>
> Jch verpfeile meine Sinn'
> in die lieben Wunden hin.
> 20   Alle meine liebs-gedanken
> lauffen in den Striemen-schranken.
>   Meine herz-begierden sitzen
>   in den Blut-Rubinen-Ritzen.
> Es erwehlet meine Seel /
> 25   diese holde Himmel-höl.
>
> Magneten ihr! wie ziehet ihr die lippen
>   mit sanfter macht und süßester gewalt /
> zu küßen dort die Purpur-punte klippen /
> 45   Allbaster-weiß und lieblich von gestalt.
> Ach! künt ich mich nur ganz in euch versenken /
> der ganzen welt gar nichtes mehr gedenken:
>   daß ich in euch / ihr häuser süsster ruh;
>   schlöß ewiglich die sorgen-augen zu.
>
> 130 Ach! nimm doch gnädig ein / in diese Felsen-klüfte /
> die Taube / die verfolgt der Habicht durch die lüfte.
>   Laß ein / dein Schäfelein / das vor dem Wolfe fliehet /
>   in deiner Striemen stall. Der Himmel sich umziehet /

mit einer schwarzen wolk: drum laß den Pilger ein /
135 und unter trocknes dach der blut-betrüften Wunden.
Er wird unwürdig zwar / nothdürftig doch befunden /
gefahr / und elend / ist erbarmungs-ziehe-stein.
Unüberhörbar sind die Töne des Hohen Liedes in den folgenden Zeilen:

Gekrönter Seelen-Schatz! krön' auch bald deine Liebe /
155 wie kan der Bräutgam doch so lang seyn ohn die Braut?
Ach! deiner Trauten bald den süßen Lieb-kuß gibe:
durch den sie sich in dich aus ihr versetzet schaut.
Jch nenne einen kuß / die Seele aus dem leib
in deine hand gedrückt. Jch nenne diß ein krönen /
160 was sonsten töden heist. Wann ich in dir verbleib /
ist sterben / leben mir; verwesen / mein verschönen.

Aber um auf Catharinas emblematische Meditation über die Kreuzigung Christi zurückzukommen: nachdem der Leser dem leidenden Christus gegenübergestellt worden ist und in seiner Vorstellung über die Erfahrung der Schmerzen zu einem Verständnis der Liebe und Vergebung, welche diesem Opfer Christi innewohnen, geführt worden ist, endet Catharina das Gedicht mit einem Gebet, das seinerseits die traditionelle Meditation beschließt. Wiederum unter Ausnützung der Antithese und des rhetorischen Gleichgewichts betet Catharina:

Jesu Christ! dein Tod und Schmerzen
leb' und schweb mir stets im Herzen!

Wie hoch Catharinas Kreuzgedicht als emblematische Meditation über den üblichen
Reimereien in der Form von Figurengedichten steht, läßt sich aus dem Vergleich mit
einem typischen Beispiel aus Schottel ersehen:

Creutz von Trogaischen.

Gar viel Schmertzē
Ich im Hertzen
Stets empfinde /
Meine Sünde
Truken täglich mich / wiel ich nicht kan leben
Wie die Seele wil: Weil ich nicht kan streben
Recht mit Emsigkeit nach des Hiⅿels willen/
Muß ohn Willen oft Leibeswillen stillen /
Auf Gott trauen /
Auf ihn schauen /
Seit stets mir
Höchste Gier:
Seine Güte
Mein Gemüte
Stets erfülle
Stets umhülle:
Er mich Ärmen
Mit erbarmen
Stets erquikke /
Denn ich schikke
Mein Begehren
Nach dem Herrē

POETISCHE UND EMBLEMATISCHE GESTALTUNG DER „ZUFÄLLIGEN ANDA

Eine besondere Form der Meditation ist die damals beliebte „zufällige Andacht"
so die Übersetzung des englischen *occasional meditation*. Der schon genannt
anglikanische Bischof Hall war Verfasser eines erfolgreichen Werkes mit dem Tit
Occasional Meditations (London, 1630). Harsdörffer erwähnt Hall und übersetzt
einige seiner Meditationen für den zweiten Teil seines *Nathan und Jotham*. Es war ab
Christian Scriver vorbehalten, die Anregung, die von Hall ausging, aufzunehmen un

30 *Teutsche Vers- oder Reim Kunst* (Wolfenbüttel, 1645), S. 261.

weiterzuentwickeln. Scrivers Werk *Gottholds Zufällige Andachten / Bey Betrachtung mancherley Dinge der Kunst und Natur* (Leipzig, 1667) erfreute sich großer Beliebtheit: es erschien in mindestens 28 Auflagen und wurde ins Englische übersetzt; 1876 erschien eine vierte englische Auflage.[31] Zufällige Andachten bestehen aus der kurzen Beschreibung eines gegenständlichen Dinges oder Vorganges aus der Alltagswelt und aus einer anschließenden geistlichen Auslegung. Nach Else Eichler vollzieht sich die Deutung „in allen Stufen von einer einfachen Parallelsetzung von Ding= und Begriffsbeziehungen bis zu komplizierten, gewaltsamen und spielerischen Verknüpfungen ... Den Abschluß bildet die Anwendung der religiös-moralischen Regel auf den Verfasser selbst oder ein Anruf Gottes, um dem Gesagten Nachdruck zu verleihen. "[32] Damit hat Else Eichler die Struktur der Andacht treffend gekennzeichnet, obwohl der unvoreingenommene Leser mit subjektiven Urteilen wie „gewaltsame und spielerische Verknüpfungen" vielleicht etwas zurückhaltender sein könnte. Halls und Scrivers Andachten sind in der Tat ein „Nebeneinander von sinnlicher Wahrnehmung und gedanklicher Verarbeitung."[33]

In einem Brief vom 28. 8. 1668 an Birken beschreibt Catharina, wie sie alltägliche Gegenstände und Vorgänge als Ausgangspunkt für ihre Meditationen zu nehmen pflegte. Was sie sagt, hätte fast ebensogut aus der Feder eines Joseph Hall, Christian Scriver, George Herbert oder eines der vielen Prediger und Dichter, welche die Formen der zufälligen Andacht praktizierten und propagierten, stammen können. Sie beginnt, indem sie mit Birken die „Gottes-Lob-Verhindernde-Lebens Ahrt" ablehnt. Friedliche Gemütlichkeit war Catharinas Leben nicht beschieden: religiöse, persönliche und finanzielle Probleme, vielseitige gesellschaftliche Verpflichtungen, Schwierigkeiten im Haushalt und im Umgang mit Dienern, und vieles andere galt es für sie zu bewältigen. Daraus erklärt sich denn auch folgende Klage:

Es ist je beschwerlich wann die Fliegel Der Sinnen mit Dem Leÿm leiblicher Geschäffte und Verrichtungen verkleistert werden und Einer Seele die Von der ganzen Welt nichts hält, Sich um Ein Stäublein der Selben Zubemühen Auferlegt ist. Es ist schwer Wann der Geist Himmlisch gesinnet, und der Beruff Zu Jrrdischen Dingen Verpflichtet, Wie beÿ uns! dort ist Gottes Regung hie Seine Schikkung! jenner Will dieser Soll mann folgen! Sie scheinen, und seÿn doch nicht wider Einander.

Es gibt einen Weg, auf dem irdische Dinge bewältigt werden können, ohne daß man ihnen verfällt, indem man nämlich solche Dinge und Vorfälle zu „Geistlichen Gedächtnus Öhrteren" macht. Im gleichen Brief fährt sie fort:

dz Einige Mittel ist, daß der Geist im Jrdischen Geschäfften die Himmlische Begier Behaltte, und weil Die 9 Musen der Welt Singen, die Zehende (die jener Griech dazusezte) Alß die Stumme oder inwenndige, mit Göttlichen Ideen[34] erfüllet Seÿe,

31 Vgl. Praz S. 495, Stegemeier, 34.
32 Else Eichler, *Christian Scrivers „Zufällige Andachten". Ein Beitrag zur Geistes- und Formgeschichte des 17. Jahrhunderts.* (Diss. Maschinenschrift, Halle, 1926), S. 9f.
33 Ebenda, S. 9.
34 Hs. unklar, vielleicht „Juwelen."

Jch An Meinem Ohrt Muß mir Die äusserlichen Wihrtschafft-Werke, Zu Geistlichen Gedächtnus Öhrteren machen, und meine gedanken bald in dieses Bald in jenes Geschöpfe und Geschäffte Losieren.

Ihre Berechtigung findet die zufällige Andacht in der Annahme, daß Gott die Dinge geschaffen hat, damit sich der Mensch seiner erinnere: „weil dz Selbständige Wort, Aller Creaturen kwell bronnen Müssen Sie auch wieder Zu dem Selben führen, und ohne Wort von dem Ewigen Wort Reden, Selbes mit Worten und Werken preÿsen Zu machen, Kurz: Es muß mir Alles Ein Jesu-Zuführendes-gelegenheits-haar [=Faden] seÿn." Eine gemeinsame Grundlage sowohl für den meditierenden Christen wie auch für manchen der Emblematiker war der Glaube an eine geordnete und sinnvolle Welt, die von Gott geschaffen wurde, damit er sich und seinen göttlichen Plan den Menschen offenbare. Manfred Windfuhr hat dazu treffend festgestellt: „Während bei Böhme die mystischen Quellen des Mittelalters wieder lebendig werden, setzt Harsdörffer die scholastischen Gedanken von der Seinsanalogie fort . . . Die Seinsanalogie wird zu einem spielerischen Mittel der Kombinatorik umgeformt" (S. 31).

Es besteht wenig Anlaß, in Catharinas Sonetten und Liedern über die Jahreszeiten „Signaturen" und „Hieroglyphen" Gottes im Sinne Böhmes zu sehen, wie John Sullivan das versucht.[35] Böhmes System ist nicht das einzige, welches eine sinnvolle Schöpfung voraussetzt. Die einfache Verbindung vertrauter Dinge – ob aus Alltagsleben, Bibel oder Religionspraxis – mit abstrakten Gedankengängen kann sowohl emblematisch wie auch meditativ sein. Simplicissimus, beispielsweise, wird durch Dornen auf seiner Insel an die Passion erinnert, beim Anblick eines Apfels denkt er an den Sündenfall – doch kann dabei wohl kaum von kabbalistischer Gelehrsamkeit die Rede sein. Ein Emblem ist nicht notwendigerweise komplex, enigmatisch oder gelehrt, es kann einfache Alltagsdinge darstellen, die aber doch höhere Bedeutsamkeit verkörpern. Wie Harsdörffer sagt: „aus Betrachtung aller uns bereit bekannter Dinge / leichtlich etwas erdacht und auffgebracht werden kan" (F. G. II, 19).

Gelegentlich gewinnt man den Eindruck, eine solche zufällige Meditation sei sogar die Inspiration für ein Emblem aus den andächtigen Betrachtungen. Das visuelle Motiv mancher *pictura* könnte im Alltagsleben vorkommen und als Sprungbrett für eine zufällige Meditation dienen. In einem solchen Fall wird die Meditation als zufällige Begegnung dargestellt. Die 5. Betrachtung in *Leiden und Sterben CHRISTI* (s. Anhang, S. 176) beginnt mit einem emblematischen Bild einer Wasserburg, welche in dem klaren Wasser wiedergespiegelt wird. Catharina erklärt im auslegenden Gedicht:

DEs abends göldne zeit / mich reizte zu spazieren
an einen silber=fluß / der ganz krystallen=rein
ein Landschaft=spiegel war / in welchem sich verlieren /
die Thürne mahler=recht und künstlich fallen ein /
als ob sie ümgekehrt . . .

---

35 Vgl. John Sullivan, *The German Religious Sonnet of the Seventeenth Century* (Diss. U. of California, Berkeley, 1966), S. 232.

Die Dichterin beschreibt also einen Spaziergang, um damit ein ganz bestimmtes Phänomen näher, und zwar recht umständlich zu erläutern. Ob dies die anekdotisch-biographische Beschreibung eines tatsächlichen Ereignisses sei, wissen wir nicht, die Frage nach dem Erlebnisgehalt der Äußerung trägt aber zum Verständnis der Intention und Wirkung des Emblems wenig bei. Ganz im Sinne einer zufälligen Meditation fragt sich die Dichterin, was dieses Phänomen zu bedeuten habe. In ihrer „denke-lust" findet Catharina, daß das Bild der reflektierten Burg auf Christus in seiner Macht und Ohnmacht verweist (vgl. „vorgemahlet"):

Indem ich sehend diß / noch tieff= und höher geh
in meiner denke=lust / find' ich daß JEsus CHrist /
sein Macht= und Ohnmachts=stand / sein sitzen zu der Rechten /
in diesem Wasserbild mir vorgemahlet ist.

Die Meditation beschäftigt sich mit der Gefangennahme und dem Verhör Christi, welche die Dichterin wiederum durch antithetische paradoxe Formulierungen ausdrückt: die Juden „binden den Erlöser" (S. 190), „Der Allmacht bindet man die hände / . . ." (S. 191).

Kenntnis der zufälligen Andacht ist wesentlich für das Verständnis von Gedichten wie Catharinas Vergißmeinnicht-Sonett, welches meiner Ansicht nach ein treffliches Beispiel einer zufälligen Andacht in Gedichtform darstellt. „Uber das kleine wolbekande Blümlein: Vergiß mein nicht" handelt von einem bekannten und sogar gewöhnlichen Gegenstand, der als Ausgangspunkt für geistige Reflektion dient. Wie Louis Martz gezeigt hat, ist es diese Art der Andachtsübung, durch welche sich die dramatische Eröffnung und die Dialogführung mancher religiöser Gedichte des 17. Jahrhunderts erklären läßt.[36]

Schönes Blümlein! deine Farbe / zeigt des Höchsten Hoheit an /
als spräch sie: vergiß mein nicht / du / dem also hoch beliebet
dieser Erden Eitelkeit / die doch endlich nur betrübet.
Wisse / daß man / meiner denkend / wol vergnüget leben kan.
Von dir kleinem Sitten=Lehrer lern' Geheimnus jederman.
Deiner Blätlein fünffte Zahl / in mir die Gedächtnus übet
ihre fünff ergebne Sinn / und sie durch betrachten schiebet
in die fünff hochwehrten Wunden / welche unsre Lebens=Bahn.
Deines Kraus und Stängels grün lehret / daß wir hoffen sollen /
GOtt werd' unser nicht vergessen / ob wir wol auf Erden seyn /
unter manchem Creutz und Unglück / werd auch bald zu sich uns holen.
Ach vergiß mein nicht / O Schöpffer! deine Hülf' auch mir erschein'.
Ist doch meiner Hoffnung Safft / her aus deinem Wort gequollen /
in dir liget grosse Weißheit / Blümlein / wärstu noch so klein!   (S. 238)

36 Vgl. Martz, S. 31.

Catharina geht es hier um vier verschiedene Aspekte des Vergißmeinnichts, nämlich um die Farbe Blau, die Farbe Grün, die fünf Blütenblätter, und deren Namen. Was die äußere Form betrifft, ist das Sonett säuberlich in Quartette und Terzette geteilt, die je einen der genannten Aspekte vertreten und abstrakt auslegen. Die Bedeutungen, welche Catharina aus den Farben Blau und Grün, der Zahl Fünf und dem Namen liest, sind tief in der deutschen Sprache und der europäischen Tradition verankert; die Bedeutungen sind eher allgemein und objektiv als privat und subjektiv und können so im Sinne des 17. Jahrhunderts Anspruch auf Gültigkeit erheben.

Das Gedicht beginnt, wie manches meditative Gedicht, mit einer Art Dialog, in welchem der Betrachtende die Blume direkt anredet: „Schönes Blümlein! deine Farbe / zeigt des Höchsten Hoheit an/". Es folgt die indirekte Antwort der Blume, eingeleitet mit den Worten „als spräch sie." Diese Antwort schon ist eine Mahnung an den Menschen, Gott nicht zu vergessen, sich von der Eitelkeit der Erde wegzuwenden und, an die Blume denkend, „wol vergnüget" zu leben. In den restlichen Zeilen redet die Dichterin die Blume an, indem sie bestimmte Eigenschaften heraushebt und spirituell ausdeutet.

Die Farbe Blau „zeigt des Höchsten Hoheit an." Blau als Farbe ist traditionell dem Himmlischen und Göttlichen zugeordnet („Himmel," „Ferne" und „Ewigkeit" als Konnotationen von Blau sind auch in „Hoheit" mitenthalten). Viele Bilder und Statuen der Madonna des Mittelalters und der Renaissance zeigen Marias Bedeutung als Himmelskönigin durch das blaue Ornat. Aber auch die Gedankenassoziation des „Vergiß-unser-nicht" Themas mit sprichwörtlicher „Treue" (siehe F. G. I, S. 89) ist in diesem Zusammenhang relevant.

Das zweite Quartett, vollgepackt mit Anspielungen, zeigt eine elliptische Syntax und beschäftigt sich mit den fünf Blütenblättern, welche die Dichterin an die „fünf hochwehrten Wunden" Christi erinnern. Daran schließt sich die Assoziation mit den fünf Sinnen, die dem Menschen gegeben sind und welche die Vorstellungswelt einer Meditation über Christi Passion bereichern können, an. Das gedrängte Quartett schließt in einer elliptischen Feststellung, daß die fünf Wunden „unsre Lebensbahn" sind. Dies ist das traditionelle christliche Paradox, daß Christi Tod dem Menschen das ewige Leben ermöglicht, aber auch das Sakrament der Eucharistie ist in der Implikation von Christi Blut mehr als bloß angedeutet. Catharina schrieb eine Reihe von Gedichten in welchen Eucharistie und Passion eng verbunden sind, und die sich durch einen hohen Grad von Sinnlichkeit und nicht selten durch Erotik auszeichnen.[37]

Meiner Ansicht nach sollte der Leser den Hinweis auf die körperlichen Sinne in dieser Passionsmeditation wörtlich nehmen: Catharina ist es offensichtlich ernst, wenn sie von der Vermischung des Selbst in der Person und den Wunden Christi in einem Akt intellektueller und sinnlicher Vorstellungskraft spricht. Ähnliche Gedankengänge finden wir in den Sonetten:

---

37 Vgl. SLG, S. 168, 178, 180, 181; auch „Doch Ruh Ich . . . in den Wunden und Armen Meines Süssen Erlösers . . ." (Brief an Birken, 28. 8. 1669).

Nur ruhe / meine Seel' / in Gottes tieffen wunden.
Versenk' all deine bitt' / in seinem Meer voll Blut; (Son. 69)

Der gleiche Wunsch ist mit etwas größerer Intensität im Sonett 144 ausgedrückt: „Ach! daß ich nicht mein Herz in deine Striemen schiebe /"; und im Sonett 149:

bey heißer Liebesglut / füll diese Hölen zu.
in seinen Schmerzen / such dein süße Seelen=Ruh:
es wird der Himmel jetzt in diesen Hölen funden.

Im Sonett 167 drückt die Dichterin das vorgestellte Erlebnis von Christi Passion mit einem Gefühl von Verantwortung für seine Schmerzen dar: „Es ritzet neue Reu die Stachel=Dornen=Kron"; die Dornenkrone schmerzt Christus wie auch ihr eigenes Gewissen. Die barocke Freude an Farbe, Form und Laut gewinnt in deren Anwendung in der Meditation eine neue religiöse Rechtfertigung. Die Sinnenfreude der Greiffenberg sollte ernst genommen und als Ausdehnung der emblematischen Seh- und Denkweise verstanden werden. Die Sinne stehen also im Dienst der Meditation.

Das erste Terzett holt den Leser von diesem Gedankenflug vereinigender Einfühlung zurück, um bei einem gewöhnlicheren Aspekt der Blume zu verweilen, nämlich der Farbe Grün, welche lehrt, „daß wir hoffen sollen." Gemäß der emblematischen Tradition wird hier der sprichwörtlichen Gleichung, Grün ist Hoffnung, eine besondere religiöse Bedeutung gegeben, nämlich die Hoffnung, „Gott werd unser nicht vergessen," wobei die letzten Worte den Leser wieder auf den Namen der Blume verweisen, welche weiterhin Gegenstand der Meditation bleibt.

In Übereinstimmung mit der meditativen Praxis schließt das Sonett mit einem Gebet um Hilfe und Gnade. Die Schlußzeilen summieren die emblematische Haltung zur Welt. Obwohl „deinem Wort" (Zeile 13) als die Blume betreffend gelesen werden könnte — in welchem Fall man von der Dichterin eher die Formulierung „deinem Nam" erwarten dürfte — liegt die wahrscheinlichere Interpretation als Anrede für „Gott" und „Schöpfer." Auf diese Weise gibt Catharina zu verstehen, daß sie die Quelle ihrer Hoffnung im Wort Gottes, in der heiligen Schrift findet, und weist in Zeile vierzehn auf eine weitere Quelle für Hoffnung und „große Weisheit" hin, die Blume, die Teil der Natur ist. So fassen die letzten Zeilen kurz und bündig das Verhältnis von Bibel und Natur zu Gott und Mensch zusammen. Das zweite göttliche Buch enthält große Weisheit, welche jedem Menschen zugänglich ist, der sich bemüht es zu lesen. Czepko drückt etwas Ähnliches in diesem Zweizeiler aus:

Gott:
Wort:
Natur:
Folg ihr, biß daß du siehst das ewge Wort: Es sey.
So koṁst du der Natur, dem Wort, und Gotte bey.

(Monodisticha Sapientum, II, 79)

Das Vergißmeinnicht-Gedicht ist emblematisch, insofern die Meditation einen gegenständlichen Ausgangspunkt hat, dessen reale Eigenschaften Verweisungscharakter besitzen. Ferner bleiben die Bedeutungen, welche herausgelesen werden, objektiv von der privaten Individualität des Dichters gelöst; sie gehören bestehenden Überlieferungen an.

Dichterische Stellen wie die emblematische Meditation über die fünf Blütenblätter stellen eine Stufe, und zwar eine fortgeschrittene Stufe auf dem Weg zur *unio mystica*, dem Ziel aller Mystik, dar. Menestrier, der französische Jesuit und Kenner in Fragen der Emblematik, war der Ansicht, daß das religiöse Emblem die Entwicklung des mystischen Lebens durch reinigende und erleuchtende Stufen bis zum Zustand der Vereinigung darstellen könne.[38] Zu Recht können solche Gedichtstellen als emblematische Mystik bezeichnet werden: sie sind emblematisch, insofern sie einen konkreten Gegenstand aus der Welt der Wirklichkeit zum Ausgangspunkt haben, der eine höhere Bedeutung verkörpert; sie sind auch Beispiele für Mystik, insofern darin der Wunsch nach einer mystischen Vereinigung des ganzen Menschen mit Gott ausgedrückt ist.

Eine solche ernsthafte und positive Auffassung der emblematischen Meditation und des Emblems überhaupt hat sich in der Forschung erst seit relativ kurzem durchgesetzt. In seinem Aufsatz *Zur Frage der Mystik* (Leipzig, 1921) berührt Erich Seeberg kurz das Problem der emblematischen Mystik und seine Beziehung zur Emblemkunst der Zeit. Seine Grundthese in bezug auf die Mystik lautet, daß sie ein Erlebnis darstellen müsse, und daß sich die mystische Theologie essentiell davon unterscheidet, weil sie ein System von Ideen darstelle, welchen eine mystische Intuition oder Vision eventuell zugrunde liege. Ob aber emblematische Mystik überhaupt Mystik in diesem Sinne sein könne, bezweifelt Seeberg allerdings sehr: ,,So gibt die emblematische Mystik keine Realität und kein Erlebnis wieder, sondern eine von einer Gegebenheit ausgehende und dann sich aus sich selbst forterzeugende Darstellung eigener gestaltender Gedanken und Empfindungen'' (S. 11). Die Frage in welchem Grade emblematische Mystik überhaupt Mystik im höchsten Sinne genannt werden kann, beschäftigt uns hier nicht, obwohl es nicht unbedingt einsichtig ist, warum ,,Gedanken und Empfindungen'' nicht auch Erfahrungen sein können. Hingegen beschäftigen wir uns mit der Art und Weise, in der der meditierende Dichter Dinge der gegenständlichen Welt in seiner Meditation verwendet und mit der Art und Weise der Beziehung zwischen Ding und Bedeutung. Seeberg schreibt:

> Hier wird jeder Gegenstand zum Gleichnis oder zum Symbol; alles gewinnt Bedeutung und wird von einer erhitzten Einbildungskraft in einem künstlich sublimierten Sinn hineingesteigert (S. 9) ... so wird in der emblematischen Mystik

---

38 Vgl. Praz, S. 154. Als Beispiel eines mystischen Emblembuches sei Christian Hohburgs *Theologia Mystica; Oder Geheime Krafft-Theologie* (1700) zitiert. Der erste Teil trägt die Überschrift ,,Von dem Wege der Buße zu Gott''; der zweite, ,,Von dem Wege der Erleuchtung einer bußfertigen Seele''; der dritte ,,Wie die erleuchtete Seele in die Vereinigung und Gemeinschaft ihres Gottes komme.'' Hohburgs Werk steht in der *Pia Desideria*-Tradition. Hainzmanns Übersetzung von Hugos *Himmlische Nachtigall* (1740) erwähnt ebenfalls die ,,drey Wege, Der Reinigung, Erleuchtung, und Vereinigung mit Gott.''

und Poesie das Erlebnis gewissermaßen künstlich herbeigeführt, indem aus einem Gegebenen und Äußerlichen zufällige innere Beziehungen und Gedanken gewonnen und abgeleitet werden, die sich schließlich gegenseitig fortbilden und die Beziehung zur Wirklichkeit und zum Ausgangspunkt völlig verlieren. (S. 10).
Ferner spricht er von „Ausdeutungen einer willkürlichen Gegebenheit." Seeberg schrieb diesen Aufsatz in einer Zeit, da der Barock wiederentdeckt wurde, in einer Zeit großer Begeisterung für viele seiner kraftvollen Erscheinungen, welche die Kritiker der zwanziger und dreißiger Jahre an den Expressionismus erinnerten (siehe dazu Seeberg, S. 10). Aber „Erlebnis" – meist im biographischen oder anekdotischen Sinn – blieb weiterhin ein wichtiges Kriterium und organische Kunstauffassung war logische Folge. Das mag Seebergs Ausdrücke wie „willkürliche Gegebenheit," „zufällige Beziehung" und „künstlicher Sinn" erklären, die aber nicht notwendigerweise das Emblem als solches, noch seine religiöse Anwendung kennzeichnen.

Ein kurzer Vergleich dieses Vergißmein nicht-Sonetts mit anderen Gedichten mit demselben Thema zeigt, inwiefern das Gedicht der Greiffenberg emblematisch und meditativ ist. Schottels *Fruchtbringender Lustgarte* (1647)[39] enthält am Ende des ersten Teils folgendes Gedicht „Auf das Kräutlein VERGISSMEINNICHT (So im Kupfertitel auf die erste Abteihlung dieses fruchtbringenden Lustgärtleins gerichtet)

JEsu / meine Seelenlust / laß mich dich anbeten /
Laß mit treuen Herzen mich in den Himmel treten!
Ach mein HErr / Vergiß mein nicht / faß mit Gnaden mich /
Ich bin dein / Ach sey du mein / ewig=ewiglich!
Mein Herz ist mir feurig=voll deines Lobs und Schalles /
Dan du HErr / ja du allein / bist mir alles / alles: (S. 82)

Schottel bezieht sich hier nur auf den Namen der Blume, andere Eigenschaften sind weder erwähnt noch interpretiert. Diesem Gedicht folgt ein „Slußliedlein / genant JEsus mein Alles." Der Refrain jeder der achtzehn Strophen ist „vergiß mein nicht." Auch die anderen vier Teile des *Lustgarte* hat Schottel mit je einem Blumengedicht abgeschlossen. In jedem Fall spielt er entweder auf den Namen der Blume an, wie bei „Vergißmeinnicht," „Ehrenpreis" und „Augentrost" oder auf eine allgemein bekannte Eigenschaft, die man mit Pflanzen wie „Rose" (und „Dorn") und dem immergrünen „Rosmarin" verbindet.

Brockes' längeres Gedicht „Das Blümlein Vergißmeinnicht" beschreibt in ausführlichen und anschaulichen Einzelheiten die Umgebung des Blümleins, den „wallenden, kristallgleichen Bach," die „Binsen, Klee und Gras," „Luftsaphir" und „güldner Sonnenstrahl." Aus „Kräuter, Gras und Klee" entsteht „dieses Weltbuchs ABC." Dem beobachtenden Dichter zeigt sich in jedem Grashalm und in jeder Blattrippe ein Buchstabe:

---

39 Zitiert wird aus dem fotomechanischen Neudruck, hrsg. v. Marianne Burkhard mit einem Nachwort von Max Wehrli (München, 1967) in der Reihe Deutsche Barock-Literatur, hrsg. v. Martin Bircher und Friedhelm Kemp.

Was eigentlich die Worte sein,
Blieb mir noch unbekannt,
Bis der Vergißmeinnicht
. . .
Mir einen klaren Unterricht
Von dreien Worten gab, . . .

Und der Inhalt dieser Lektion ist:

Der Schöpfer der Vergißmeinnicht selbst spricht:
Vergiß mein nicht!

Für Brockes hat nur der Name der Blume (eine Erfindung der Menschen) Bedeutung, und auch die Bedeutung hat er allgemein und ziemlich kraftlos auf Gott angewendet, der den Menschen bittet, ihn nicht zu vergessen. Den Reichtum und die Genauigkeit an Bedeutung im Greiffenbergschen Gedicht finden wir bei Brockes nicht. Es scheint, daß die Gewohnheit, die Natur emblematisch zu lesen, schon fast ganz verschwunden ist, obwohl eine allgemeine Begeisterung für die Schönheit, Größe und Weisheit der Schöpfung, wie sie in der Natur offenbart wird, noch immer vorhanden ist. Verglichen mit barocken emblematischen Meditationen erscheint Brockes' „Weltbuch ABC," wo jedes einzelne Blatt einen Buchstaben darstellt, aus welchen dann Wörter gebildet werden, fast wie eine Spielerei. Auch das Geständnis, daß der Dichter nicht weiß, was diese „Wörter" in der Natur bedeuten, bricht mit der emblematischen Tradition. Brockes verfolgt eine andere Absicht. Über sein *Irdisches Vergnügen in Gott* schreibt er: „[ich] suchte darin die Schönheit der Natur nach Möglichkeit zu beschreiben, um sowohl mich selbst als andere zu des weisen Schöpfers Ruhm durch eigenes Vergnügen je mehr und mehr anzufrischen . . . ." Dies kommt auch im „Vergißmeinnicht" Gedicht zum Ausdruck.

Das Vergißmeinnicht-Sonett ist aber auch kein vereinzeltes Beispiel, obwohl es vielleicht ein Musterbeispiel darstellt. Schon das nächste Sonett in der Sammlung ist ähnlich aufgebaut und behandelt ein Ungewitter im Garten. Der Titel hält die Parallelität von Ereignis und Deutung fest: „Auf den Geistlichen Wortes=Donner: im grösten Donnerwetter / im Garten" (Son. 239).

Du starker Donner=GOtt! gib deinem Donner=Krafft /
dem Herz durchdringungs=Wort; daß man die Geistes=Blitze
darauf erblick' / und fühl' auch die Einschlagungs Hitze /
daß allen Herzen=Stolz es strack danider rafft!
    das Donner=prastlen hat Bekehrungs=Eigenschafft /
weil GOttes Gegenwart im Schrecken hat den Sitze.
Es ist voll Fruchtbarkeit diß schröcklich Luft geschütze:
So ist sein Eyfer auch mit Gnaden=Krafft behafft.
    Der Wunder=Strahl / sein Wort / verletzt der Seelen klingen /
dem Leib die scheiden nicht; das stark' ist nur sein Ziel.

Sein Geist=Subiligkeit kan unvermerkt durchdringen.
Zu zeiten durch den Schall zu fällen ihm gefiel.
Behüt uns nur / O GOtt / vor Wolken Donnerschlägen.
Durch deine Wortstreich wollst bekehrend uns erlegen!

Die Dichterin greift verschiedene Aspekte des „Donnerwetters" —— Donner, Blitze und Fruchtbarkeit — auf und legt sie geistlich aus: wie das Ungewitter dem Menschen Furcht einjagt, so bekehrt der starke „Donner-Gott" das stolze Herz („allen Herzens=Stolz").

Das Schlußgebet, ein unerläßlicher Teil jeder Meditation, wiederholt den „wirklichen" Vorgang des Ungewitters — mit der Bitte um Schutz vor leiblicher Gefahr — und bittet gleichzeitig um geistliche Bekehrung, deren erster Schritt die Überwindung des harten und stolzen Herzens ist:

Behüt uns nur / O GOtt / vor Wolken Donnerschlägen:
Durch deine Wortstreich wollst bekehrend uns erlegen!

Thematisch verwandt mit diesem Donnergedicht ist die emblematische Meditation in Catharinas Gedicht auf den Tod der Barbara Susanna Eleonora von Regal.[40]

Verwandt mit den zuvor genannten zufälligen Andachten in Gedichtform ist ein Sonett über das Kreuz Christi. Nur aus der längeren Gedichtüberschrift wird es klar, daß die zur Meditation geneigte Dichterin bei einer alltäglichen Küchenarbeit, nämlich der Zubereitung von Eiern, eine zufällige Andacht anstellt. Die gebrochenen Eier müssen in die Form eines Kreuzes geflossen sein. Die Überschrift lautet: „Als mir einmal / am H. Drey König Abend / beym Eyrgiessen / der HErr Christus am Creutz klar und natürlich erschienen / oder aufgefahren" (Son. 210).

---

40 Vgl. Bircher, „Unergründlichkeit . . . ."

✻(210)✻

Als mir einmal/am H. Drey König
Abend/beym Eyrgiessen/der HErr Christus am Creuz klar und natürlich er-
schienen/oder aufgefah-
ren.

ES kan der gecreutzigt Christ anders nichts
als guts bedeuten.
Kündet Er das Sterben an/
wohl gethan!
So wird er mich selbst beleiten.
Soll ich mich denn zu dem Creutz und zu vieler
Plag bereiten?
So ist Er doch mein Gespan/
bricht die Bahn/
steht mir mächtig an die Seiten.
Soll das heimlich Gnaden-Wort seinen Raht im
Werk vollenden?
Ach wie hoch beglückt wär Ich!
die Ich mich
Niemal ließ davon abwenden.
Ihr mögt fürchten/was ihr wollet: Ich bin immer
gutes Muhts.
Kan das Höchste Gut auch bringen anders was/
als lauter Guts?

✻(o)✻
☩

Auf

Es werden also keine Eigenschaften des Gegenstandes oder Aspekte des Vorganges emblematisch ausgelegt, nur die Kreuzform der gegossenen Eier besitzt Verweisungscharakter. Dieselbe Form ahmt die Dichterin in den Zeilen des Gedichts nach, wobei drei Kreuze entstehen. Drei ist nicht nur eine heilige und rhetorisch bevorzugte Zahl, sondern dieses häusliche Erlebnis fand am Abend der heiligen drei Könige statt.[41] In solchen Fällen kann das Bildgedicht ebenfalls als legitime emblematische Form gelten: die äußere Form der Zeilen gibt den visuellen Eindruck des behandelten Gegenstandes oder Themas wieder.

Schließlich sei auf ein besonders einprägsames Beispiel einer emblematischen Meditation hingewiesen, welches im Andachtsbuch *Des Allerheiligsten Lebens JESU Christi ubrige Sechs Betrachtungen* (Nürnberg, 1693) vorkommt. Es handelt sich dabei

---

41 Für weitere Beispiele der zufälligen Andacht siehe SLG, S. 233 und 244; *Des Allerheiligst= und Allerheilsamsten Leidens und Sterbens JESU Christi* ... (Nürnberg, 1672), S. 189; *Der Allerheiligsten Menschenwerdung / Geburt und Jugend Jesu Christi* ... (Nürnberg, 1678), Kupfer und Gedicht zur 5. Betrachtung.

um ein „Irr-Gedicht / uber die Bäum=Blühte." Hier sieht die Dichterin „Luchs=Adler scharff" mit dem Auge des Geistes und behauptet, „Im Unsichtbar / zu sehen mehr (verschlossener)." Was sie in der Baumblüte erkennt, ist die Allmacht," „Weisheit-Probn" und „Schöpfer-Loben" Gottes, sowie auch „der Wunden Blut=Rubinnen . . . Des süssen Jesus=Blut." Sogar der *terminuss technicus* aus der zufälligen Andacht „gedächtnus Örter," welcher bereits im zitierten Brief vorkommt, erscheint erneut. Das Gedicht lautet:

Irr-Gedichte / uber die Bäum=Blühte.
NUn mein Geist flammend reist / durch ertz=Hertz=süsse Wunder /
  GOttes Güte macht ihn munder.
Die Swahnen=weise Flor / der bunte Feder=Chor /
  Verschleust / und lässet ihn nicht mehr herunter.
Der blancke Sorgen=Schild / das Auferstehungs=Bild!
  Die weis Meolig=Schaal mit Nectar angefüllt /
Mich machet heilig toben / den Schöpffer vor zu loben /
  Die weise Blühlein seyn / jetzt meine Adler=Flügel /
Bald wisch' ich dann heraus / in das Unsichtbar mich versetze /
  Es schliest das Auge zu / was vor ihm schwebet
Die reine Augen=Lust / das Aug verbindet /
  Im Unsichtbar / zu sehen mehr (verschlossner) findet /
Durch Geist / im Geist / als hundert Argus sehen /
  Luchs=Adler scharff / im hellsten Sonnen=Spiegel stehen.
    Mein GOTT!
Wie stellest du durch diese zarte Flor /
  Die Stärcke deiner Allmacht vor?
Die Sichtbar ungesehn / all-jährlich sich erzeiget /
Die weisen Weisheit-Probn / das stumme Schöpfer=Loben /
  Gefünffte Sinn=Gefäß / der Wunden Blut=Rubinnen /
Der säurlich süsse Safft / die mehr als über Englisch Krafft /
  Des süssen JEsus=Blut / mir kommet in den Muht /
So offt der Bäum Blüh' ich anschaue / Gedächtnus-Oerter in sie baue /
Vor dem blutrohten Schweiß / blüht seiner Menschheit Schloß schneeweiß!
Vor der Frucht des Tod= und Blutes / thät' er gutes /
In reinem Wandel / JEsu Blüh der Mandel / Tugend / Liebe / Lob und Ehren.
  Flora meines Hertzen / laß deinen Geist=Wind schertzen /
Und spielen in den Blätlein um / daß mir der süße Ruch zukomm!
Mein weises Kleid / der Göttlichen Gerechtigkeit /
  Erlang ich bin die Blüh' / ohn' Wirck= und Spinnen=Müh'
  Es kommet mir / wie ihre Zier / Gnad' um Gnade!
Dafür ich danckbar Leben und alles gieb' / GOtt inniglich lieb' /
  Gleichwie ihre Blätter / weichen der Frucht / Also GOtt aller Götter!
  Nehm' alles was dir mißfället von mir die Fluth /

Weisheit / Unschuld / alls verschwindt / nur dein Blut an mir findt /
Wie der Weichsel=Keren hafft mitten in dem rothen Safft /
So die Welt zu Gottes Ehr / schwimm' in JEsu Wunden=Meer!
Welchs viel grösser ist denn sie / lernet aus der Frucht und Blüh /
Daß kein Ding auf Erden ist /
Da die Seel nicht JEsum Christ
Findet / lobet / hertzt / und küsst.   (S. 698—700)

Am Schluß dieser bunten, bewegten, manchmal überschwenglichen Meditation kehrt Catharina zum gegenständlichen Ausgangspunkt zurück, um mit einem emblematischen Prinzip das Gedicht zu beenden:

... lernet aus der Frucht und Blüh /
Daß kein Ding auf Erden ist /
Da die Seel nicht JEsum Christ
Findet / lobet / hertzt / und küsst.   (S. 700)

SCHLUSS

Wie ich anderswo dargelegt habe,[42] überschneiden sich das meditative Gedicht und das Emblem weit mehr als nur in bezug auf ihre eng verwandten Motive. Die Kunst der Meditation hat oft viel gemeinsam mit der ernsthaften Emblemkunst, wie aus der Art der Betrachtung, der Methode, der Struktur oder zeitweise sogar der Wirkung auf den Leser ersichtlich wird.

Nach Martz ist die Meditation „intense, imaginative" . . . [it] brings together the senses, the emotions, and the intellectual faculties of man; brings them together in a moment of dramatic, creative experience" (S. 1). Das Ziel einer solchen Meditationsübung, und hier zitieren wir wiederum den Jesuiten Richard Gibbon, ist: „ . . . the application of understanding, to seeke, and knowe, and as it were to taste divine matter; from whence doth arise in our affectionate powers good motions, inclinations, and purposes which stire us up to the love and exercise of virtue and the hatred and avoiding of sinne." Meditieren ist nicht nur eine wichtige Übung um ein „gutes Leben" zu führen, es ist vielmehr ein beinahe unumgänglicher erster Schritt auf dem mystischen Weg der Vereinigung mit Gott.

Auch das Emblem setzt sich die Synthese von Verstand und Sinnen, um ein tieferes Verständnis zu erreichen, zum Ziel. Das Emblem stellt für das Auge und dadurch auch die anderen Sinne ein in sich selbst bestehendes Objekt dar, das aber gleichzeitig eine bestimmte Bedeutung verkörpert, die dann durch die begleitende *inscriptio* und die *subscriptio* verstärkt wird. Im wahrsten Sinne des Wortes sieht, hört und versteht der Leser das Emblem auf ähnliche Weise wie er ein meditatives Gedicht wie Southwell's „Burning Babe" auf sich einwirken lassen würde. So wie „meditation considereth by peecemeal the objectes proper to move us,"[43] so kann das Emblem verschiedene einzelne Motive vereinen. In einem meditativen Werk und in einem der hier beschriebenen Embleme werden die Einzelteile zusammengefaßt zu einer einziger

42 Vgl. „Southwell's ‚Burning Babe' and the Emblematic Practice," 42f.
43 Zit. nach Martz, S. 16.

Vision oder Deutung. Die Meditation soll in erster Linie den Wunsch nach selbstloser Liebe und guten Vorsätzen auslösen.[44] Das ist auch das oft deutlich ausgesprochene Ziel des religiösen Emblembuches. Mannich setzt gegenüber jedem seiner Embleme ein deutsches Gedicht, welches nicht nur die einzelnen emblematischen Teile erläutert, sondern den Leser eindringlich zu heiliger Liebe und guten Vorsätzen ermahnt. In seiner Einführung betont Mannich, daß die Worte Gottes und die Predigten Christi nichts anderes als Embleme seien. Religiöse Emblembücher dieser Art können mit gutem Recht meditative Embleme genannt werden.

Auch in bezug auf die Struktur können im meditativen Gedicht und im Emblem gewisse Parallelen gesehen werden. Beide haben oft eine dreiteilige Struktur. Beim Gedicht wird nicht selten irgendwo am Anfang das Thema erwähnt, dem dann eine dramatische Szene folgt, die dem Leser den Gegenstand der Betrachtung realistisch vor Augen führt, diese Beschreibung leitet dann über zu einem Gespräch oder Gebet. Die dreiteilige Struktur des Meditationsgedichtes ist bei Martz folgendermaßen zusammengefaßt als Komposition (Gedächtnis), Analyse (Verstand), religiöses Gespräch (Herzensgüte, Willensstärke).[45] Normalerweise wird das Thema des Emblems am Anfang erwähnt, nämlich in der *inscriptio*, die über dem Bild steht. Die *pictura* zeigt, manchmal sogar dramatisiert die Gegenstände, mit denen sich der Leser befassen soll. Die darauffolgende *subscriptio* bestätigt die aus der *pictura* herausgelesene Bedeutung und oft appelliert sie an die Herzensgüte und Willenskraft des Lesers. Es gibt eine Anzahl religiöser Sonette aus dem siebzehnten Jahrhundert, welche eine vollständig emblematische Struktur aufweisen:[46] der Titel des Sonetts in seiner epigrammatischen Kürze erinnert an die *inscriptio* des Emblems. Die ersten acht bis zehn Verszeilen, die scheinbar unabhängige aber dennoch dem Thema des Sonetts zugeordnete Bilder enthalten, sind der *pictura* vergleichbar. Die Schlußzeilen verzichten auf Bildlichkeit zugunsten einer längeren Deutung, die somit der *subscriptio* ganz ähnlich wirkt. Es besteht auch vielfach eine Ähnlichkeit zwischen dem meditativen Gedicht und dem Emblem in der eigentlichen Bestimmung. Meditation ist nicht nur eine notwendige Voraussetzung des religiösen Lebens, sondern auch, wie oben erwähnt, eine Vorbereitung für die mystische Vereinigung mit Gott. Nach der Auffassung von Menestrier, — wie oben erwähnt — kann das religiöse Emblem das mystische Leben darstellen, welches durch den purgativen und illuminativen sogar zum unitiven Stand fortschreiten kann.[47]

Diese Beziehung zwischen dem Emblem und der Meditationsübung und -dichtung ist keineswegs erstaunlich. Das barocke Weltbild begünstigte die nebeneinander hergehende Entwicklung des Emblems einerseits und der Meditationskunst andererseits. Daß emblematische Kunst und Meditationsübung zur Bereicherung der Dichtkunst ineinanderfließen sollen, ist eine natürliche Entwicklung. Es ist ja zu erwarten, daß Gedichte emblematische Züge aufweisen in einem Zeitalter, welches Dichtung und Malerei als Zwillingsschwestern betrachtet, wo der Dichter mit Worten malt und der Maler mit Farben schreibt.

44 Vgl. Martz, S. 15.
45 Ebenda, S. 43.
46 Vgl. Kapitel 3.
47 Vgl. Praz, S. 154.

KAPITEL VI

DIE VERTIKALE WORTHÄUFUNG

Zerstreut durch die Dichtungen der Catharina erscheint gelegentlich eine etwas eigenartige und augenfällige typographische oder chirographische Anordnung von Wörtern. Ein typisches Beispiel begegnet uns im 69. Sonett der *Geistlichen Sonnette, Lieder und Gedichte*. Das Gedicht ist dem Thema „Ruhe der unergründlichen Verlangen" (Titel) gewidmet und eröffnet mit den Worten:

> Nur ruhe / meine Seel' / in Gottes tieffen wunden.
> Versenk' all deine bitt' / in seinem Meer voll Blut:
> die kleinheit deiner sach' / in diß Allwesend Gut.

Ruhe wird also die Seele nur durch Gott, nur durch eine Betrachtung seiner unerschöpflichen Gnade erreichen, und das ist ein Werk des Glaubens, welches die menschliche „Geist=erforschung" nicht erfassen kann. In der Schlußzeile des Sonetts spricht die Dichterin folgende Worte der Aufmunterung an ihre Seele:

> Traustu dir höher nicht durch Hoffnung aufzufliegen:
>
> So bleib' im tieffen grund der $\left\{ \begin{array}{l} \text{warheit} \\ \text{Allmacht} \\ \text{Güte} \end{array} \right\}$ Gottes liegen.

Dieses ungewöhnliche Stilmittel besteht in der vertikalen Anordnung von Wörtern über und unter der von der Verszeile gebildeten Waagrechten. Eine metrische Analyse dieser vertikalen Worthäufung erweist, daß, wenn man die drei übereinander gestellten Wörter einfach nacheinander lesen wollte, der Alexandriner gesprengt würde. Und das trifft für jedes der etwa dreizehn Beispiele dieser vertikalen Worthäufung zu. Bekanntlich hat sich Catharina sehr um die „Richtigkeit" ihrer Dichtung — nach den geltenden Poetiken der Zeit — bemüht, und zwar besonders in Fragen der Metrik, Wortwahl, „Zierlichkeit" und Gedichtform. Ihr einziger Einwand gegen Spees *Trutznachtigall* war kein theologischer, sondern ein poetischer: sie tadelt den Jesuiten wegen „Fehlern gegen die Dichtkunst."[1] Also im Falle der vertikalen Worthäufung handelt es sich kaum um ein metrisches Versehen, sondern um eine gewollte Wirkung. Wahrscheinlich will die Dichterin den Leser dazu veranlassen, die übereinander gestellten Wörter mit einem Blick zu erfassen. In einem anderen Zusammenhang haben wir dieses Stilmittel eine „Gleichzeitigkeitskonstruktion" genannt.[2] Im eben zitierten Sonett empfiehlt die Dichterin ihrer Seele — falls sie sich nicht durch den Glauben zu einem höheren Gotteserlebnis emporzuschwingen vermöchte — sich im Wissen der

---

1 Brief an Birken 26. 6. 1671.
2 Black und Daly, S. 38.

Wahrheit, Allmacht und Güte Gottes geborgen zu fühlen. Diese wollen nicht als isolierte Eigenschaften Gottes verstanden werden, vielmehr will Catharina ihre glaubende Seele auf bestimmte Aspekte der harmonischen Allheit Gottes hinweisen. Die Wahrheit, Allmacht und Güte Gottes sind sozusagen gleichzeitig am Werk, sie greifen ineinander über und stellen eine Realität für den Christen dar, welche die Ausdruckskraft des menschlichen Wortes an sich übersteigt. Denn die menschliche Sprache und das logische Denken sind durch das Sukzessionsgesetz bedingt und beschränkt. Wir interpretieren also die vertikale Worthäufung als einen bewußten Versuch der Dichterin, dieses Gesetz zu überwinden. Keine Spielerei also, wie sie es manchmal bei Harsdörffer ist, sondern ein ernstzunehmendes Experimentieren mit poetischen Ausdrucksformen. Wenn das Ziel tatsächlich so etwas wie ein simultanes Sprechen sein sollte (soviel ich weiß, hat sich Catharina nie über die vertikale Worthäufung geäußert, hier von Absicht zu sprechen ist also eine Inferenz), gelingt das Experiment nicht ganz. Der Leser ist zunächst gezwungen, die übereinanderstehenden Wörter getrennt, d. h. nacheinander, aufzunehmen. Erst beim zweiten oder dritten Lesen mag er etwas von der Gleichzeitigkeit spüren, die unserer Meinung nach durch diese typographische Parallelschaltung bewirkt werden soll.

Ohne die Bedeutsamkeit der vertikalen Worthäufungen übertreiben zu wollen — es gibt, soviel ich sehe, deren nur dreizehn —, ist die Tatsache doch interessant, daß sie in Catharinas Dichtungen aus allen Jahrzehnten zu finden sind. Die erste und wichtigste Sammlung *Geistliche Sonnette, Lieder und Gedichte* (1662) mit Gedichten aus den 50er Jahren enthält zwei Beispiele; etwas über die Hälfte dieser vertikalen Worthäufungen kommen in den relativ seltenen Gelegenheitsgedichten und Briefen der nächsten drei Jahrzehnte vor; der Rest erscheint in den Gedichten, die durch die „andächtigen Betrachtungen" der 70er bis 90er Jahre verstreut sind. Eine ganz zufällige Erscheinung scheint also die vertikale Worthäufung doch auch nicht zu sein.

Catharina verwendet die vertikale Worthäufung, um einer ganzen Anzahl Themen Ausdruck zu verleihen, die in ihrem Leben und Dichten eine zentrale Stellung einnehmen. Zu diesen Themen gehören: Gott, der Tod Christi, das Abendmahl, die Meditation, die Unschuld, das Verhältnis Glück — Unglück, die Macht über das Unglück, und schließlich Tod und Theodizee.

Um ihren Gottesbegriff wirkungsvoller zu gestalten, greift Catharina viermal zum Mittel der vertikalen Worthäufung. Das erste Beispiel haben wir schon erwähnt; zu ihrer Seele sagt sie:

$$\text{So bleib' im tieffen grund der} \begin{Bmatrix} \text{warheit} \\ \text{Allmacht} \\ \text{Güte} \end{Bmatrix} \text{Gottes liegen. (SLG, S. 69)}$$

Damit drückt sie wenigstens einen Teil der harmonischen Allheit Gottes aus, wie sie der Mensch in seiner besonderen Lage beanspruchen darf. Der Mensch kann sich auf die Wahrheit Gottes verlassen, wie sie durch Christus und die Heilige Schrift kundgegeben wird. Aber um die Wahrheit ins Werk umzusetzen, ist eine Macht nötig, die Allmacht selbst, da, wie das Sonett festhält, man „keinen trost in dieser Erden=Runden" sieht, und die „Geist=erforschung schon sich weiter nicht erstreckt." Und wiederum ist die göttliche Allmacht keine allvermögende, unfühlende Energie, sondern auch mit der Eigenschaft der Güte identisch. Gott ist also zugleich Allmacht, Wahrheit und Güte, obschon die Sprache die Unzertrennlichkeit dieser Eigenschaften auseinanderreißt und das menschliche Denken eigentlich unfähig ist, die harmonische, widerspruchslose Allheit Gottes zu begreifen. Man ist fast geneigt, zu behaupten, daß die typographische Darstellung der vertikalen Worthäufung den Versuch darstellt, das Unsagbare auszusagen, und damit eine mystische Funktion zu erfüllen. Es gehört zu den Grunderkenntnissen der Mystik, daß der endliche Mensch den unendlichen Gott nie begreifen wird; daß Gott alles ist, was der Mensch über ihn aussagen kann, aber auch in keiner dieser Aussagen erschöpfend genannt ist, und folglich gar nicht das ist, was der Mensch über ihn sagen kann. Catharinas vertikale Worthäufung gibt dem Leser ein optisches Bild der Gleichzeitigkeit, die in diesem Fall ein Abbild der göttlichen Harmonie ist. Die vertikale Worthäufung hat also eine ernstzunehmende semantische Funktion; sie vermittelt eine Bedeutungsfülle und -tiefe.

Ein Sonett in der fünften Betrachtung in Catharinas Andachtsbuch *Des Allerheiligsten Lebens JESU Christi Sechs Andächtige Betrachtungen*... (1693) enthält nicht weniger als drei Beispiele der vertikalen Worthäufung, die für den Begriff der Dreieinigkeit stehen. Die beabsichtigte Gleichzeitigkeit kommt hier besonders klar zum Vorschein. Catharina kommentiert in ihrer Prosabetrachtung:

> Also ist die hochheilige Dreyeinigkeit in dieser Ehre und Erkänntnus begrieffen / und kan man GOtt nicht die Ehre geben / die Ihme geziemet / und beliebet / wann man Ihn nicht als einen Drey=einigen GOtt / einig im Wesen / Dreyfaltig in Personen ehret und anruffet / wie Er sich denn gleich Anfangs in dem dritten Wort der hochheiligen Schrifft also geoffenbaret / in dem Wort! *Elohim*, welches / wie alle Gelehrte wissen (auch die Juden nicht läugnen können) in der heiligen Sprache im *Plurali*, oder in der mehrern Zahl GOtt heist / und die mehrern Personen ja so klärlich anzeiget / als die Einigkeit des Wesens / von dem in *Singulari* oder dem einzel stehenden *Verbo* schuff klar zu beweisen ist. (S. 1132)

Catharina betont hier ausdrücklich das Zusammenfallen des Singulars und Plurals im hebräischen Satz, welches die eine schöpferische Tätigkeit des vielheitlichen Gottes nennt. Das scheint auf eine bewußte und gewollte Gleichzeitigkeit hinzuweisen, die dann in den vertikalen Worthäufungen des Sonetts widerspiegelt erscheint:

$$
\text{Jm dritten Bibel=Wort endeckt die } \begin{Bmatrix} \text{GOttheit} \\ \text{Dreyheit} \end{Bmatrix} \text{ sich /}
$$

...
Jm dritten Bibel=Wort endeckt die { GOttheit / Dreyheit } sich /
Pflegt in der mehrern Zahl persönlich herzu rücken.
Doch / daß die Einheit wir des Wesen nicht zerstücken /
    So heists: Die GOttheit schuff / die mehr Person in sich;
    Die Einzel Zahl im Thun / die Mehrer wunderlich

Jm Würken sich ereigt $\begin{Bmatrix} \text{Treu} \\ \text{Drey} \end{Bmatrix}$ = einig im Beglücken!

Die $\begin{Bmatrix} \text{Elohim} \\ \text{die Etlich} \end{Bmatrix}$ / einer doch / GOtt schuff / sprach / macht und setzt /

Die Himmel / Erd' und Liecht / Meer / Thiere / Vögel / Fische /
Die Liechter und die Fest' uns Menschen zu der Letzt
. . .

(S. 1133, Zeilen 3–11)[3]

Das letzte Beispiel zum Thema Gott befindet sich im 159. Sonett, welches dem siebten Wort Christi am Kreuz „Vatter! ich befehl meinen Geist in deine Hände" (Gedichtüberschrift) gewidmet ist. Christus nennt seinen Tod:

. . . meines $\begin{Bmatrix} \text{Leidens} \\ \text{Endes} \end{Bmatrix}$ Ende.

Durch diese vertikale Worthäufung werden zwei verschiedene Aspekte des einen Vorgangs, des Todes Christi, gleichzeitig festgehalten. Der Tod am Kreuz bedeutet für den Menschen-Gott das Ende seines körperlichen Leidens; dieser Tod ist aber auch das Ende seines Endes, was somit den Tod seines Todes bedeutet. Einige Zeilen später im selben Sonett sagt Christus:

. . . Mein Tod den Tod besiegt.
Die Auferstehung bring mit mir ich in die Erde.

Vielleicht gehen wir auch nicht zu weit in der Interpretation, wenn wir „meines Endes Ende" auch auslegen als das Ende seiner Endlichkeit, die Rückkehr Christi zu seiner vollen Göttlichkeit durch den körperlichen Tod. Jedenfalls steht fest, daß Catharina dem Leser zwei Aspekte dieses einen Geschehens typographisch nahebringt.

In einem Brief vom 21. 11. 1677 berichtet die Dichterin ihrem Freund Birken von ihrem Abendmahlserlebnis, das sie kaum aussprechen konnte. „Jch kanns," schreibt sie, „doch Ja nicht Zeigen an, wie hoch Sein $\begin{smallmatrix}\text{Leib}\\\text{Blut}\end{smallmatrix}$ Ergetzen kann." Das Brot und der Wein des Abendmahls werden ja getrennt und nacheinander eingenommen, aber nach der damaligen lutherischen Auffassung wurden sie geheimnisvoll zum Leib und Blut Christi transsubstantiiert. Die Sonette 177, 180 und 181, in denen Gott buchstäblich „gegessen" und „getrunken" wird, bezeugen von Catharinas Annahme der Realpräsenz im Abendmahl. Die vertikale Worthäufung bringt Catharinas Freude und Erfahrung der Erlösung durch die Vereinigung mit Christus im Abendmahl chirographisch zum Ausdruck.

Bekanntlich war die Lage der österreichischen Anhänger des evangelischen Glaubens unglücklich. Catharina litt sehr darunter, daß sie nur selten am Abendmahl teilnehmen konnte. Bis zu einem gewissen Grade kompensierte sie für das fehlende Abendmahl durch eine vertiefte Meditation, welche sie besonders im Freien pflegte. In einem

3 Vgl. *Sieges-Seule*, S. 175, Z. 25.

Gelegenheitsgedicht, das sich in einem 1671 geschriebenen Brief an Birken findet, hat Catharina das Abendmahl gegen die freie und persönlich gestaltete Andacht in der Natur abgewogen. Das Gedicht trägt die Überschrift „Waggedanken Ob die Jehsusgenüssung im H: AbendMahl oder jn der Ruhe im Geist zu erwählenden Seye?"[4] Die erste Strophe beschreibt genau das Problem, mit dem sich die Dichterin konfrontiert sah:

> Was soll Jch Doch thun?
> Jch Empfind' Ein Streitten
> Reisen, oder Ruhn,
> Fühl Auf Beeden Seitten
> starke neigung, und Begier,
> Jesus
> Freünde } kommt und rahtet Mir!
> Herze

Die vertikale Worthäufung nennt die Quellen, die Catharina um Rat ansucht: an erster und höchster Stelle Jesus selbst, dann ihre Freunde und schließlich ihr eigenes Herz. Die Dichterin hat sich mit diesem Problem , „Reisen, oder Ruhn," an ihre Cousine Fräulein „Dora" von Prank und an Sigmund von Birken gewendet, also meinte sie es ernst mit dem Wort „Freünde." Aus ihren Briefen wissen wir, daß die Cousine sofort reagiert und die erhoffte Antwort geschrieben hat. Birken aber hat sich nicht rechtzeitig gemeldet, und Catharina mußte ihren Entschluß ohne seinen geschätzten Rat fassen. Sie unternahm die Reise nach Wien, um das Abendmahl zu feiern.

Bis jetzt haben alle vertikalen Worthäufungen eine Bedeutungsfülle zum Ausdruck gebracht; sie haben einen komplexen Begriff genannt. In diesem Zusammenhang schien es immer um die sogenannte Gleichzeitigkeit der vereinzelt erwähnten Teile oder Aspekte des Ganzen zu gehen. Im Falle des Beispiels aus dem Lied „Wag-gedanken..." liegt aber eine solche Funktion nicht vor; es besteht keine semantische Notwendigkeit, zu diesem Stilmittel zu greifen, da die Dichterin sich an drei verschiedene, von sich ganz getrennte Instanzen wendet, um Rat zu holen. Jesus, Freunde und Herz sind nicht Teile eines Ganzen. Die drei Quellen hätten ebensogut im Nacheinander genannt werden können. In der Schlußstrophe des Gedichts appelliert Catharina wieder an Jesus und ihre Freunde, und dabei wiederholt sie die im Titel und in der ersten Strophe berührte Frage mit den Worten „Reise, oder Bleib zu Hauß!" Bezeichnenderweise verzichtet Catharina in der Schlußstrophe auf die vertikale Worthäufung, indem sie zuerst Jesus nennt und einige Zeilen später zu den Freunden spricht:

---

4 Vgl. Black und Daly, S. 60—72.

Jesus Rahte Mir
giess in Meine Sinnen
was Beliebet Dir,
Daß Jch soll beginnen!
Und Jhr Freünde Sprecht Es Auß
Reise, oder Bleib zu Hauß!

Das Gedicht „Wag-gedanken . . ." enthält aber ein zweites Beispiel der vertikalen Worthäufung. Soll Catharina die Strapazen einer Reise nach Wien auf sich nehmen, um am Abendmahl teilzunehmen, wenn sie eine geistliche Stärkung durch Meditation erhalten kann? Die vierte Strophe beschreibt die Freuden der Meditation in der Einsamkeit im Freien:

oder soll Jch hie
Samlen in der Wüsten
Mann' und *Ambrosie*
Auß Geist Einfluß-brüsten,
in der Aller Tüffsten Ruh
höhren *Jesus* $\begin{Bmatrix} \text{Ansprach} \\ \text{Einspruch} \end{Bmatrix}$ zu?

Versenkt in einer ruhevollen geistlichen Betrachtung in der Natur hört die Dichterin „*Jesus*$\begin{Bmatrix} \text{Ansprach} \\ \text{Einspruch} \end{Bmatrix}$zu." Wenn ich die übereinander gestellten Wörter richtig auslege, dann besagen sie, daß die Natur sowohl eine Art Ansprache oder Gottesdienst, als auch Einspruch oder Einkehr[5] Gottes darstellt. Und zwar gleichzeitig. Die Natur ist ein Aufenthaltsort Jesus auf Erden (vgl. „Einspruch"); sie ist aber auch zugleich die preisende Antwort der Schöpfung auf den Schöpfer (vgl. „Ansprach"). Wenn dem so ist, dann besteht ein direktes Verhältnis zwischen dieser Auffassung der Natur, oder vielleicht besser gesagt, zwischen der Meditation in der Natur und Catharinas Begriff der „Deoglori." Für Catharina ist die Deoglori mehr als Lob und Dank des Menschen für die Güte und Gnade Gottes; sie ist himmlischer Herkunft. Lied I der *Sonnette, Lieder und Gedichte* nennt die Deoglori eine „Seelen-götting," die sowohl „Himmels Zier" als auch „der Erden wehrte Sonne" ist. Verschiedene Äußerungen in den *Betrachtungen* geben zu verstehen, daß die Deoglori ein Teil Gottes ist, mit ihm vor der Schöpfung vereint war, und nicht nur an der Schöpfung teilnahm, sondern sie auch erhält und regiert.[6] Die Deoglori kommt zu dem Menschen, nimmt in seinem Herzen ihre Wohnung, und steht ihm mit Gnaden und „Wunderhülff" (vgl. Titel des 57. Sonetts) bei. Catharina widmet der Deoglori zwei aufschlußreiche Gelegenheitsgedichte, die wir in unserer kommentierten Edition von Greiffenbergs handschriftlichen Gedichten herausgegeben und besprochen haben. In jener Edition *Gelegenheit und Geständnis*, haben wir die Deoglori wie folgt kurz charakterisiert:

5 Vgl. Grimm, DWB, III, 304, „Einspruch," 1.
6 Vgl. Daly *Metaphorik*, S. 29, Villiger, S. 33.

Im Grunde versucht Catharina wohl, in der Deoglori-Vorstellung die göttliche Ausstrahlung von Macht und Güte, Gnade und Lob zu erfassen, die in die Schöpfung eingeströmt und von ihr wieder auf Gott reflektiert wird. Natur und Mensch sind also Spiegel der Ehre und Herrlichkeit Gottes. Aber mehr noch: es geht nicht nur um ein Offenbarungswerk, sondern gelegentlich um den göttlichen Akt des Sich-Aussprechens und Sich-Erkennens: in der Schöpfung spricht sich Gott aus und schaut sich selbst an. (S. 45)

Max Wehrli umreißt die Verbindung zwischen Deogloria und Gotteslob in seiner Interpretation des Sonettes „Über das unaussprechliche Heilige Geistes-Eingeben" (SLG, S. 191):

Die Gloria (doxa, kabod)[7] ist für die Dichterin die eigentliche Erscheinungsform Gottes geworden, der sie gerne den eigentümlichen Namen *Deoglori* gegeben hat. Das ursprüngliche Dei gloria als Subjekt scheint hier zusammengefallen mit dem Objekt des menschlichen Lobpreisens: Deo gloria, und es ist ja auch als Ursprung und zurückkehrender Widerschein die eine und selbe Herrlichkeit, der Kreis, in welchem der fromme Mensch steht, in welchem Gott sich ewig selber lobt.[8]

Die Verwandtschaft der vertikalen Worthäufung „Jesus $\left\{ \begin{array}{l} \text{Ansprach} \\ \text{Einspruch} \end{array} \right\}$ zum Begrif der Deoglori liegt auf der Hand.

Die übrigen Beispiele der vertikalen Worthäufung kreisen um einen anderen Themenkomplex, der Unglück, Glück, Unschuld und Tod einschließt. Bekanntlich gehören diese Themen zu den wichtigsten Fragen und Erfahrungen im Leben unserer Dichterin.

Im Jahr 1674 schrieb Catharina ein Gelegenheitsgedicht an einen unbenannten Gegner, den sie in ihrer Korrespondenz lediglich als den „Hungarischen wiedersacher" charakterisiert.[9] Er ist wahrscheinlich derselbe Geistliche, mit dem Catharina schon früher Auseinandersetzungen über Glaubensfragen und anscheinend auch über die Zulässigkeit ihrer Ehe geführt hat. Sie bedient sich einiger Umschreibungen für diesen Gegner, darunter „die bewuste Persohn" (18. 8. 1668), „der Drach" (15. 3. 1969) und „der Oedenburger Drach" (1. 5. 1969). Das hs. erhaltene Gedicht trägt den vielsagenden Titel „Die Betrübte unschuld!,"[10] womit das Thema genau bestimmt ist. Catharinas Unschuld, ihr guter Name und ihre Ehe sind durch Verleumdung angegriffen und besudelt worden. Der Brief, dem dieses Gedicht beiliegt, läßt keine Zweifel über den genauen Anlaß aufkommen: Ziel des Angriffs war die eheliche

---

7 Auf die Ahnlichkeit zwischen der Deogloria-Vorstellung und dem alttestamentarischen Kabod Jahwe und der neutestamentarischen Doxa habe ich kurz hingewiesen; vgl. Daly *Metaphorik*, S. 30.

8 „Catharina Regina von Greiffenberg: Über das unaussprechliche Heilige Geistes-Eingeben," *Schweizer Monatsheft* 45 (1965), S. 581.

9 Vgl. Black und Daly, S. 26

10 Ebd. S. 30—41.

Verbindung mit ihrem Onkel Hans Rudolph. Die Dichterin verteidigt sich in diesem Lied gegen den Vorwurf der „ÿppigkeit" – hier bedeutet das Wort „Wollust" oder „Unzucht" – mit der Feststellung sie habe „im Glauben, Gottes-forcht, mit Ehren, Raht, und Treu" gehandelt; sie weiß sich frei von jeder Schuld. Die fünfte Strophe enthält die künstlerische Anordnung, die uns besonders interessiert:

Nemt halt Mein Leben hin, Bin Jch Euch so zu wieder!
Mein Jessus wird für Eins Mir Tausend geben wider
last Mir nur Meine Ehr' und Unschuld $\left\{ \begin{array}{l} \text{Bis} \\ \text{Mit} \end{array} \right\}$ ins Grab,
Die Jch Wie Gott Bekandt: Niemahl Verlezet hab.

Das Leben ist ihr weniger wichtig als ihre Unschuld und Ehre, die sie bis und mit ins Grab mitnehmen will. Und dies, weil die Unschuld ein wesentlicher Aspekt der Tugend ist, deren Bedeutsamkeit wir schon im Zusammenhang mit der *Tugend-Übung* erläutert haben."[11]

Die vertikale Worthäufung wirkt auch hier, wie immer, graphisch eindrucksvoll und vielleicht erfüllt auch diese Wendung eine tiefere semantische Funktion. Obwohl sie kein Geheimnis ausdrückt, kann man daraus eine zweischichtige Aussage heraushören, was auch dem Druckbild zu entnehmen wäre. Catharina will ihre zu Unrecht angefochtene „Ehr' und Unschuld" bis ins Grab mitnehmen, und sie möchte auch, daß diese Ehre mit ihr im Grabe ruhen soll. Fast wie eine Vorahnung des noch kommenden Übels wirkt dieser Wunsch: als drei Jahre später Hans Rudolph starb, haben Catharinas Feinde sie nicht nur weiter verfolgt, sondern sogar den Kampf mit erneutem Eifer fortgeführt. Es ging hauptsächlich um die zum größten Teil verschuldeten Besitztümer der Familie Greiffenberg, die Matthäus von Riesenfels seit 1665 zu den günstigsten Bedingungen an sich zu bringen suchte. Auf seinem Todesbett hatte Hans Rudolph ein Versprechen vom Sohn des verstorbenen Riesenfels erhalten, daß Catharina den Zweidrittel-Anteil am Kupferbergwerk ausgezahlt bekommen sollte. Mit diesem Geld hätte sie ihre Gläubiger befriedigen und von dem Rest leben können. Sie erhielt ihr Geld nie. Ein Prozeß begann, der etwa drei Jahre dauerte und sie arm machte. Catharina mußte auch erleben, daß die Rechtmäßigkeit ihrer Ehe wieder in Frage gestellt wurde, d. h. ihre „Ehr' und Unschuld" wurden noch einmal befleckt – und das nach dem Tode ihres Mannes!

Obwohl die vertikale Worthäufung in diesem Gedicht vom Jahre 1674 keine echte Gleichzeitigkeit beinhaltet, so bedeuten die Wörter „bis/mit" mehr als eine bloße lineare Formulierung eines einzigen Gedankens. „Bis" und „mit" sind wenigstens teilweise zeitlich übereinander gelagert.

Das gleiche Lied „Die Betrübte unschuld!" zeigt aber ein zweites Beispiel der vertikalen Worthäufung, die einer echten Gleichzeitigkeit zum Ausdruck verhilft. Die elfte und letzte Strophe gipfelt in der zuversichtlichen Hoffnung, daß Christus die Unschuld im Himmel belohnen wird:

---

11 Siehe Kapitel 4, bes. S. 80 ff.

152

Ach! unschuld seÿ getrost! du Wirst Mit Mehrern Strahlen
Alß hie der Blumen seÿn, gezieret und gemahlen
in höchsten Ehren stehn! dein Jessus! wird die Cron
Dir Selber sezen Auf. Alß $\left\{\begin{array}{l}\text{deiner Keüscheit}\\ \text{Seiner Gnaden}\end{array}\right\}$ Lohn!

Wie wir schon in *Gelegenheit und Geständnis* bemerkt haben, rührt die Wirkung dieser vertikalen Worthäufung zum Teil von der mehrfachen Bezugsmöglichkeit des Genitivs her. Die Krone, die Christus ihr aufsetzen wird, ist zugleich die Belohnung der Keuschheit (d. h. für die Tugend des Menschen) und auch der Lohn der Gnade Christi (d. h. von Gottes Gnade herkommend und abhängend). Ein und derselbe Akt der Belohnung wird aus menschlicher und göttlicher Sicht gleichzeitig betrachtet.

Im Mai 1669 war Catharina in Nürnberg, um dort an dem Abendmahl teilzunehmen und mit ihren „Jnnigen Freünden" zu verkehren. Birken war aber krank und tief deprimiert; er hat Catharina sogar vermieden. „Eil-fliegend abends" am 15. Mai nachdem sie dann doch mit Birken zusammengetroffen war, schrieb die Dichterin zwei Gelegenheitssonette nieder, um ihre Anteilnahme an seinem Unglück auszudrücken. Das erste Gedicht trägt die Überschrift „Trost der Hoffnung, in Eüsserster Wiederwärttigkeit."[12] Es enthält eine Botschaft der Hoffnung und Aufmunterung für ihren leidenden und unglücklichen Freund. Sie vergewissert ihn, daß allem Anschein zuwider, trotz allen Unglücks, doch alles in Gottes Hand liegt. Das jetzige Unglück ist sogar die Ursache des noch kommenden Glückes. Das Sonett gipfelt im Schlußterzet mit der folgenden Bestätigung:

Ja: Sage Hoffnung Seÿ die Gröst Verführerin
wann dieser Sturm und Strauß nicht ist dein Glükks-Gewinn
Daß Unerhöhrte Freüd $\left\{\begin{array}{l}\text{vor}\\ \text{auf}\end{array}\right\}$ Solchen dir gegeben!

Hier läßt sich wieder einmal die echte Gleichzeitigkeit in der vertikalen Worthäufung erkennen. Die „Unerhöhrte Freüd" wird nicht nur auf (d. h. nach) „Sturm und Strauß" folgen, sondern ist zugleich als die Belohnung „vor" (d. h. für) das durchstandene Unglück aufzufassen. Die vertikale Worthäufung vereint also beide Aspekte des einen zuversichtlich erhofften Geschehens, Aspekte, die früher im Gedicht vereinzelt ausgesprochen wurden. In der dritten Zeile heißt es:

Es wird dir über rich Belohnen Gottes Huld,

und später lesen wir:

Wiss Gott Regirt so leis dein glükk und lebenssachen
Daß Selbst das Unglück ist An deiner Freüd die schuld [=Ursache].

12 Vgl. Black und Daly, S. 16—26.

Die Macht, dem Unglück zu trotzen, liegt im Menschen selbst — eine Ansicht, die schon die alten Stoiker vertraten. Die Macht dem Unglück aktiv gegenüberzustehen und es sogar zu überwinden, ist in Catharinas Dichtung sehr oft durch Gott gegeben; von ihm erhält der Mensch die Kraft, die Widerwärtigkeiten des Lebens und des Schicksals zu besiegen. Ein Lied aus den *Betrachtungen Von Allerheiligster Menschwerdung... Christi* (1693) verdeutlicht diese Ansicht unter Verwendung der vertikalen Worthäufung. In dem „JEsuleins Wiegen-Lied" (S. 329f.) lesen wir in der neunten Strophe:

Trotz Höll und Welt! trotz allen Teufeln!
  trotz Erd und Luft! trotz Glut und Flut!
wer will wol an dem Siege zweifeln /
  wann ihm beisteht das höchste Gut?
wer GOtt selbst hat auf seiner Seiten /
der kan ja Sieg-versichert streiten!
mit meinem Herzen-JEsulein
kan ⎫
muß ⎬ alles überwunden seyn.
wird ⎭   (S. 330 f.)

Die drei übereinander gestellten Verben bringen den Glauben zum Ausdruck, daß mit Christus alles überwunden werden kann. Dabei handelt es sich auch hier eigentlich um eine lineare Steigerung, von Können durch Müssen zu Werden, eine Steigerung, die sich ebenso gut, vielleicht sogar noch besser, durch die gewöhnliche Nacheinanderreihung gestalten ließe. Rein optisch ist die Wirkung, wie immer, kraftvoll, aber von einer tieferen semantischen Notwendigkeit ist keine Spur zu finden, denn echte Gleichzeitigkeit liegt hier nicht vor.

Das letzte Beispiel einer vertikalen Worthäufung, das den Themenkreis Unglück—Tugend—Glück schließt, hat mit dem Tod eines Menschen zu tun. 1687 hatte Catharina ein eindrucksvolles Trauergedicht über den Tod der tugendreichen und adligen Barbara Susanna Eleonora von Regal geschrieben, die unter den sensationellten Umständen den Tod gefunden hatte. Martin Bircher hat das Gedicht und den Vorfall zutreffend beschrieben. Ich zitiere einen kleinen Teil seiner Darstellung:

Am Freitagabend, den 29. Juli 1687, zwischen sieben und acht Uhr, ereignete sich in Bad Abach bei Regensburg „ein grausam starck ohnegewöhnlichen Donner-Wetter". Dabei wurde die neunzehnjährige ledige Barbara Susanna Eleonora von Regal in der Stube auf einem Sessel vor dem Bett ihrer leidenden Großmutter sitzend, vom Blitz getroffen und erschlagen. [S. 118] ... Die Dienstmagd in der Küche („das Kuchel-Mensch") wird „niedergeschmissen", aber nicht getötet, auch nicht die alte, leidende Großmutter, oder die Verwandte, mit der sie auf einem Feldsessel sitzt, sondern ausgerechnet Barabara Susanna Eleonora von Regal.[13]

3 „Unergründlichkeit . . .," S. 133.

Die Trauerpredigt und Catharinas Gedicht beschreiben in allen Einzelheiten den vorzüglichen Charakter der Neunzehnjährigen, sowie ihr tugendhaftes und christliches Verhalten während des Ungewitters. Ihr Tod ist also ein aufsehenerregender Vorfall, der die Frage der Güte und Gerechtigkeit Gottes unumgänglich macht. Vom menschlichen Standpunkt her ist es unergründlich, wie unsere Dichterin selbst meint in der 4. Zeile ihres Trauergedichts. Die Vernunft kann solche Vorfälle nicht begreifen, aber der Glaube entdeckt darin „ein Gnaden-Glück-Bescheren." Der erste Teil des Gedichts gipfelt in der zusammenfassenden Behauptung:

Ich habe diesen Schluß zum Grund-Stein ausgestellet

In diesem $\left\{ \begin{array}{l} \text{Trauer} \\ \text{Wunder} \end{array} \right.$ - Fall / darauf ich Klag und Trost

Ein traurig Schmertzen-Schloß / und *Mausoleum* bauen /

Auch ein Trost-*Pharos*-Licht / das kein Schmertz-Sturm umstost /

Getrost aufrichten will; . . .

Der Tod der Barbara Susanna ist also zugleich ein „Trauer-Fall" und ein „Wunder-Fall". Bircher kommentiert: „Die Doppel-Lesung ‚Trauer / Wunder-Fall‘ (13) ist nun keine Spielerei mehr, sondern ein reines Symbol für die Doppelbödigkeit des Geschehens aus menschlicher beziehungsweise aus göttlicher Sicht" (S. 113). Die Parallelität von Trauer und Wunder wird in derselben Zeile noch weiter ausgeführt, indem die Dichterin „Klage" (vgl. „Trauer") und „Trost" (vgl. „Wunder") auch erwähnt. Dies ist ein sehr schönes Beispiel für die Gleichzeitigkeit, die wir in der Mehrzahl der vertikalen Worthäufungen gefunden haben.

Rückblickend auf die besprochenen Beispiele der vertikalen Worthäufung bei Catharina dürfen wir jetzt einige Merkmale dieser Erscheinung zusammenfassend charakterisieren. Gleichgültig ob aus zwei oder drei übereinandergestellten Wörtern oder Audrücken bestehend, haben die Wörter immer dieselbe Silbenzahl. Daraus entsteht ein perfekter Parallelismus, in welchem jeder Teil metrisch und syntaktisch in den linearen Satz eingegliedert ist. Sogar in Hinsicht auf Hebungen und Senkungen wird die Parallelität aufrechterhalten.

Wie wir gesehen haben, vervollständigt, vom Sinn her betrachtet, jedes der übereinander stehenden Wörter oder jeder der Ausdrücke den in der Waagrechte gebildeten Satz. Zudem rundet jedes vertikal gesetzte Wort auch den Vers ab, sei es Alexandriner oder Vierheber. Wenn aber der Leser die vertikale Worthäufung in einem Nacheinander einfach herunterliest, wird der Vers metrisch gesprengt; zudem wirkt dessen Bedeutung konfus und holperig. Diese Einsicht führt uns zu der Annahme – von direkten Aussagen der Dichterin weder untermauert noch widerlegt – daß Catharina so etwas wie eine semantische Gleichzeitigkeit beabsichtigt, die sie durch die graphische Parallelschaltung in erster Linie optisch gestaltet. Diese graphische Figur wird aber wie eben ausgeführt auch metrisch, rhythmisch und syntaktisch unterstützt.

Wie eindrucksvoll die vertikale Worthäufung auch immer aussehen mag, dürfen wir uns doch nicht darüber hinweg täuschen lassen, daß der Versuch, ein simultanes Sprechen auf diese Weise typographisch oder chirographisch zu gestalten, letzten Endes nicht völlig gelingt. Das Gesetz der Sukzession im menschlichen Sprechen und Denken läßt sich nicht so einfach überwinden. Manchmal vermag das Symbol eine ähnliche semantische Wirkung zu erfüllen, wenn es mit einem Wort oder Ausdruck eine vielschichtige Aussage vermittelt. Das Wortspiel im Gedicht und erst recht im Drama, wo ein Wort von zwei Charakteren anders aufgefaßt wird, dürfte auch als ein kleiner Schritt in Richtung der semantischen Gleichzeitigkeit gelten. Das sind aber höchst bescheidene Ansätze. Manchmal findet man in der Musik eine ähnliche Simultaneität in der Gestaltung eines musikalischen Themas in einem größeren Ausmaß verwirklicht. Dabei denkt man nicht ganz zufällig an die Fuge, in welcher ein Thema gleichzeitig von verschiedenen Stimmen ausgesprochen und variiert wird. Aber das scheint nur möglich zu sein, weil am Anfang der Fuge ein Thema aufgestellt wird, das der Hörer dann später in Erinnerung hat, wenn dasselbe Thema von verschiedenen Stimmen gespielt und auch variiert wird. In der vertikalen Worthäufung werden die Wörter und Ausdrücke übereinander geschrieben, was ungefähr an die Notierung einer Fuge erinnert. Schon Leo Villiger[14] hat bemerkt, wie dieses optische Bild einer Partitur gleicht. Inwiefern man in der vertikalen Worthäufung ein „fugales" Stilmittel der Dichtung sehen will, ist eine andere Frage.

Was die Funktion der vertikalen Worthäufung in der Dichtung der Greiffenberg anbelangt, kann man sagen, daß alle Beispiele eine Intensivierung und Steigerung bewirken. Sogar die einfachsten Beispiele sind eine Art asyndetischer Worthäufung, die eine Äußerung intensivieren:

Jesus
Freünde } kommt und rahtet mir;
Herze

Mit meinem Herzen-JEsulein,
kann
muß } alles überwunden seyn.
wird

Die Häufung geschieht hier ohne jegliches Bindewort; durch die graphische Gestaltung wird die Wirkung erhöht. Einen rhetorisch-ästhetischen Reiz kann man sogar diesen Beispielen nicht ganz absprechen, obwohl diese zwei vertikalen Worthäufungen ebensogut linear ausgeschrieben werden könnten. Doch eine tiefere, semantische Funktion scheinen sie nicht zu haben.

In allen anderen Fällen scheint aber eine ausgesprochen semantische Notwendigkeit Catharina zu diesem Stilmittel geführt zu haben. Wenn wir von den zwei oben genannten Beispielen absehen, haben wir es in jedem Fall entweder mit einem vielschichtigen Begriff, z. B. Gott oder Meditation, oder mit einem komplexen Vorgang, etwa dem Tod Christi, Abendmahl oder dem menschlichen Tod zu tun.

4 Villiger, S. 39.

Solche Themen werden durch das Stilmittel tatsächlich von verschiedenen Seiten her
aber auch gleichzeitig beleuchtet, um ihre Ganzheit nicht zu gefährden.

Catharina ist nicht das einzige Dichtertalent, das zum Mittel der vertikalen
Worthäufung greift. Unter den Nürnberger Dichtern hat sich auch Harsdörffer
gelegentlich dieses typographischen Mittels bedient. *Nathan und Jotham* enthält zwei
aufschlußreiche Beispiele, von denen das interessantere dem Thema der „Beruhigung'
gewidmet ist. Nathan erzählt wie die „Dollsinnigkeit" auf der Erde vergebens nach
Ruhe gesucht hat; „da fande sie ein Hertz / auf dessen rechter Seite stande:

Nimm / gieb / fleuch / auf der Lincken: Was Gott will. Als sie nun dieses nicht
verstehen konte / fande sie den folgenden Morgen / in denen Hertze geschrieben:
Glaub / Hoff und Liebe. Er wuste aber noch nicht die Deutung. Den dritten Tag /
fande er wider in den Hertze geschrieben: Hertzlich / gedultig / brünstig. Als sie nun
dieses lang bedacht / hat ihme die Betrachtung eine solche Auslegung gemachet:

$$
\left.\begin{array}{l}\text{Nimm /}\\ \text{gieb /}\\ \text{fleuch}\end{array}\right\} \text{was Gott will / und} \left\{\begin{array}{l}\text{glaub hertzlich.}\\ \text{hoff gedultig}\\ \text{liebe brünstig.}\\ \text{verstehe deinen Nechsten."}\end{array}\right.
$$

(Nathan, Erster Teil XV)

Auf den ersten Blick sieht das wie eine vertikale Worthäufung aus, aber im Grunde
genommen, handelt es sich dabei lediglich um ein kombinatorisches Spielen mit dem in
der Mitte stehenden Satz „was Gott will." Im Gegensatz zu einer echten vertikalen
Worthäufung muß dieser Satz wiederholt werden, sonst gibt die ganze Aussage keinen
Sinn ab.

Im zweiten Beispiel aus *Nathan und Jotham* wird sogar ein wortspielerisches
Moment sichtbar. Jotham erzählt von einem Streit zwischen dem „Wehr= Lehr= und
Nehrstand," welcher unter ihnen am wichtigsten sei. Nachdem jeder Stand seine
Rechtfertigung vorgetragen hat, kommt die „Billichkeit" und versöhnt sie mit dem
„Ausspruch": „sie solten sich zu frieden geben / und verbleiben wie bisanhero / es
bleibe doch die Ehr in allen dreyen Ständen." Harsdörffer faßt den „Ausspruch" so
zusammen:

$$
\text{Der} \left\{\begin{array}{l}\text{W}\\ \text{L}\\ \text{N}\end{array}\right\} \text{ehrstand}
$$

(Jotham, Erster Teil, CXLVI)

In seinem „Bericht von den Sinnbildern," der im Anhang zu den *Jämmerlichen
Mord=Geschichten* steht, bietet Harsdörffer folgendes Beispiel eines dreiständigen
Emblems an:

LXXXII Freundschaft

1. Eine Feder.

   Der Federschaft.

2. Ein Glas Wein.
   Deß Weines Krafft /
3. Ein Brief auff welches Siegel zwey Hertze zu sehen.

Die $\begin{Bmatrix} \text{Freunde} \\ \text{Freude} \end{Bmatrix}$ schafft.

(S. 28)

Dies ist m. W. das einzige Beispiel einer Gleichzeitigkeitskonstruktion bei Harsdörffer, denn „Freundschaft" bedeutet gleichzeitig „Freude," aber es verdient nicht, allzu ernst genommen zu werden.

Von Interesse ist auch ein Hochzeitssonett, welches eine vertikale Worthäufung mit vier Wörtern aufweist. Das Gedicht feiert die Vermählung eines gewissen Georg König mit Margaretha Rauchpar im Jahr 1638.

WEr ists / so vns den Weg der Tugend mög ergründen /
Der also schlippfrig ist / mit Dornen vmbgezäunt?
Wer weist die Freundligkeit / der Schönheit nechsten Freund /
Die längsten flüchtig ist / vnd gar fast wil verschwinden?
Wer ists / so vmb das Haar / mit fug vnd recht dörff binden
Der Keuschheit werthen Kranz / der offtmal wird beweint?
Wer trägt der Liebe Liecht / das nunmehr dunckel scheint?
Wer kan die edle Stadt der Frömmigkeit erfinden?

Die $\begin{Bmatrix} \text{schöne} \\ \text{fromme} \\ \text{keusche} \\ \text{liebe} \end{Bmatrix}$ Margreth ists / die dieses alles weist /

die solchs ergründt vnd findt / die alles kan vnd kennet /
Drumb wird Sie billig heut ein Königin genennet.
So seye selig nun zu tausentmal gepreist
Prinzessin aller Zucht! Es müsse wie im Lentzen
Das güldne Sonnenliecht / dein TugendCrone gläntzen.[15]

In diesem Fall haben wir es mit einer vertikalen Worthäufung zu tun, die wiederum als Gleichzeitigkeitskonstruktion funktioniert, und zwar als Summationsfigur. Der Dichter beginnt das Sextett mit einer Zeile, welche die früher erwähnten Eigenschaften der gepriesenen Braut summiert. Doch wird hier unser Sinn für Rhetorik nicht ganz zufriedengestellt, denn der Dichter bringt die übereinandergestellten Wörter nicht in der Reihenfolge der im Oktett erscheinenden Eigenschaften, worauf die Wörter sich beziehen.

---

15 Das Gedicht ist in der folgenden Schrift enthalten: Evax! // Quod bene vertat! // . . . [Hochzeitsgedichte für Georg König, Astraeae Cultor, u. Margaretha Rauchparia, 16. Okt. 1638]. ROTENBURGI AD TUBARIM // Ex officina Typographica JACOBI MOLLYNI. // (Herzog August Bibliothek Wolfenbüttel, Sign. 48.7 Poet [51] Bl. A4b).

Man findet die vertikale Worthäufung auch gelegentlich in Huldigungs- oder Widmungsgedichten. Etwa „aus wohlmeindendem Gemüth" und um „seine schuldige Dienstgeflissenheit zu bezeugen" widmet Johannes Beck „seinem Hochgeehrten Herrn Vettern" Melchior Mattsperger folgende Zeilen:

. . .

Dem Author dises Wercks der Ruhm und Preiß gebührt /

Weil Er des Lesers Aug so $\left\{\begin{array}{l}\text{artlich}\\\text{treflich}\end{array}\right\}$ delctirt.

Diese Worte begleiten Mattspergers *Geistliche Herzens=Einbildungen* (Augsburg, 1685) auf den Weg.[16] Beck lobt das Emblembuch, das zugleich „artlich" und „treflich" ist, welches die in der damaligen Poetik so hoch geschätzte Kombination von *prodesse* und *delectare* hervorhebt.

Die vertikale Worthäufung begegnet uns nicht nur in der hohen Literatur, sie ist manchmal auch im illustrierten Flugblatt anzutreffen. In seinem Buch *The German Illustrated Broadsheet* berichtet Coupe über ein religiöses Flugblatt des frühen 17. Jhs. welches die „Klag unsers lieben Herrn Jhesu Christi / vber die undankbare Welt' darstellt. Das Bild zeigt den Kopf Christi im Profil, über welchem die Inschrift „Salve XRI Effigies Sacerria" steht. Der Text, eine Variante der vertikalen Worthäufung, lautet:

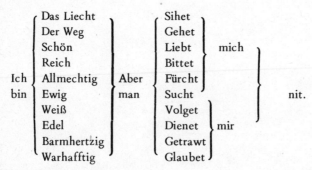

Coupe kommentiert wie folgt:[17]

The topsy-turvy nature of the world is thus seen in terms of the antithesis between the nature of Christ and the attitude which the world adopts towards him, which is the exact opposite of what one might naturally expect in view of the qualities listed.

Es wäre noch zu bemerken, daß der schematische Text, wie Coupe ihn nennt, zehn Eigenschaften Christi aufführt, die durch die horizontal gesetzten Verben von der

16 Diesen Hinweis verdanke ich Hubert Gersch, Münster.
17 Diesen Hinweis verdanke ich Hubert Gersch, Münster.

Menschen verneint, oder außer Kraft gesetzt werden. Die rhetorische Parallelität wird genau durchgeführt, mit dem Ergebnis, daß der Text linear, d. h. horizontal gelesen werden kann:

Ich bin Das Liecht Aber man Sihet mich nit;

derselbe Text kann ebensogut vertikal herunter gelesen werden, wodurch zuerst die ganzen Eigenschaften Christi erscheinen, und nachher die Stellung der Welt charakterisiert wird.

Als graphisches Phänomen der Dichtung steht die vertikale Worthäufung zweifellos isoliert da und ist höchstens den Figurengedichten formal verwandt. Aber letztlich gehört sie doch in die Reihe jener rhetorischen Mittel, in denen ein Wille zu massivem und komplexem Ausdruck, zur Überwindung der Linearität der Sprache deutlich wird. Durch die simultane Häufung von Wörtern, Wortgruppen oder sogar ganzen Sätzen entsteht ein massives Wortgebäude vor unsern Augen und Ohren. Eine andere Art der Worthäufung, welche in einem Nacheinander besteht, wobei sich die einzelnen Teile auf den letzten Teil beziehen, kann auch eine merkliche Spannung hervorrufen, die in ihrer Enge und Eile manchmal an die vertikale Worthäufung erinnert. In einem Sonett mit der Überschrift „Göttlicher Anfangs=Hülffe Erbittung" bittet Catharina um Inspiration und Hilfe von Gott, der alles geschaffen hat und dennoch alles bleibt („ob alles kam aus dir / du alles dannoch bleibest"):

Sonst alles / als nur dich selbst nicht / anfahends Ding /
sey mit / in / und bey mir / wann ich das Buch anhebe. (SLG, S. 7)

Das 49. Sonett ist ein „Gedenkspruch" (so heißt es im Titel) über das Thema des Einordnens des persönlichen Willens in den Willen Gottes. Das Gedicht gipfelt in der Feststellung:

Jn wie / was / wann GOtt will / will ich mich allzeit üben.

Diese beiden Beispiele zeigen einen deutlichen Vorwärtsbezug auf das letzte Wort, was eine gewisse Spannung erzeugt. Am Schluß des 8. Sonetts findet die Bitte um Inspiration folgende Formulierung:

daß in der Schnödheit / ich mach deinen Ruhm erschallen
mit Herzen / Mund / und Hand / ja kurz in= und mit allen.

Obwohl hier die Wirkung weniger kompakt ist, dürfen wir sagen, daß in jedem der drei Fälle die Wirkung die einer Zusammenballung ist.

Die syntaktische Ausdrucksform, die der vertikalen Worthäufung am nächsten kommt, ist die Parenthese. Ganz gleich ob mit oder ohne Klammern oder Kommata liefert die Parenthese zusätzliche Information, die in den Satz eingebaut wird. Diese eingeschobenen Satzteile oder Sätze, die für den Augenblick die gewohnte Satzführung unterbrechen, zwingen den Leser, eine Modifikation der noch gar nicht abgeschlossenen Äußerung wahrzunehmen. Wenn das auch kein simultanes Sprechen ist, so ist es mindestens ein simultanes Anberaumen des zu Sagenden. Dazu ein Beispiel. Um Gott würdig loben zu können, betet Catharina um Inspiration:

> DAß alle Stäublein / mein / und lauter Zungen wären /
> . . .
> ich wolt zu GOTTES Lob / sie binden all zusamm. (SLG, S. 2)

Diese „Stäublein" sollen nicht nur „mein" sondern auch gleichzeitig „lauter Zungen" sein. Die zweite Information „lauter Zungen," die die Aussage ergänzen soll, wird eingeschoben.

Die Spannung der Parenthese wird dann erhöht, wenn ein Schlüsselwort erst am Ende des eingeschobenen Satzes steht. Catharina schreibt über das Verhältnis zwischen göttlicher Allmacht und Widerwärtigkeit wie folgt:

> umsonst Feind / Feur und Meer / will er behüten / wüten (SLG, S. 31)

Wenn Gott den Menschen, oder wie in diesem Fall, das Volk der Israeliten, schützen will, ist das Toben von Meer, Feuer und Feind vergebens. Catharina hätte diesen Gedanken mit denselben Worten ebensogut wie folgt ausdrücken können:

> umsonst Feind / Feur und Meer wüten / will er behüten;

damit hätte sie nicht nur den Reim, sondern auch die Distribution der Reimwörter behalten. Gerade an diesem Beispiel erkennen wir die Absicht der Dichterin: das Einschiebsel als solches ist bewußt gesetzt, der Spannungseffekt der Parenthese ist gewollt. Beispiele dieser Art gibt es in großer Menge:

> Er hat / was hartes zwar / doch gleichwol was / vor Augen. (SLG, S. 34);

> Eh / als im Augenblick / was du gebietst / geschicht. (SLG, S. 35);

> die ganze Menschlichkeit / (nur Christus ausgeschlossen)
> nichts ungeendtes kan / als mit des Glaubens=krafft /
> begreiffen . . .   (SLG, S. 37);

> man muß / will man zum Port / das Wasser ja bewegen. (SLG, S. 44);

> Die Sonne müst / solt ein Land sie stets bescheinen / stehn. (SLG, S. 44);

> das schützen ist Ihm so / wie das erschaffen / leicht. (SLG, S. 46).

Es gibt aber auch kompliziertere Parenthesen, die eine Hauptaussage mit zwei verschiedenen Modifikationen bereichern. Das 28. Sonett trägt die Überschrift „Auf meinen Vorsatz / die Heilige Schrifft zulesen," dieses Thema wird anhand eines erweiterten Seefahrtsbildes ausgeführt. Die Gefahr des Unglaubens wird folgendermaßen beschrieben:

Die Augen der Vernunfft / wann man da auf will heben /
Corall= und Perlen=Schätz / wann man hinab vertiefft /
muß man verbinden / daß Unglaubens Salz nicht trifft:

Die zwei langen Fügungen beginnend mit „wann" werden zwischen Subjekt und Prädikat eingeschoben, und bewirken dadurch eine ungewöhnliche Spannung.

Die Ausdruckskraft, die der Parenthese innewohnt, wird oft noch erhöht, wenn das Schlüsselwort, das am Ende des Satzes steht, sich zudem noch auf weitere Satzteile oder Sätze bezieht. In solchen Fällen ergänzt das erwartete Wort den Sinn beider Sätze. Der Gedanke, daß Gott den demütigen Menschen schätzt, findet folgenden Ausdruck:

wer ganz nichts von sich selbst / von dem er etwas / hält. (SLG, S. 15).

Über den Traum sagt der „wunderlich geführte Joseph" (wie er in der Überschrift heißt):

flößest in der andern Sinn mein / in mich ihr / glück hinein (SLG, S. 23).

Einer Variation dieses Schemas begegnen wir im 37. Sonett:

das / was sonst keinem ist / ist müglich dem / der glaubt.

Manchmal ist ein ernstes, wortspielerisches Moment nicht überhörbar:

Vernunfft geht / wann du [Glaube] aufgehst / unter, (SLG, S. 30).

Ziemlich erzwungen wirkt folgendes Wortspiel:

Er wird meiner Schwachheit auch nicht ver= auch Kräffte geben / (SLG, S. 30).

Die oben angeführten Beispiele der Parenthese stammen alle aus den ersten 50 Sonetten der Sammlung *Geistliche Sonette, Lieder und Gedichte*. Es gibt etwa 30 Beispiele solcher Parenthesen, wovon nur sieben mit Klammern versehen sind. Wenn diese zufällig gewählte Gruppe von Gedichten für die Dichtung der Greiffenberg repräsentativ ist, dann zeigt die Statistik, daß die Dichterin dieses syntaktische Mittel ungefähr zweimal so oft verwendet wie Weckherlin. Hans Gaitanides[18] hat herausgefunden, daß die Parenthese bei Weckherlin etwa 2 mal in 100 Versen vorkommt. Aufgrund seiner Untersuchung stellt Gaitanides fest, daß Weckherlin die Parenthese so verwendet, daß sie nicht nur „Steigerung oder Ergänzung des Vorangehenden, sondern ganz Neues, manchmal Gegensätzliches" (S. 39) bringt. Auf diese Weise erhalten die Parenthesen bei Weckherlin „eine ungewöhnliche Akzentuierung, sie verlangsamen das Tempo und steigern die Dynamik" (S. 39). Gaitanides' Charakterisierung der Funktion und Wirkung der Weckherlinschen Parenthese läßt sich ohne weiteres auf die Dichtung der Greiffenberg übertragen. „Ein syntaktisches Minimum, gefüllt gleichsam mit einem objektiv-inhaltlichen Maximum, erzeugt einen eigentümlichen Schwebezustand voller

18 Hans Gaitanides, *Versuch einer physiognomischen Stilanalyse*, (Diss. München, 1936).

Spannung" (S. 39 f.). Und schließlich hat auch Gaitanides das bezeichnende Wort von einem Sprechen mit zwei Zungen geprägt: durch die Parenthese ist es als „spräche er [Weckherlin] mit zwei Zungen" (S. 39). Dieses Bild trifft den Kern der vertikalen Worthäufung, die in der Tat ein Sprechen mit mehreren Stimmen darstellt.

Als Denk- und Ausdrucksform ist die vertikale Worthäufung gelegentlich auch in neuerer Zeit anzutreffen, sowohl in der hohen Literatur als auch in der Gebrauchssprache der Reklameindustrie. Auch ein Goethe erachtete es offensichtlich nicht unter seiner Würde, Gedanken in die Form der vertikalen Worthäufung einzupressen. Es dürfte nicht ganz zufällig sein, daß es gerade der alte Goethe ist, der seine philosophischen und wissenschaftlichen Anschauungen in aphoristischen Maximen festhält, um dabei — wenn auch selten — eine komplexe Einsicht durch eine vertikale Worthäufung zum Ausdruck zu bringen. Davon zwei Beispiele:

$$\text{Der Empirismus zur Unbedingtheit } \begin{Bmatrix} \text{erhöht} \\ \text{erweitert} \end{Bmatrix} \text{ ist ja Naturphilosophie.}$$

Schelling.[19]

Indem wir der Einbildungskraft zumuten, das Entstehen statt des Entstandenen, der Vernunft, die Ursache statt der Wirkung zu reproduzieren und auszusprechen, so haben wir zwar beinahe nichts getan, weil es nur ein Umsetzen

$$\text{der } \begin{Bmatrix} \text{Anschauung} \\ \text{Vorstellung} \end{Bmatrix} \text{ ist, aber genug für den Menschen, der}$$

$$\text{vielleicht im Verhältnis } \begin{Bmatrix} \text{zur} \\ \text{gegen die} \end{Bmatrix} \text{ Außenwelt nicht mehr}$$

leisten kann.[20]

19 *Goethes Werke*, Bd. 12 (Hamburger Ausgabe), S. 442, Nr. 565.
20 Ebd. S. 447, Nr. 603.

ANHANG MIT DEN SINNBILDERN UND
ERKLÄRUNGSGEDICHTEN AUS DEN
„ANDÄCHTIGEN BETRACHTUNGEN".

Des
Allerheiligst - und Allerheilsamsten,
Leidens und Sterbens

Jesu Christi

Zwölf andächtige

Betrachtüngen:

Durch

Dessen innigste Liebhaberin und eissrigste Verehrerin

Catharina Regina/ Frau
von Greiffenberg/ Freyherrin auf Seisenegg/

Zu Vermehrung der Ehre GOttes
und Erweckung wahrer Andacht/
mit XII. Sinnbild- Kupfern
verfasset und ausgefertigt.

Nürnberg.
Verlegts Johann Hofmann/ Kunsthändler;
Drukts Johann-Philipp Miltenberger/
Im 1672. Christ-Jahr.

Foto: Herzog August Bibliothek, Wolfenbüttel)

Erklärung des Titel=Kupfers.

LEsch aus / die ganze Welt. Die Tafel der Gedanken
    rein werd gewischet ab. Nichts bleib / als JEsus Christ.
Nichts will ich dulten sonst. Es soll nichts in den schranken
    der Ungedächtnis seyn / als der / der Alles ist.
Es mag die wiß=begier viel schönes wesen reitzen:
    mich labt mein JEsus nur / vor tausend=wissenschaft.
Die Welt mag / wie nach Geld / nach Kunst und Weißheit geitzen:
    ich will und weiß sonst nichts / als seine Creutzes kraft.
Der Gall= und Essig=Schwamm lesch' aus all' Eitelkeiten:
    nur der Gekreutzigte bleib stehn in meinem Sinn.
Wie weit / wann sie allein / die Allheit sich ausbreiten
    und alles wenden kan / das siht man klar hierin.
Die Allheit ich allein will im Gedächtnis haben:
    so hab ich alls / und sie gekreutzigt noch darzu.
Nur unerreichlicher sind ihre Gnaden=Gaben /
    je mehr sie angehäfft. In ihm / ist meine Ruh.

Erklärung des Kupferbilds.

JEsus redet.

LJebe lässet mich nicht bleiben in der süssen Himmel=ruh.
   Der von freud beschallte Thron kan mich nicht mehr an sich halten.
Die verkehrte art der flammen flieget diesem abgrund zu.
   Keine noht=gefahr man scheut / wann man lässt die Liebe walten.
Lew und Drach / als Laut' und Harffe / locken in die Höll hinein;
   Tyger sind ein Lieb=Magnet / Schlangen eine reitzung=rute;
ja die selbste heule=höle muß ein jubel=Himmel seyn:
   nur / daß seiner Lieben qual / durch die eigne / man vernichte.
Nicht in unvermeinte schmerzen unvorsichtigkeit mich stürzt.
   Jn den tiefsten abscheu=pful / den er recht hat vor=erkennet
durch den klärsten ferne=spiegel / der die Ewigkeit verkürzt
   und als gegenwärtig weist / mein entschlossner Wille rennet.
Vorsatz kan mich also setzen in ein herz=entsetzlichs Ort.
   Jch sih' alle mord=gefahr: bin doch blind / sie zu betrachten.
Ein erz=abgrund höchster Liebe reisset mich in diesen fort.
   Meiner Gottheit schlusses=fels keine wellen pflegt zu achten.

Eher als er.

C. N. J. Sc:

Erklärung des Kupferbilds.

O Wunder! seht die frucht / gewachsen von dem Staṁen /
   eh zeitig / als die Zeit / so diesen aufgeführt.
Der zweig / aus dem die blüh und folgends früchte kommen /
   ist in der Wurzel noch: die frucht wird schon berührt.
Der Saft ist noch im stamm / der in die frucht soll schießen /
   und sprizt doch schon in mund / dem der sie niṁt und isst.
So muste JESU Gut / in Kelch und Wein / zufliessen /
   eh noch der leib verwundt. Auch diesen man geniest /
und nimmet / eh er sich für uns noch hingegeben.
   Man isst das GOttes=Lam / eh daß es wird geschlacht;
und kostet seinen Tod / da es noch ist im leben.
   So / vor dem Anfang noch / das Ende wird vollbracht:
Dann Lieb und Allmacht kan die schönste wunder machen:
   wie sie dann täglich thut. Ist diß nit wunder=voll /
daß / in der bittren angst / so Himmel=süße Sachen /
   den ärgsten Feinden auch / sie lieb=verordnen soll.

G. N. S. f.

Erklärung des Kupferbilds.

WAs vor nie=gesehnes wunder siht man hier mit augen an /
   daß ein stern die Sonn' erleucht; daß der klare Glanzes=Bronne
selbst durch einen stralen=tropfen sich verklären lassen kan;
   daß dem grossen hellheit=Meer aus dem kleinen Bach zu=ronne
die durchleuchte Liechtes=fülle; daß ein Stäublein mahlt den Ball /
   der viel grösser als die Erd / mit dem gold der funkel=flammen;
daß der Sonne feuerkugel / in dem dunklen trauerfall /
   von dem fünklein borget Schein / der doch ganz in ihm beysammen!
Solte man / was hier mit JESU sich begibt / bewundern nicht?
   von dem Engel / Liecht und Trost seine Gottheit=Sonn' empfähet.
sein Kraft=volles Meer der Allmacht / stärkt ein Tropf' in der Geschicht.
   von dem Engel=sternlein kraft in den Ursprung=Brunnen gehet /
den aus eigner kraft gezeuget seinen und sonst allen Glanz.
   Lässt der Atlas=Berg also sich von einem Sand=korn stärken?
Hätt' er sich nicht gar verleugnet / wäre seine kraft nicht ganz:
   wer solt / an dem Macht=entzug / nicht der Gottheit Allmacht merken?

Was erst der Berg!

C.N.S.S.

Erklärung des Kupferbilds.

JHr wilde Vögel=schaar / ihr schwarze Rauber=Raben!
    schreckt euch ein steinlein so / was wird erst thun der Berg?
Fallt ihr / vor einem Sand / was wird für Nachdruck haben
    der völlig Felsen=fall / euch deckend / ô ihr zwerg'!
O was ist nicht für macht in dir / ô Berg! verborgen:
    weil auch dein stäublein macht zu füßen fallen dir /
das undank=volle Volk / und setzet sie in sorgen.
    Was würde nicht geschehn / gäbst du erst recht herfür /
den schrecken=vollen sturz. So ist es auch beschaffen /
    ô all=erschaffends Wort! mit dieses Wörtleins kraft /
in schwachheit ausgeredt. Unsichtbar scharfe waffen
    darunter sind verstreckt / mit Majestät behaft.
Das kleine Wort / Ich bins! das machet eilend fallen /
    die Feinde auf die erd. O Allmacht! was kanst du?
kan diß die schwachheit thun. Ach! du kanst alls in allen /
    köntst machen untergehn die welt in einem nu.
Ein wunder ist / nicht diß / daß sich die Allmacht weiset /
    nein! daß sie ihr sich selbst entziehet / uns zu gut /
daß ihres nutzens sie beraubend sich / nur preiset
    den unerschäzten / schatz / zu trösten unsren muht.

Erklärung des Kupferbilds.

DEs abends göldne zeit / mich reizte zu spaziren
 an einen silber=fluß / der ganz krystallen=rein
ein Landschaft=spiegel war / in welchem sich verlieren /
 die Thürne mahler=recht und künstlich fallen ein /
als ob sie ümgekehrt. Man siht die spitz in gründen:
 je tieffer scheinen sie / je höher sind sie nur.
Das aug muß seine maß in ihrer tieffe finden.
 es ist die niederkeit / der hoheit juste spur.
Die spitze / die mich fast den boden spissen dunkte /
 ein wolken=ragen war / in unerreichter höh.
Der sand=beküssend Gupf als wie ein sternlein funkte.
 Jndem ich sehend diß / noch tieff= und höher geh
in meiner denke=lust / find' ich daß JEsus Christ /
 sein Macht= und Onmacht=stand / sein sitzen zu der Rechten /
in diesem Wasserbild mir vorgemahlet ist.
 Weil sie im Elend ihm sein' Ehre widerfechten /
weist er hingegen sie zum hoheit=thron empor.
 Je tieffer jetzund war der Menschheit=thurn gesenket /
ie mehr Erhöhung ihm nächst=künftig stund bevor.
 GOtt auch den Lebenslauf der Christen also lenket.

Der Sonne zu.

Erklärung des Kupferbilds.

JCh schauet' an den Mond / mit geistlichen gedanken /
    und schlieff darüber ein. Mich dünkt' im Traum zu sehn
    den Mond / als eine Kron / dort vor der Sonne stehn /
doch Erdwärts nicht mit liecht die dunkle Scheibe fanken.
Jch dacht / was diß bedeut? Bald ist mir beygefallen /
    was mir nie fället aus. Diß Bild dein Leiden ist /
    mein höchster Schatz! der du ein Himmel=König bist /
in höchstem Glanz und Schein / doch nicht erkennt von allen.
Du sihst den Glauben an / der deine helle Sonne.
    Man sihet deine Kron und Königlichen Pracht
    der / bey der Eitelkeit ganz dunkel und veracht /
unsichtbar wird gesehn nur von der Glaubens=wonne.
Du bist ein König ja der Klarheit / in der Warheit:
    wan schon gebunden du vor jenem Richter stehst.
    Dein Elend dreht sich üm / wann du vorüber gehst /
und in den Vollmond komst: dann zeigt sich deine Klarheit /
Die HimelKönigs=Kron. Indeß muß sie im glauben
    seyn ungesehn beschaut. Unsichtbar aber wahr
    ist deine Herrlichkeit. Das jenig ist ja klar /
was bey der Sonne ist: wer wil den Glanz ihr rauben?

Sinnbilds-Erklärung.

ACh! blindes Kind! sag an / was wilst du machen?
hast du die Wahl in diesen zweyen sachen
erwehlest du den Dornen=stachel=rock /
vor jenem Busch / der glänzt als eine Dock'
im bunten Kleid? ô erz=bethörtes Wählen!
Du toller Knab! du fehlest / dich zu quälen.
Du laufest zu dem / das zu hassen ist:
verwirfest das / was dich mit freud begrüst.
Das blinde Volk / die Juden / gleichermassen
den Busch der Lust / ach! JEsum / fahren lassen /
ja schreyen: weg! sie ziehen törlich für /
den Barrabas / der selbsten Lebensthür;
den Sünden=wurm / der Blum des Paradeises;
das mörder=thier / dem / der des Fromheit=preises
ist über=wehrt. Die Unbesonnenheit /
den Himmels=flur verwirfet von sich weit:
erwehlt dafür ein erzverwerflichs Wesen.
An dieser Wund' / ô Klugheit! wolst genesen.
Erwehle dir den Schatz der Ewigkeit:
ob er dir schon klein scheinet / in der Zeit.

Sinnbilds-Erklärung.

WAs thut ein Hirsch / wann er vom Schlangen=stich
verwundet ist / und zog ihr Gift an sich?
Er eilt dahin / wo frische Quellen spritzen:
da heilt er sich / und kühlet sein erhitzen.
Du bist der Hirsch / ô Seele! dich verwundt
der Schlangen stich dort aus dem Höllen=schlund.
Was raht ist hier? ach! hin nach Salem eile.
Jm Richthaus=Saal steht an der Marter=Seule
der Mose=Fels: den der Gesetzes=Stab
hat wund gepeitscht / daß er viel Wasser gab.
Dort komt / für dich / aus vielen schrunden=brun̄en /
ein rohter Bach von theurem Blut gerunnen:
da trink! du wirst bald heil seyn und gesund /
verwundte Seel! Er ward / vor dich verwundt.
Aus Striemen dir Heil=Ströme fliessen sollen.
Für deine Qwal / die Glut=flut ist geqwollen.
Den Geisel-streich laß dir ein Siegel seyn
der GOttes=Gnad. Dein seyn / heilt JESU Pein
So trinke dann aus diesen Heilbrunn=fluten:
und laß zugleich Buß aus den augen bluten.
Ja senk dich ganz in diesen Jordan ein /
Naeman du! er macht gesund und rein.

Durch verwesen, zum Wesen.

Erklärung des Sinnbilds.

EJn Weitzenkorn / das man im Früling säet /
   vergeht und stirbt / eh dann es neu aufgehet.
   Die Wintersaat / so neben grün aufschiest /
   auch so zuvor erstorben ist.
Diß Gleichnis hast du von dir selbst gegeben /
als / JEsu! du aufgeben woltst dein Leben:
   Seet meinen Leib nur in die Erd hinein!
   er soll bald wieder lebend seyn.
Diß Joseph that. Dein Leichnam ward begraben /
den meine Sünden todt=gemartert haben.
   Als in die Erd du Weitzkorn dich verlohrn:
   es ward bald wieder neu gebohrn.
Du Erstling / hast die Erde uns geweihet.
Wann man uns hat / wie dich / hinein gestreuet:
   wir werden zwar verwerden und vergehn /
   doch lebend wieder auferstehn.
Dein heilger Tod / uns macht vom Tod genesen.
Zum wesen man kehrt wieder / durch verwesen.
   Du Joseph / uns macht wachsē neu herfür /
   und öffnest unsrer Gräber Thür.
Jch will dan gern zu dir mich lassen säen /
du Leben du! üm lebend aufzustehen.
   Jch werd im Grab auch bleiben nit / wie du.
   So geh ich frölich dann zu Ruh.

ieses Gedicht erscheint irrtümlicherweise als Erklärung zur zwölften Betrachtung.

Erklärung des Sinnbilds.

WAnn / seiner Käyser=Leich / die Brandbegängnis hielt
das alte Heiden=Rom: es must / mit flügel=wiegen /
vom Gipfel des Gerüsts empor ein Adler fliegen.
Und diß / für seine Seel / war das Vergöttungs=Bild. *
Du himmlischer August / des ganzen Erdrunds Käyser /
ô JEsu! flogst auch so / von deiner Kreutzes=baar /
als edler Adler / auf / da nun gebraten war
in Liebe deine Leich / du Himmelswege=weiser!
Was hatte da zu thun / der übels hat gethan /
der Schächer / der mit dir den Kreutzes=Tod erlitten?
Er nahm bekehrt an sich der kleinen Grasmück Sitten.
Schaff / (bat' er) daß mit dir ich auch auffliegen kan.
Der Glaub' hat / was er will. Du namst ihn auf die flügel /
und trugest ihn / mit dir / zu ihr / der Seeligkeit.
Sey heute / sprachest du / mein erste Leidensbeut /
mit mir in Paradeis: nun schieb' ich weg / den Rigel.
Ja / JEsu! deine Leich ist meiner Leiche Trost.
Laß mich / auf deinen Tod / auch also seelig sterben.
Mit dir ich leiden will / mit dir das Leben erben.
Mein Glaub / von deinem ja / mir bringt die Freuden=Post.

* Apotheosis. vid. Pier. Hierogl. c. 19

In wunden gefunden

Erklärung des Sinnbilds.

BEy Salem dort / wo Sions Burg sich spitzet /
ein holer Fels im Schoß der Thäler sitzet /
    trug einen Thurn / von Tauben zugenamt:
    weil sie daselbst geheckt und sich besamt.
Unfern davon 'der Brunn Siloha floße
vom Sions=Fels / ein klares Wasser gosse.
    Ach Ort! ach! du bist meines JEsu Bild /
    dem dort ein Speer die Seite hölt und spilt
Der Taubenfels / ist diese süsse Höle:
die ich allein zur Wohnung mir erwehle.
    JEsu / mein Fels! ruff mir zu dir hinein:
    ich flieg / ich kom / ich wil dein Täublein seyn.
Der Vogel hat bey dir sein Haus gefunden.
Jn dieser Kluft / in deinen edlen Wunden /
    an diesem Ort / (dann er gefällt mir wol)
    fort ewiglich mein Seele wohnen soll.
Es darf ja nicht die Höll' in diese Höle
mir folgen nach / darein ich mich verstehle.
    Es ist auch diß der Fels / der von sich gibt
    ein klares Naß / das eine Taube liebt.
Aus Sion ist das rohte Heil gerunnen.
Jch halte mich zu diesem Felsenbrunnen /
    den GOtt gesandt / die Seel zu waschen rein.
    Du Sions / Burg / solst mein Parnassus seyn.
Hier find' ich recht den schönen Hippocrene.
Hier werdet naß / ihr Himmel Musen Söhne!
    Hier man sich trinkt voll Liebe / Feur und Geist /
    und seeliglich ein Himmels=dichter heist.

zum Tode der tödenden

Erklärung des Kupferbilds.

EJn Baum / und eine Schlang / im ersten Garten Eden
    uns üm das Leben bracht.
Die Schlange von dem Baum loßfuhre / uns zu töden
    durch Sünd=vergiffte Macht.
Die Sünden / ihre Brut / von Höllenfeuer gleissen:
    das Lager Israel /
Das Volk der Christ=Gemein / zu plagen und zu beissen /
    zu morden an der Seel.
Was thäthe GOttes Sohn? Er lässet ihme hauen
    ein Creutz / aus diesem Baum.
Er lässt / an diesem Holz / als einen Wurm sich sehen:
    bedenk's / es ist kein Traum.
Jn Gottes Zornes=glut / ward er / wie Erz / gegossen
    zum rohten Purpur=Wurm.
Jhn unsre Sünde hat / die Schlangen=art / ümflossen /
    in seinem Martersturm.
Da hängt er in der Luft: des Todes Tod zu werden /
    des Giftes Gegengift.
Ja! diese todte Schlang den Tod nimt von der Erden:
    den jene lebend stift.
Also die Schlang' am Baum uns konte wiedergeben /
    was Schlang und Baum verscherzt.
Schau jene glaubig an: so wirst du seelig leben.
    Für dich / ward sie geerzt.

Der
Allerheiligſten
Menſchwerdung/ Geburt und
Jugend

JEſu Chriſti/

Zwölf
Andächtige Betrachtungen:
Durch
Deſſen innigſte Liebhaberin und
eifrigſte Verehrerin/

Catharina Regina

Frau von Greiffenberg/
gebohrne Freyherrin auf Seyſenegg/
Zu Vermehrung der Ehre GOttes/ und
Erweckung wahrer Andacht/
verfaſſet/ und ausgefärtigt.

Nürnberg/
In Verlegung Johann Hofmanns/ Buch=
und Kunſthändlers.
Gedruckt daſelbſt bey Andreas Knorzen.

Im 1678. Chriſt-Jahr.

Begriff deß Unbegreiflichen.

H. I. Schönberger sc:

Erklärung des Titel-Kupfers.

DEm unendlichen GOtt / des Höh' nicht zu erreichen /
  und unbegreifflich ist der Engel Feur-Verstand /
dem alle Himmel-Kreis / ihn zu begreiffen / weichen /
  den hab' / O Wunder! ich anjetzt in meiner Hand.
Die wesend Weisheit so das ganze All' umstralet /
  aus Liebes-Witze wird ein Einfalt-volles Kind.
Dem Unbegreifflichen auf diese Weis gefallet
  von uns begriffen seyn / sich in die Windeln windt.
Der im Drey-Einigen vollkommen wahrem Wesen
  Selbständig höchster GOtt / nimt nun die Menschheit an
zum Heiles Werkzeug / daß in solcher wir genesen /
  in der Unendlichkeit begreifflich uns seyn kan.
O Wunder! meine Hand denselben kan begreiffen /
  der unbegreifflich doch der Himmel Himmel ist.
Wie ? ist sie weiter dann als Aller Himmel Reiffen?
Nein=Allheit wird ein Mensch / ein Kind mein JEsus Christ!

Erklärung des ersten Sinnbildes.

AUs einem kleinen Punct / der einem Stäublein gleichet /
  geht so ein weiter Kreis : der Welt unfaßbar ist /
  der in Unendlichkeit mit seinem Ringe reichet /
  von nichts beschlossen wird; doch alles in sich schliest;
  klein / unermäßlich doch / sein wahres Wesen heißet;
  unendlich kleiner ist auch größer als die Welt /
Und solches noch zugleich. Mein Herze sich befleißet /
  zu denken diesem nach / was es doch in sich hält.
Das kleine JEsus-Kind disi Pünctlein uns anzeiget /
  des ew'ge Gottheit doch Welt=überweitend ist /
Natur / und Zeit beschliest / sich in dem Abgrund neiget /
  der alles überhöht. Du Wunder JEsu Christ!
Du bist der Kleinst und Gröst / und diß zu einen Zeiten /
  in einiger Person. Ein Düpflein auf der Erd
der Menschheit nach / und sonst ein GOtt der Ewigkeiten.
Dein Lob unendlich groß aus deiner Kleinheit werd!

Erklärung des Sinnbilds.

DAs weit / und breite Meer ganz unaufhaltlich fließet /
   um dieses große Rund / dasselb in sich beschließet /
   und in den Armen hält. Daher sich nichtes findt /
   daß in dem Erden-Ball in sich es fassen künt /
dieweil es viel zu groß. Doch ist die Kunst noch größer /
wann solcher sperret auf die Weisheit ihre Schlößer
   des innersten Verstands. Dieweil die Seh-Kunst macht /
   daß es in eine Schal durch Perspectiv gebracht /
von Felsen zugericht / die in die Schmäl es bringen
Kan dieses nun die Kunst / solls nicht viel mehr gelingen
   der Künste Ursprung GOtt? daß Uberschwänglichkeit
   werd in ein schwachs Gefäß der Sterblichkeit geleit /
das weite Gottheit—Meer / in eine änge Schale
des Jungfräulichen Leibs? daß gleich die Gottheit walle
   in und auch auser ihr / daß sie den wahren GOtt
   würck-wesentlich empfang / und doch ohn Abgang-Noht
das übrig hohe Meer / frey unbeschränkt fortstürzet
die Well-Unendlichkeit / ist mahlerhaft verkürzet /
   vollkommen in der Schal / vollkommen auser der /
   ein GOtt in Mutter-Leib / und in der Dreyheit / Meer.

Erklärung des Sinnbilds.

O Wunder! seh ich dann / selbst in der Klarheit / Flecken?
   Mein klarer reiner Brunn ist ohne Mackel nit.
Was für ein Schatten will mir Aug und Herz bedecken?
   Mich trieget ja nicht das / was selbst mein Auge siht?
Mein Spiegel-helle Qwell mit Dunkel ist beschmieret.
   Nichts rein auf Erden ist / weil diese es nicht war.
Ach weh! ich will demnach sie lassen unberühret /
   und machen in geheim mit Schmerzen mich von dar.
So dacht der fromme Sinn / und sah nicht / daß das Trübe
   vom Himmel selber kam / daß dieses war sein Bild /
was sich in ihr ereigt / daß ihre Klarheit bliebe
   von solchem unverlezt / in Schatten eingehüllt.
Ach! Joseph thät also : der Schatten macht' ihm Schatten /
   das Liecht die Dunkelheit / weil er nur abwarts schaut'.
Er sorgte / übel sich mit dieser zu begatten:
   Die doch / sowol als er / der Höchste selbst getraut.
Der Gottgeliebten Werk ist anderst / als sie sehen.
   Gar oft das Gute selbst dem Bösen gibt den Schein.
Es ist des Himmels Trieb / das trüb' herüber-gehen.
   GOtt / wie der Engel hier / wird dort Entdecker seyn.

Erklärung des Sinnbilds.

DAs klare Spiegel-Eis empfängt der Sonne Glut /
    und wird doch nicht zerschmelzt : gebiehrt auch ihre Stralē
    ohn allen Schaden gar der hellen Sonne-Flut.
    Jhr Wesen kan in sie / aus ihrem jenes / fallen /
Unmängbar / unverletzt. Die Sonn wird nicht getrübt /
    wann sie geht durch das Glas; und dieses nicht zerbrochen /
    wann jene komt aus ihr / wird nur dadurch geübt
    die Unverletzlichkeit / und klärlich ausgesprochen
die heilge Christ-Geburt. Die Keuschheit GOtt empfangt
    und wiederum gebiert / ihm und ihr unverletzlich.
    Er kein Verkleinerung klein werdend nicht erlangt /
    und bleibt an Kraft und Wehrt gleich ewig unerschätzlich.
Auf Geist-subtile Weis sie einen Leib gebiert
    aus ihrem keuschen Leib / der Sonn-durchdringlich strahlet
    aus ihrer Reinigkeit. Die Keuschheit nichts verliert;
    vielmehr der Höchste selbst mit ihrem Glanz sich mahlet.

Erklärung des Sinnbildes.

DEr einig' Apfel hält in sich viel huntert Körner:
    Viel weiset uns der Ritz / viel mehr sind noch bedeckt.
Diß leichte Gleichnis doch nachdenken machet ferner /
    was große Heimlichkeit doch wol darunter steckt.
Der theure JEsus-Nam / den uns der Engel lehret /
    all Körner-Namen hat in sich aus aller Schrifft.
Jn ihm allein wird GOtt erz-heilig hoch geehret:
    Weil alles Gut in ihn / als in den Punct / eintrifft.
Was in der Bibel steht / was alle Sinn' ersinnen /
    was sagen alle Wort / was dichtet alle Welt /
dis alles Beerlein sind im JEsus-Namen drinnen.
    Daß alle Fäll in ihm solt wohnen / GOtt gefällt.
Doch ists ein kleiner Ritz / was unsrem Wissen offen:
    Weil überschwänglich mehr uns noch verborgen ist
von deiner süssen Güt. Es bleibt viel mehr zu hoffen
    im Rund der Ewigkeit / von dir / HErr JEsu Christ?

Erklärung des Sinnbilds.

JOhannes liese vor : der Stern ihm lauffet nach
    von Morgen / der doch sonst der Morgen-Sonn vorgehet.
Die Sonne / GOttes Sohn / vermenscht im Stalle lag :
    Es kom̅t ein Himmels-Bot / ihm Glück zu wünschen / sehet!
Und weil er solt ein Reich auf Erden richten an :
    so führt der Stern ihm zu / ein großes Volk der Heiden.
Der blinde Jüd' im Liecht / ihn nicht erkennen kan :
    so wird dann dieser Hirt das Volk von Japhet weiden.
Sein König / Satan dort und hier Herodes / sey :
    er saße in dem Liecht / hat doch die Nacht geliebet.
Wir treten / aus der Nacht / dem lieben Liechte bey /
    das unser König ist / uns dort den Himmel gibet.
Jch will / wie dieser Stern dir / JEsu / lauffen zu :
    ich will / ob deinem Stall / im Elend stille stehen.
Jch lauf zu dir / laß mich dir lauffen nach zur Ruh:
    so werd ich ewig dort / und seelig / mit dir gehen.

Erklärung des Sinnbildes.

ACh! wie Wunder-seelig waren
   Augen / die dich sahen hier /
JEsu / in den Fleisches—Jahren /
   O du schönste Menschen-Zier!
Lieblich war das Leiblich-Sehen /
   huldreich war dein Angesicht.
Ach! was wird dann dort geschehen /
   da man dich sicht in dem Liecht?
Kan man nun zu dir nicht kommen?
   Ja! du wohnst in deinem Wort.
Als ich seine Stimm vernommen /
   fand ich meinen Liebsten dort.
JEsus ist ja / wo er redet /
   der an allen Orten ist.
Bald er gar zu Gast mich lädet /
   und mein Geist ihn herzt und küsst.
JEsu! ja / mein Glaub dich sihet.
   Ach! du gehest zu mir ein.
Deinen Leib mein Herz anziehet /
   trinkt den rohten Wunden-Wein.
Durch diß Sehen / wächst das Sehnen /
   ewig dort zu schauen dich.
Bittet ihn doch / meine Threnen /
   daß er mich bald nehm zu sich.
Dünkt mich doch / der Engel-Wagen
   komm und heiß mich sitzen auf.
Geh / O Seele / laß dich tragen /
   end / wie Simeon / den Lauf.
Jch die Blume/ ihm der Sonne /
   lang schon sehnlich sahe nach.
Sey willkommen / komm zur Wonne!
   diß ist meines Freundes Sprach.

Erklärung des Sinnbildes.

FEind Herodes! wen verfolgst du mit dem krumen Schnabel-Schwerd /
    mit den Blut-betrieften Klauen.
Sagt dir / Bluthund / nicht dein Satan / daß der Himmel jetzt auf Erd /
    daß GOtt selbst im Fleisch zu schauen?
Du verfolgst nit deine Söhne : dieser hier ist Gottes Sohn /
    den du nicht / wie sie / kanst würgen.
Scheint er kleine : ha! sein Name ihm verspricht die höchste Kron /
    diesem unsres Heiles Bürgen.
Wilst du / der dir gab das leben / tödten / der vom ew'gen Tod
    dich wolt lösen und befreyen?
Tob / du toller Idumeer! den Gesalbten stürz in Noht :
    GOtt verlacht dein lustigs dreuen.
Er wird / den du mördlich suchest / in Egypten sicher seyn :
    du kanst deinen GOtt nicht tödten.
Aber / Wütrich! auf dich selber flieget schon der Pfeil herein /
    der dich gibt den Todes-Nöten.
JEsus stürzt vom Thron Tyrannen / setzt sich ewig selbst darauf /
    da er tausend-groß muß werden.
Lasst die Fittich-Riesen trotzen : bald wird seyn der stolze Hauf
    ganz vertilget von der Erden.

Erklärung des Sinnbildes.

HErze ! du bist JEsu Kasten /
   da er immer sucht zu rasten :
Wie die edle Diamanten
sind der Ringe Pracht-Verwandten.
Oft du diesen Schatz verlierest /
deinen JEsum nicht mehr spürest.
Sey getrost / denk / daß er gehe /
sich zu bergen in der Nähe.
Er will nur die Probe sehen /
ob du ihn werdst suchen gehen;
ob du werdest ihn mit Schmerzen
wieder laden ein zum Herzen.
Such umsonst nicht da und dorte.
Salem zeigt ihn dir im Worte :
Jn dem Buch / von GOtt geschrieben /
findst du diesen deinen Lieben.
Weg / ihr eitlen Edelsteine!
mein Kleinod ist dieser Eine.
JEsu! wolst mein Herze zieren /
laß es nimmer dich verlieren.

Erklärung des Sinnbildes.

ZWeen Johannes Adler sind /
    zeugen von dem Lamm / und zeigen :
heißen auch ihr Brut-Gesind
    diese Sonne sehen steigen.
Sie tritt hier / als Lamm / herein /
    da ihr niedres Haus / der Wider:
will für uns der Sünder seyn /
    lässt sich schlachten / schlagen nieder /
trägt die Schuld der Menschen Welt.
    Bald sie zu dem Löwen steiget /
wird ein starker Löw und Held /
    der dem Feind die Patten zeiget /
schlägt die Hölle / wirft das Thier /
    das uns droht mit offnen Rachen.
Diß Johannes mir und dir
    zeiget an / uns fromm zu machen.
GOttes Lamm die Sünd hinträgt :
    folge du ihm nach ohn seumen.
GOttes Löw die Tenne fegt /
    drohet mit der Axt den Bäumen.
Thue Buß ! was wilst du brennen?
Lerne deinen Heiland kennen.

Erklärung des Sinnbildes.

WJe wann die Sonn zu Abend gehet /
   und in dem schönsten Purpur stehet /
wirft in die Flut Rubinen-Strahlen :
Sie pflegt dieselbe roht zu mahlen.
So JEsus auch / die Seelen-Sonne /
die gegen uns in Lieb entbronne /
stieg in des Jordans Wasser-Fluten /
als sie des Glutes rohte Struten /
die Purpur-Strahlen / wolte gießen
seither in Wasser Blut-Ström fließen /
zu waschen ab die rohte Sünden :
Wann wir uns zu der Taufe finden.
Er wolt also das Wasser weihen :
Daß wir dadurch geheiligt seyen.
Er hat das / was ihn wusch / gewaschen.
Wir sollen einst / wie Flut und Aschen
ein klares Glas in Glut hergeben /
auch mit verklärten leibern Leben.
Wir Erdenklöße / wann uns netzet
diß Wasser / werden eingesetzet
ins Feuer / das von Himmel fähret :
das allen Sünden-Schlack verzehret.
Das Wasser ist ja wehrt und theuer /
das so gewaschen wird vom Feuer.

Es gieng verlohren.

Erklärung des Sinnbildes.

LUcifer war hoch erhoben /
   floge unter Engeln droben.
Stolz ihn stürzt auß diesem Orden /
daß er ist ein Teufel worden.
Seither flattert mit Gebrummel /
diese Fledermaus und Hummel.
Sie beschmeist und sticht zugleiche /
die GOtt zehlt zu seinem Reiche.
Als auch GOttes Sohn auf Erden
kame / daß er Mensch wolt werden /
alle Menschen zu erlösen
von der Sünd und allem Bösen :
Satan summte / ihn zu stechen.
Er must nur sich selber schwächen.
Seinen Stachel er / ohn ritzen
ließ im Felsen JEsu sitzen.
Seele! fürchte nicht sein Kommen.
Er kan stechen nicht / nur brummen.
Ist sein Stachel doch verlohren!
Glaub' hat dir den Sieg erkohren.
Wer sich kan an JEsum halten /
der ist Fels / wer kan ihn spalten?

Des Allerheiligsten Lebens JESU Christi

Sechs Andächtige

Betrachtungen

Von Dessen

Lehren und Wunderwercken/

Durch
Dessen innigste Liebhaberin und
eifrigste Verehrerin

Catharina Regina

Frau von Greiffenberg/

gebohrne Freyherrin auf Seysenegg/
Zu Vermehrung der Ehre GOttes/und Erweckung
wahrer Andacht / verfasset / und
verfärtigt.

Nürnberg/
In Verlegung Johann Hofmanns / Buch-
und Kunsthändlers 1693.
Gedruckt daselbst bey Christian Sigmund Froberg.

Erklärung des Kupffer=Titels.

JEsus / der der Port und Hafen alles Heil und Segens ist /
Der in sich all Heiles-Quellen / und all Hertzens=Strahl beschleust /
Der in der Verduncklungs=Nacht Seiner Majestät auf Erden /
Wollt / als GOTT die selbste Lieb / unser Heil=Gesund=Bronn werden /
    Hier durch hundert Hülffe=Röhren sprengt und spritzt Gesundheit aus /
    Auf den Wegen Straß=und Gassen / in dem Tempel und zu Haus.
Zu dem Heiles-Wasserwerck füget Er die Geistes=Flammen /
Seiner feur'gen GOttes=Lehr / Wunder! Fluth und Flamm beysammen /
    Diese steigen / schwärmen / blitzen / knall=und strahlen Himmel=an /
    Daß man Feur= und Wasser=Kunst Heil=vereinigt sehen kan.
Sein Mund war der Heiles=Bronn / welches alle Leuth erfahren /
Die zu Seiner Zeit gelebt und in selben Ländern waren.
    Ja Sein gantzer Leib der Kasten / den er aufzusetzen pflegt /
    Millionen Heil=Figuren / nachdem Ihm ihr Noth erregt /
Daß er spring=und fliessen soll hoch und nieder / schnell und sachte /
Allen Er zum Doppel=Heil Sich gefällig giessen machte /
    Da ein Regen / dort ein Springsal / hie ein Spiegel / da ein Ring /
    Dort ein Säul / auf der ihr Wohlfahrt als ein goldnes Laub=werck hieng.
War ein Allheit=Wunder=Springwerk / auch ein Geistes Feur Werck=Kunst /
Jn den Weißheit Predig=Worten / voller Geist= und GOttes=Brunst /
    Sehet also wunder=voll diese GOttes=Fluth und Flammen
    Jn den schönen JEsus=Leben Seiner Werk und Lehr beysammen.

Erklärung
des
Ersten Sinn=Bilds.

GLeichwie die Bau-Kunst pflegt durch ihr Kunst-Wunder-Führen
Die Mauren Winckel-just mit Ecken auszuzieren /
   Daß nicht allein das Aug hat seine Schaue-Lust /
   Es muß den Ohren auch / ja dem Verstand bewust
Noch grössers Wunder seyn. Die Echo (so zu sagen)
Muß / als gepropfet fest viel dopple Früchte tragen /
   Und zwölffmal hallen nach / was mittle Kunst-Säul sagt /
   So / daß die Zahl des Halls stäts höher wird gejagt.
Doch in dem Wunder ist noch mehr geheim verborgen /
Mein JEsus / dessen Treu für alle Welt zu sorgen
   Mit grosser Lieb beginnt / die Heiles-Felsen-Säul /
   Die zwölff Erd-Pfeiler rufft / daß auf der Erd Ihr Heil
Der Welt sie ruffen aus / beruffet sie zum Ruffen /
Sie wiederholen auch / als wie zwölff Künstler Stuffen /
   Jn jenem Pracht-Palast die Stimm je mehr vermehrt /
   Der Geist-Baumeister auch mit Gaben sie verehrt /
Die ziemen ihrem Amt. Wie jener in die Ecken
Die Kunst des Widerhalls kunst=üblich pflag zu stecken /
   Also theilt JEsus mit Beruff= und Ruffens-Krafft
   Mit Schaffen auch zugleich Nutz=Schaffungs=Krafft verschafft.

Erklärung
des
Zweyten Sinn=Bilds.

MEin Hertz ist gegen euch / ihr liebe Hertz-Genossen /
 Gantz offen / ihr durchschaut dasselbig auf den Grund.
Es ist ein Paradeiß / zum Lieb=Beweiß / entsprossen
 Zur Liebes=Augen=Lust / und Labung vor den Mund.
Was je Ergötzlichs hätt der erste Eden=Garten /
 Von Flor=Werck schönster Art / von Blum=Kleinodien /
Von Früchten Himmel=süß in ihm war zu erwarten /
 Soll all's aus mir in euch Geist lieb=und labend gehn.
Es soll Vollkommenheit / ein schöner Krantz von Freuden /
 Sich wind= und binden euch ein Wollust-Lust=Gebänd /
Von zarter Innigkeit / soll Hertz und Augen weiden /
 Blum=holde Lieblichkeit ergötzen ohne End /
Ohn Eitelkeit darzu / weil auch ein Horn von Früchten
 Ich über euch ausschütt in voller Würcklichkeit /
Soll mein Ergötzung seyn / von Wesen=reichen Richten /
 Die lieblich laben euch gleich in und nach der Zeit.

Erklärung des Sinn=Bilds
zu der
Dritten Betrachtung.

EIn gantze Gleichniß Mäng / so eine Landschafft machet /
   Mit aller Zugehör / doch dort und da versetzt /
Uns JEsus lehrend giebt / die Kunst vertausendfachet /
   Jn Unterschiedlichkeit gleich nutzet und ergötzt /
Zwar dort und da zerstreut / doch / wann die Säul gestellet
   Jm Kunstes=Puncten wird / so findt sich alles ein /
Das dunckle Linien=Heer zu selben sich gesellet /
   Und bringt ein schönes Bild aus dem verwirrten Schein.
Das weisest Ur=Absehn der selbsten Witz und Wortes /
   Zerstreuter Gleichniß=Lehr / der juste Kunst=Punct ist /
Aus diesem uns erscheint / als in der Säul des Portes /
   Der Gottseeligkeit Bild / deß Urbild JEsu Christ /
Der GOttes Ebenbild in dieses Ziel zu ziehen /
   Er alle Gleichniß: Strich von tausend Sorten macht;
Zum GOtt=Vereinen zielt sein Göttliches Bemühen /
   Daß alles werd zusamm in GOttes Bild gebracht.

Erklärung
des
Vierten Sinn=Bilds.

DEr mit den Sternen spielt / die Himmel=Kugel schwinget /
Als einen leichten Ball / ihr kreutzweis Kreiß=Werck regt /
Durch seine Wunder=Krafft just in einander schlinget/
Ein Rad das andere / wie in einr Uhr / bewegt.
Der Spielende spatziert mit diesen doppel=Ballen /
Jn recht= und lincker Hand / trägt Erd= und Himmel=Kreiß /
Die Berg und Sterne wiegt / und hin und her macht wallen /
Ohn daß Ihm was entfällt aus seiner Ordnung weis /
Der Erden Zugehör / in dem sie schwebt und schwimmet /
(Jch meine) Lufft und Meer / zugleich mit ihr beschertzt /
Der Fluth / der Saiffen = Blas all ihren Hochmuth nimmet /
Zieht Er den Odem ein / so sinckt sie gantz enthertzt
Jn ihren Ziel=Punct hin. Der (sag ich) der gekrönet
Mit höchster Gottheit Nam / ja Sie selbständig ist /
Das drey = gecinte ʺ mit GOttes Glantz verschönet /
Würck=wesentlich vereint der Menschheit JEsu Christ.
Was Wunder ist es dann / daß Er besondre Wunder
Gewürcket und verricht? Aus Wasser Wein gemacht?
Dem alle Ding ein Spiel / daß Er / so bald Er munter /
Gestillet Wind und Meer / sie in ihr Gräntz gebracht?
Was Wunder (endlich) daß Er auf dem Meer gegangen?
Dieweil aus Ihm / dem Wort / es Anfangs gangen ist.
Er kan mit Sein'm Geschöpff ja / was Er will / anfangen /
Die Welt ein Quater=Stein ist unserm JEsu Christ.

Erklärung
des
Fünfften Sinn=Bilds.

DAs einge recht Einhorn in Keuschheit so verliebet /
   Daß in der Jungfrau Schoos es willig sich gelegt /
Von Hund und Jägern wird gehetzt / verletzt / betrübet /
   Auch endlich umgebracht / jedoch sich wieder reegt /
Und lebet ewiglich. Auf dieser Erde lebend
   Es / als das höchste Heyl / vom Hiṁel uns erscheint /
Geboren aus der Erd / in zwey Naturen schwebend
   Gewunden und gedreht / unlöslichst=fest vereint /
Mit Gottheit=flüß'gem Heil von Menschheit auf gelöset /
   Genießbar uns gemacht / auf Erden ausgeschütt.
Er heilt nicht nur was kranck / ja auch was halb verweset /
   Was schon erlitten hat den scharffen Parcen=Schnitt.
Kein Aussatz frißt zu tieff / zu weit kein Ubel kommet.
   Es muß Unheilbarkeit selb=selbst geheilet seyn.
Die letzten Züg ziehn ab / die Stummheit selbst erstummet /
   Das würcklich Heil ist hier / drum weichet alle Pein.

Erklärung
des
Sechsten Sinn=Bilds.

MJr ist nicht nur von GOtt das eisne Scepter geben /
 Daß ich die Feind zerschmeiß / besonder all Gewalt /
Auf= unter= in der Erd / sowohl im Tod als Leben
 Zu herrschen unbeschränckt ob aller Tods-Gestalt /
Zu Bett / im Sarg / im Grab muß meinem Scepter weichen /
 Der sonsten all's beherrscht / giebt zittrend Schlüssel / Stab /
Und allen Raub heraus. Es muß vor mir erbleichen /
 Der tolle Menschen=Fraß / mir lassen all Haab.
Das schöne Mägdlein hier / den tapffern Jungling dorten /
 Auch Lazrum meinen Freund schon in der Würmer Mund /
Auf! Augen / Sarck und Band! eröffnet euch all Orthen!
 Hut! Tod und Würmer! gebt ihn her auch eurem Schlund /
Vor mich kein Hindrung ist der Mittel=Punct der Erden /
 Entseelen irret auch am Leben nicht bey mir /
Verwesen eilend muß zum neuen Wesen werden /
 Weil ich das Leben selbst / mein Wort darzu die Thür.

Des
Allerheiligsten Lebens
JESU Christi
Ubrige Sechs
Betrachtungen
Von Dessen Heiligem Wandel / Wun
dern und Weissagungen / von= und biß
zu seinem Allerheiligsten Leiden
und Sterben.
Denen auch eine
Andacht vom Heiligen Abendmahl
hinzugefügt /
Durch
Dessen innigste Liebhaberin und eifrigste
Verehrerin
Catharina Regina / Frau
von Greiffenberg /
gebohrne Freyherrin auf Seysenegg/
Zu Vermehrung der Ehre GOttes / und Erweckung
wahrer Andacht / verfasset / und
verfärtigt.

Nürnberg/ in Verlegung Joh. Hofmanns/ Buch=
und Kunsthändlers. 1693.
Gedruckt daselbst bey Christian Sigm. Froberg.

Foto: Bibl. fac. théol. l'Eglise libre, Lausanne)

Erklärung des Sinn=Bilds
zu der
Siebenden Betrachtung.

WJe sollte nicht voll Glantz ein solche Erde werden /
   Die gantz von reinem Glas / in deren Mittel-Punct
Wär eine helle Sonn? Welch Stäublein solcher Erden
   Soll nicht erleuchtet seyn? Aus der das Welt-Aug funckt /
Nach Gott=gegebner Gnad die Hertzens=Fähigkeiten /
   Auch Geist- Durchleuchtig seyn / und Christen=Crystallin /
So / daß das klare Licht des hellen JEsus-Leiden /
   Jn seiner süssen Lehr man fassen könnt zu Sinn /
Und gantz erleuchtet seyn; wann nicht die dichten Flecken
   Selbst eigen-sinn'ger Schuld verhinderten hieran :
Man kan fast nirgend sich für dieser Sonn verstecken /
   Sie scheint in alle Welt. Der Demant-Spiegel kan
Sie fassen überall / nicht nur im Erden—Leben /
   Aus seinem eignen Mund / auch nachmahls durch sein Wort /
Und feur'ge Geistes=Zung Aposteln eingegeben /
   Und andern Lehrern auch / so während fort und fort.
Bleibt Er die Heiles-Sonn / wir die crystallin Erden /
   Die durch das Wort des Worts erleuchtet sollte seyn /
Der Heiles=Mittel=Punct kan nie verfinstert werden /
   Um GOttes willen ! laßt nur Seine Strahlen ein!

Erklärung
des
Achten Sinn=Bilds.

DEr über=englische / ja GOtt=Mensch / JEsus stehet
   Jn seinem Leben hier in einem Schlangen-Krantz /
Der Vipper Wut und Brut viel hundert mal verdrehet /
   Verschlungen und verglenckt / umgiebet solchen Glantz /
Und pfeifft ihm gifftig zu / Er aber hält in Händen
   Die Hasel=Ruth / den Schluß des Höchsten / der auch Er
Jn der Drey=Einheit selbst / beginnet hie zu länden /
   Daß einen innern Kreiß sie machet um Ihn her.
Welch Ordnung=Schlusses=Ring von ihnen nicht berühret
   In Ewigkeit kan seyn. Sie dörffen nicht ein Haar /
Ob GOttes Willens=Schluß / ob noch der Neid sie führet
   Und höllisch spörnet an / anzischen könnens zwar /
Verletzen aber nicht / als nur / so fern erlaubet
   Der Schluß der Göttlichkeit / der endlich zwar verhängt /
Daß in die Fers man sticht / damit ihr Gifft geraubet /
   Und allem Schlang=Geschlecht das Haupt mit Macht zersprengt.

242

Beweiß-66. Verborgene Herrlichkeit

Erklärung
des
Neundten Sinn=Bilds.

DJe wahre Menschheit = Seul mit Reinigkeit umgeben /
   Die über Demant klar / in der die Gottheit spielt
Mit tausend Strahlen=Glantz / in welcher sie zu schweben
   Von Anbeginn beginnt / doch vor der Welt verhüllt
Mit dem Verhehlungs=Zelt. Als aber Ihm beliebet
   Zu weisen einen Blick von Seiner Herrlichkeit /
Den Glori=Vorhang Er ein wenig nun wegschiebet /
   Der Wolcken Span'sche Wand gerücket wird bey seit /
Verhüll'=und Hehlungs=Zeit im Augenblick muß fallen /
   Wie bey † Rudolffo dort / der Gottheit Blick und Blitz /
Maystättisch stehen da / in welcher Sonne wallen /
   Vor Klarheit man verblendt / der Gottheit Sonn=Antlitz
Drey=Einigkeit formirt / in der Er / Sie in Ihme /
   Der Geist durchblitzet Ihn mit Milliontem Schein /
Der Vatter von Ihm rufft / mit Wunder=Donner=Stimme /
   Diß ist mein lieber Sohn / an dem mein Lust allein.
Die Kleider wie der Schnee / das Antlitz wie die Sonne /
   Die donnrend GOttes=Stimm Ihm GOttes Sohn erklärt /
Diß ein Beweiß=Blick ist verborgner Gottheits=Wonne /
   Ein Füncklein von der Sonn / die Er aus Lieb entbährt.

† Bey Rudolffo I. aus dem Hoch=löblichen Haus von Oesterreich / als Ottocar / König
in Böhmen / vor ihm kniende / die Lehen empfienge / wurde das Gezelt eilend
niederfallen gemachet.

Erklärung
des
Zehenden Sinn=Bildes.

DEr Gottheit grosser See von unergründter Tieffe /
    Von unerreichter Höh / unüberschaubar breit /
Jn des Mitt' eine Quell drey=strömig ausher lieffe /
    Vollkommnes Drey und Eins formirt in Ewigkeit /
Die äusserst Einigkeit in GOttes Wesen schwebet /
    Der weitest Unterschied im Selbstand der Person /
Der Vatter doch im Sohn / der Sohn im Vatter lebet /
    Jn jedem beyder Geist / der ein des andern Thron /
Jn höchster Einigkeit / weil auch mit uns vereinet
    Der Mensch=gewordne GOtt / und doch noch nicht vergnügt /
Daß die Vereinigung nur blos an Ihm erscheinet.
Er will / daß wir in Ihm der Gottheit zugefügt /
Mit Ihr auch eines seyn / gleichwie ein Stäudlein stehen /
    An dem Triangel=See / in Christlicher Gemein /
Von der ein Tröpfflein pflegt der Geist im See zu wehen /
    So / daß von selben es verschlungen / eins kan seyn /
Wird in Ihm selbst zu nichts / und in der Allheit alles.
    O glückliches Vergehn ! In GOtt verlieren sich /
Durch JEsu Bitt und Blut / vermög des Allmacht=Schwalles /
    Vereinigt seyn mit GOtt und bleiben ewiglich.

Erklärung
des
Eilfften Sinn=Bilds.

KAm immermehr zusamm vom Anbeginn der Erden /
   Die Hoch=und Niedrigkeit / die Einfalt und Maistätt?
Jn diesem Einzug kans gar klar gespühret werden /
   Indem ein frommes Lamb die Gottheit=Glori hätt.
Es gieng in Einfalt her / doch trugs die Gottheit=Crone /
   Den Namen auf dem Haupt / das Wesen überall /
Der unbeschaulich Glantz um Ihn macht einen Throne
   Von lauter Strahlen=Gold und Flamm=Blitz ohne Zahl /
Es zieht sanfftmüthig ein / mit Demuht=vollem Wandel /
   Jn armer Schaf=Gestalt / einfältig ohne Pracht /
Die Schickung GOttes treibt damit doch ihrer Handel /
   Die Engel in der Höh / die Leut hie singen macht /
Und spielen Ihm zu Lob. Welch Potentat auf Erden /
   Hält so ein Einzug hie ? Von dem viel tausend Jahr /
Wie hier geschehen ist / geweissagt solte werden /
   Das würcklich nun erfüllt / genau bey einem Haar.
Ach Elends=Herrlichkeit in schlecht geringen Dingen /
   Verspühren GOttes Macht / und hohen Himmel=Trieb !
Die Kinder und das Volck / Ihm solch ein Lob=Lied singen /
   Das sieben Secul vor ein König Ihm zu lieb
Und Ehren hat gemacht. Der andern Sieg=Prächt werden /
   Von Menschen angestellt / mit ordnen und Gebott /
Mit Treiben und mit Zwang / und mancherley Beschwerden /
   Hier Alls in Allem würckt / der wunder=thätig GOtt /
Kein Welt=Her jemals hat das Hertz beherrschen können
   Des wilden Pöbel=Volcks / des viel-geköpfften Thier /
Hie all einhällig Ihm das Reich sie wünsch= und gönnen /
   Die Kleider breiten auf / die Zweig ihm tragen für
Ohn einigen Befehl. O Wunder / Herrlichkeiten !
   Jm tieffsten Elend=Schranck! O Sanfftmuth voller Stärck!
Gedult voll Sieges=Pracht ! Ach Einfalt voll Weißheiten!
   Jn schlechter Niedrigkeit / ein Hoheit=volles Werck.

Erklärung
des
Zwölfften Sinn=Bilds.

DĒr Mensch-GOtt in der Höh / und GOtt-Mensch auf der Erden /
Der süsse JEsus Christ / so nimmer satt konnt werden
    Zu weisen Seine Lieb / nachdem Er deren Frucht
    Sein Leiden / angezeigt / da unser Heil gesucht
Mit allen Kräfften wird / dunckts ihn noch alls zu wenig /
Wann Er uns nicht Sein Hertz (der Lieb-und Hertzen-König)
    Selb=selbst herausser gäb; daher greifft Er darnach /
    Mit Seiner Allmachts=Hand / der müglich alle Sach /
Nimt solches aus dein Leib / eh noch der Leib die Wunden
Jn seiner Seite hatt / daß Wollust wird empfunden
    An Seiner Schmertzen Noth. Er fanget auch das Blut
    Aus Hertz und Adern auf / gibt solches höchste Gut
Uns in dem Kelch zum Tranck. Lieb über allen Liebe !
Kein Tropffen fast in Ihm / uns zu erquicken / bliebe.
    Wer Hertz und Blut hergibt im Leben und im Tod /
    Jst mehr= und doch ein Mensch / ein Mensch-verliebter GOtt.

BIBLIOGRAPHIE

Werke der C. R. v. Greiffenberg

1 Geistliche Sonnette/ Lieder und Gedichte/ zu Gottseeligem Zeitvertreib/ erfunden und gesetzet durch Fräulein Catharina Regina/ Fräulein von Greiffenberg/ geb. Freyherrin von Seyßenegg: Nunmehr Jhr zu Ehren und Gedächtniß/ zwar ohne ihr Wissen/ zum Druck gefördert/ und durch ihren Vettern Hanns Rudolf von Greiffenberg/ Freyherrn zu Seyßenegg. Nürnberg/ In Verlegung Michael Endters. Gedruckt zu Bayreuth bey Johann Gebhard. Jm M.DC LXII. Jahr. (zit. als SLG) 1662. Duodez
vorhanden: UB. Berkley (California), Fürstl. Fürstenberg, Hofbibl. Donaueschingen, UB Göttingen, UB Greifswald, Brit. Mus. London, Bibl. Germ. Instituts Münster, Stadtbibl. Ulm, ÖNB Wien, Herz.-August-Bibl. Wolfenbüttel, Württembergische Landesbibl., UB Yale, ZB Zürich.

1a Reprographischer Nachdruck. Mit einem Nachwort zum Neudruck von Heinz-Otto Burger. Darmstadt (Wissenschaftliche Buchgesellschaft) 1967.

2 Des Allerheiligst= und Allerheilsamsten Leidens und Sterbens JESU CHRISTI Zwölf andächtige Betrachtungen: Durch dessen innigste Liebhaberin und eifrigste Verehrerin Catharina Regina/ Frau von Greiffenberg/ Freyherrin auf Seisenegg / Zu Vermehrung der Ehre GOttes und Erweckung wahrer Andacht / mit XII. Sinnbild= Kupfern verfasset und ausgefertigt. Nürnberg. Verlegts Johann Hofmann / Kunsthändler. Drukts Johann=Philipp Miltenberger / Jm 1672. Christ=Jahr. (zitiert als LS) Oktav.
vorhanden: Herz.-August-Bibl. Wolfenbüttel, UB Yale.

2a 2. Auflage 1683
Des Allerheiligst= und Allerheilsamsten Leidens und Sterbens Jesu Christi/ Zwölf andächtige Betrachtungen: Durch Dessen innigste Liebhaberin und eifrigste Verehrerin Catharina Regina/ Frau von Greiffenberg/ Freyherrin auf Seisenegg/ Zu Vermehrung der Ehre GOttes und Erweckung wahrer Andacht / mit XII. Sinnbild=Kupfern verfasset und ausgefertigt. Nürnberg. Verlegts Johann Hofmann / Buch- und Kunst-Händler. Neustadt an der Aysch / druckts daselbst Johann Christoff Drechsler / 1683. Wörtlicher Nachdruck der 1. Auflage mit lediglich orthographischen Änderungen. Oktav.
Vorhanden: Staats- und Stadtbibl. Augsburg, Landesbibl. Dresden, UB Göttingen, Bibliothèque de la faculté de théologie de l'Eglise libre Lausanne, Brit. Mus. London, UB Tübingen.

3 Sieges-Seule der Buße und Glaubens / wider den Erbfeind Christliches Namens: aufgestellet / und mit des Herrn von Bartas geteutschtem Glaubens-Triumf gekrönet / durch Catharina Regina / Frau von Greiffenberg / Freyherrin auf Seissenegg. Nürnberg / Jn Verlegung Johann Hofmann / Kunst= und Buchhändlers. Gedruckt bey Christoff Gerhard. Jm Jahr Christi 1675.
Duodez
Darin S. 1—250: Sieges-Seule.
Darin S. 252—328: Glaubens-Triumf. oder die Siegprachtende Zuversicht: Aus Herrn von Bartas Französischem in das Teutsche versetzet / Jm 1660. Christ-Jahr.

Darin S. 329—348: Tugend-Übung / Sieben Lustwehlender Schäferinnen.
Vorhanden: UB Marburg, UB München, Herz.-August-Bibl. Wolfenbüttel.

4 Der Allerheiligsten Menschwerdung / Geburt und Jugend JESU CHRISTI / Zwölf Andächtige Betrachtungen: Durch Dessen innigste Liebhaberin und eifrigste Verehrerin / CATHARINA REGINA Frau von Greiffenberg / gebohrne Freyherrin auf Seysenegg / Zur Vermehrung der Ehre GOttes / und Erweckung wahrer Andacht / verfasset / und ausgefärtigt. Nürnberg / Jn Verlegung Johann Hofmanns / Buch= und Kunsthändlers. Gedruckt daselbst bey Andreas Knorzen. Jm 1678. Christ-Jahr. (zitiert als MC)
Oktav.
Vorhanden: Staats- und Stadtbibl. Augsburg, UB Breslau, Landesbibl. Dresden, UB Erlangen-Nürnberg, Herz.-August-Bibl. Wolfenbüttel.

4a 2. Auflage 1693
Höchstheilsam= und Seelenerbauliche Betrachtungen Von Allerheiligster Menschwerdung / Geburt und Jugend / Wie auch von Leben / Lehre und Wunderwerken / Und dann vom Leiden und Sterben Unsers HERRN und Heilands JESU Christi / Durch Dessen innigste Liebhaberin und eifrigste Verehrerin Catharina Regina Frau von Greiffenberg / gebohrne Freyherrin auf Seysenegg / Zu Vermehrung der Ehre GOttes / und Erweckung wahrer Andacht in Vier absonderliche Bände verfasset mit vielen Kupfern gezieret und ausgefertiget. Nürnberg / verlegts Johann Hofmann / Buch= und Kunsthändlern. 1693. Gedruckt daselbst / bey Christian Sigmund Froberg.
Oktav.
Vorhanden: Bibl. fac. théol. l'Eglise libre Lausanne.

5 Des Allerheiligsten Lebens JESU Christi Sechs Andächtige Betrachtungen Von Dessen Lehren und Wunderwercken / Durch Dessen innigste Liebhaberin und eifrigste Verehrerin Catharina Regina Frau von Greiffenberg / gebohrne Freyherrin auf Seysenegg / Zu Vermehrung der Ehre GOttes / und Erweckung wahrer Andacht / verfasset und verfärtigt. Nürnberg / Jn Verlegung Johann Hofmanns / Buch= und Kunsthändlers. 1693. Gedruckt daselbst bey Christian Sigmund Froberg. (zitiert als LC)
Oktav .
Vorhanden: Bib. fac. théol. l'Eglise libre Lausanne, Fürstl. Ysenburg-Büdingsche Bib.l.

6 Des Allerheiligsten Lebens JESU Christi Ubrige Sechs Betrachtungen Von Dessen Heiligem Wandel / Wundern und Weissagungen / von= und biß zu seinem Allerheiligsten Leiden und Sterben. Denen auch eine Andacht vom Heiligen Abendmahl hinzugefügt/ Durch Dessen innigste Liebhaberin und eifrigste Verehrerin Catharina Regina / Frau von Greiffenberg / gebohrne Freyherrin auf Seysenegg / Zu Vermehrung der Ehre GOttes / und Erweckung wahrer Andacht / verfasset und verfärtigt. Nürnberg / in Verlegung Joh. Hofmanns / Buch= und Kunsthändlers. 1693. Gedruckt daselbst bey Christian Sigm. Froberg (zitiert als LJ)
Oktav.
Vorhanden: UB Bonn, UB Göttingen, Bib. fac. théol. l'Eglise libre Lausanne, ZB Zürich.

SEKUNDÄRLITERATUR

MARTIN BIRCHER, „Catharina Regina von Greiffenberg. Neue Veröffentlichungen zu Leben und Werk der Dichterin." In: *Neue Zürcher Zeitung*, Beilage Literatur und Kunst, Nr. 203, 31. 3. 1968.

MARTIN BIRCHER, „Unergründlichkeit. Catharina Regina von Greiffenbergs Gedicht über den Tod der Barbara Susanna Eleonora von Regal", *Deutsche Barocklyrik*. Gedichtinterpretationen von Spee bis Haller, hrsg. von Martin Bircher und Alois M. Haas (Bern, 1973), S. 185—223.

MARTIN BIRCHER u. PETER DALY, „Catharina Regina von Greiffenberg und Johann Wilhelm von Stubenberg. Zur Frage der Autorschaft zweier anonymer Widmungsgedichte." *Literaturwissenschaftl. Jb. d. Görres-Ges.* Bd. 7 (1966), S. 17—35.

INGRID BLACK u. PETER M. DALY, *Gelegenheit und Geständnis. Unveröffentlichte Gelegenheitsgedichte als verschleierter Spiegel des Lebens und Wirkens der Catharina Regina von Greiffenberg.* „Kanadische Studien zur deutschen Sprache und Literatur," hrsg. Armin Arnold, Michael Batts, Hans Eichner, Bd. 3, (Bern, 1971).

ROBERT M. BROWNING, *German Baroque Poetry 1618—1723* (Pennsylvania, 1971), S. 68—72.

A.G.DE CAPUA, *German Baroque Poetry.* Interpretative Readings. (Albany, 1973), S. 107—117.

PETER M. DALY, *Die Metaphorik in den „Sonetten" der Catharina Regina von Greiffenberg* (Diss. Zürich, 1964).

PETER M. DALY, „Emblematic Poetry of Occasional Meditation," *German Life and Letters,* XXV (1972), 126—139.

PETER M. DALY, „Vom privaten Gelegenheitsgedicht zur öffentlichen Andachtsbetrachtung (zu C. R. von Greiffenbergs ,Trauer Liedlein')," *Euphorion,* LXVI (1972), 308—314.

PETER M. DALY, „Emblematische Strukturen in der Dichtung der Catharina Regina von Greiffenberg," *Europäische Tradition und deutscher Literaturbarock.* Internationale Beiträge zum Problem von Überlieferung und Umgestaltung, hrsg. von Gerhart Hoffmeister, (Bern, 1973), S. 189—222.

VERENI FÄSSLER, *Hell-Dunkel in der barocken Dichtung.* Studien zum Hell-Dunkel bei Johann Klaj, Andreas Gryphius und Catharina Regina von Greiffenberg. Europäische Hochschulschriften, Reihe I, Band 44, (Bern, 1971).

HORST-JOACHIM FRANK, *Catharina Regina von Greiffenberg. Untersuchungen zu ihrer Persönlichkeit und Sonettdichtung* (Diss. Hamburg, 1957).

HORST-JOACHIM FRANK, *Catharina Regina von Greiffenberg. Leben und Welt der barocken Dichterin.* Schriften zur Literatur, Bd. 8, (Göttingen, 1967), (= 1. Teil der Diss.).

GEDICHTE. [Greiffenberg] Ausgewählt und mit einem Nachwort hrsg. von Hubert Gersch, (Berlin, 1964).

GERALD GILLESPIE, *German Baroque Poetry* (New York, 1971) S. 145—153.

URS HERZOG, „Literatur in Isolation und Einsamkeit. Catharina Regina von Greiffenberg und ihr literarischer Freundeskreis," DVJs, XLV (1971), S. 515–546.

FLORA E. KIMMICH, *Methods of Composition in Greiffenberg's Sonnets* (Unveröff. Diss. Yale, 1969).

JOACHIM KRÖLL, „ ,ARS MORIENDI'. Bayreuther Leichenbegängnisse um die Mitte des 17. Jahrhunderts," *Archiv für Geschichte von Oberfranken*, LII (1972), S. 265–291, bes. S. 285f.

RUTH LIWERSKI, *Über die Passionsbetrachtungen der Catharina Regina von Greiffenberg* (Unveröff. Staatsarbeit, Göttingen, 1961).

RUTH LIWERSKI, *Das Wörterwerk der Catharina Regina von Greiffenberg* (Diss. Göttingen 1970, noch nicht im Druck erschienen).

RUTH LIWERSKI, „Ein Beitrag zur Sonett-Ästhetik des Barock. Das Sonett der Catharina Regina von Greiffenberg," DVJs, IL (1975), S. 215–264.

INGRID SCHÜRK, „Sey dennoch unverzagt! Paul Fleming und Catharina Regina von Greiffenberg," *Aus der Welt des Barock*, hrsg. von Richard Alewyn, (Stuttgart, 1957), S. 56–68.

MALVE KRISTIN SLOCUM, *Untersuchungen zu Lob und Spiel in den „Sonetten" der Catharina Regina von Greiffenberg* (unveröff. Diss. Cornell, 1970).

BLAKE LEE SPAHR, *The Archives of the Pegnesischer Blumenorden.* University of California Publications in Modern Philology, Volume 57, (Berkeley and Los Angeles, 1960).

JOHN HERMANN SULLIVAN, *The German Religious Sonnet of the Seventeenth Century,* (Diss. U. of California, Berkeley, 1966), S. 199–243.

HERMANN UHDE-BERNAYS, *Catharina Regina von Greiffenberg (1633–1694).* Ein Beitrag zur Geschichte deutschen Lebens und Dichtens im 17. Jahrhundert. (Diss. Berlin, 1903).

LEO VILLIGER, *Catharina Regina von Greiffenberg (1633–1694).* Zur Sprache und Welt der barocken Dichterin (Diss. Zürich, 1952). Gleichfalls in: Zürcher Beiträge z. dt. Sprach- u. Stilgesch. hrsg. von Rudolf Hotzenköcherle u. Emil Staiger, Nr. 5, (Zürich, 1952).

MAX WEHRLI, „Catharina Regina von Greiffenberg: Über das unaussprechliche Heilige Geistes-Eingeben," *Schweizer Monatshefte,* LXV, (1965), 577–82.

CONRAD WIEDEMANN, „Engel, Geist und Feuer. Zum Dichterselbstverständnis bei Johann Klaj, Catharina von Greiffenberg und Quirinus Kuhlmann," *Literatur und Geistesgeschichte.* Festgabe für Heinz Otto Burger, hrsg. von Reinhold Grimm, u. Conrad Wiedemann, (Berlin, 1968), S. 85–109.

ROSEMARIE ZELLER, *Spiel und Konversation im Barock* . Untersuchungen zu Harsdörffers „Gesprachspielen". (Berlin, 1974), S. 55f., 131–146.

Auswahl Bibliographie zur Emblematik

ROBERT J. CLEMENTS, *Picta Poesis. Literary and Humanistic Theory in Renaissance Emblem Books* (Rome, 1960).

PETER M. DALY, „The Poetic Emblem," *Neophilologus*, LIV (1970), 381–397.

PETER M. DALY, „The Semantics of the Emblem – Recent Developments in Emblem Theory," *Wascana Review*, IX (1974), 199–212.

ROSEMARY FREEMAN, *English Emblem Books* (London, 1948, reprinted 1967).

KARL GIEHLOW, *Die Hieroglyphenkunde des Humanismus in der Allegorie der Renaissance, besonders der Ehrenpforte Kaisers Maximilian I.* Jahrbuch der Kunsthistorischen Sammlungen des allerhöchsten Kaiserhauses, XXXII, Heft 1, (Wien/Leipzig, 1915).

WOLFGANG HARMS, „Der Fragmentencharakter emblematischer Auslegungen und die Rolle des Lesers. Gabriel Rollenhagens Epigramme," *Deutsche Barocklyrik*. Gedichtinterpretationen von Spee bis Haller, ed. Martin Bircher and Alois M. Haas, (Bern und München, 1973), S. 49–64.

WOLFGANG HARMS, „*Mundus imago Dei est* . Zum Entstehungsprozeß zweier Emblembücher Jean Jacques Boissards," *Deutsche Vierteljahrsschrift für Literaturwissenschaft und Geistesgeschichte*, XXXXVII (1973), 223–244.

WILLIAM S. HECKSCHER und KARL-AUGUST WIRTH, „Emblem, Emblembuch" *Reallexikon zur Deutschen Kunstgeschichte* (Stuttgart, 1959), 5, Sp. 85–228.

WILLIAM S. HECKSCHER, „Renaissance Emblems," *The Princeton University Library Chronicle* XV (1954), 55–68.

ARTHUR HENKEL, ALBRECHT SCHÖNE, *Emblemata, Handbuch zur Sinnbildkunst des XVI. und XVII. Jahrhunderts* (Stuttgart, 1967), bes. die Einleitung.

HOLGER HOMANN, „Prolegomena zu einer Geschichte der Emblematik," *Colloquia Germanica*, III (1968), 244–57.

HOLGER HOMANN, *Studien zur Emblematik des 16. Jahrhunderts* (Utrecht, 1971).

DIETRICH JÖNS, *Das „Sinnen-Bild". Studien zur allegorischen Bildlichkeit bei Andreas Gryphius* (Stuttgart, 1966).

DIETRICH JÖNS, „Emblematisches bei Grimmelshausen," *Euphorion*, LXII (1968), 385–91.

DIETRICH JÖNS, „Die emblematische Predigtweise Johann Sauberts", in *Rezeption und Produktion zwischen 1570 und 1730*. Festschrift für Günther Weydt zum 65. Geburtstag, ed. Wolfdietrich Rasch, Hans Geulen und Klaus Heberkamm (Bern und München, 1972), S. 137–158.

HESSEL MIEDEMA, „The term *Emblema* in Alciata," *Journal of the Warburg and Courtauld Institutes* XXXI (1968), 234–250.

ERNST FRIEDRICH VON MONROY, *Embleme und Emblembücher in den Niederlanden 1560–1630* (Utrecht, 1964).

SIBYLLE PENKERT, „Zur Emblemforschung", *Göttingische Gelehrte Anzeigen*, 224. Jahrgang, Heft 1/2, 100–120.

MARIO PRAZ, *Studies in Seventeenth Century Imagery*, (Rome, 1964²).

ALBRECHT SCHÖNE, *Emblematik und Drama im Zeitalter des Barock*, (München, 1968²).

ALBRECHT SCHÖNE, „Hohburgs Psalter-Embleme," *Deutsche Vierteljahrsschrift für Literaturwissenschaft und Geistesgeschichte*, XLIV (1970), 655–669.

HENRI STEGEMEIER, „Problems in Emblem Literature," *Journal of English and German Philology* XLV (1946), 26–37.

DIETER SULZER, „Zu einer Geschichte der Emblemtheorien," *Euphorion* LXIV, (1970), 23–50.

LUDWIG VOLKMANN, *Bilderschriften der Renaissance, Hieroglyphik und Emblematik in ihren Beziehungen und Fortwirkungen* (Leipzig, 1923).

PERSONEN

SACHEN UND MOTIVE